Taschenbuch – Literatur - Kla[illegible]

Band 133 - 1

Selma Lagerlöf

Die wunderbare Reise des kleinen Nils Holgersson mit den Wildgänsen – 1. Teil

Selma Lagerlöf

Die wunderbare Reise des kleinen Nils Holgersson mit den Wildgänsen – 1. Teil

Band 133 - 1
1.Auflage
Taschenbuch – Literatur - Klassiker
Herausgeber Frank Weber, Marburg
Bibliografische Information der Deutschen Nationalbibliothek:
Die Deutsche Nationalbibliothek verzeichnet diese Publikation
in der Deutschen Nationalbibliografie; detaillierte
bibliografische Daten sind im Internet abrufbar
über http://dnb.dnb.de

ISBN 9783752662672
Deutsch: M.Mann
Herstellung und Verlag: BoD – Books on Demand, Norderstedt

Selma Lagerlöf

Die wunderbare Reise des kleinen Nils Holgersson mit den Wildgänsen

Erster Teil

Inhalt

I. Der Junge

Der Kobold.

Sonntag, den 20. März.

Es war einmal ein Junge. Er mochte wohl vierzehn Jahre alt sein, war lang aufgeschossen und hatte flachsgelbes Haar. Er war zu nichts recht zu gebrauchen. Am liebsten mochte er schlafen und essen, sein größtes Vergnügen aber war, dumme Streiche zu machen.

Es war an einem Sonntagmorgen. Die Eltern des Jungen waren im Begriff, sich zum Kirchgang anzukleiden. Der Junge selbst saß in Hemdärmeln auf dem Tisch und dachte, wie schön es sei, daß Vater und Mutter beide fortgingen, so daß er ein paar Stunden lang sein eigener Herr sein konnte. »Jetzt kann ich doch Vaters Flinte herunternehmen und ein wenig damit schießen, ohne daß sich gleich jemand dahineinmischt,« sagte er zu sich selbst.

Aber es war fast, als habe der Vater die Gedanken des Knaben erraten, denn gerade als er in der Tür stand und gehen wollte, blieb er stehen und wandte sich nach ihm um.

»Wenn du nicht mit Mutter und mir in die Kirche willst,« sagte er, »so finde ich, du solltest auf alle Fälle eine Predigt hier zu Hause lesen. Willst du mir das versprechen?«

»Ja,« sagte der Junge, »das kann ich gerne tun.« Und er dachte natürlich, daß er nicht mehr lesen würde, als er Lust hatte.

Der Junge meinte, er habe seine Mutter sich noch nie so schnell bewegen sehen. In einem Nu war sie bei dem Wandgesims, nahm Luthers Postille herunter und legte sie auf den Tisch am Fenster, die Predigt des Tages aufgeschlagen. Sie schlug auch im Evangelienbuch auf und legte es neben die Postille. Schließlich zog sie den großen Lehnstuhl an den Tisch heran, der im vorigen Jahr auf der Auktion im Vemmenhöger Pfarrhaus gekauft war, und in dem sonst niemand als der Vater sitzen durfte.

Der Junge saß da und dachte bei sich, die Mutter mache sich doch gar zu viele Mühe mit den Vorbereitungen, denn er hatte gar nicht die Absicht, mehr als eine Seite hier und da zu lesen.

Aber nun war es zum zweitenmal gerade so, als wenn der Vater ganz durch ihn hindurchsehen könne, denn er sagte strenge: »Sieh nur zu, daß du ordentlich liest! Denn wenn wir nach Hause kommen, überhöre

ich dir jede Seite, und hast du eine Seite übersprungen, so kannst du mir glauben, ich werd dich lehren!«
»Die Predigt ist vierzehn und eine halbe Seite lang,« sagte die Mutter, wie um das Maß voll zu machen. »Du mußt dich wohl gleich hinsetzen und lesen, wenn du hindurchkommen willst,«
Und dann gingen sie endlich, und als der Junge in der Tür stand und ihnen nachsah, fand er, daß sie ihn in einer Falle gefangen hatten. »Die gehen nun dahin und sind stolz darauf, daß sie es so gut gemacht haben und ich hier nun, während der ganzen Zeit, daß sie fort sind, über der Predigt brüten muß,« dachte er bei sich.
Aber sein Vater und seine Mutter waren weit davon entfernt, stolz über irgend etwas zu sein; sie waren im Gegenteil ziemlich betrübt. Sie waren arme Häuslerleute und hatten nicht viel mehr Boden als einen Gartenfleck. In der ersten Zeit, als sie das Haus hatten, konnten sie nur ein Schwein und ein paar Hühner halten, aber sie waren selten strebsame und tüchtige Leute, und jetzt hatten sie sowohl Kühe als auch Gänse. Es war vorzüglich vorwärts gegangen mit ihnen, und hätten sie nicht an den Sohn denken müssen, so wären sie an diesem schönen Sonntagmorgen froh und vergnügt zur Kirche gegangen. Der Vater klagte darüber, daß er faul und nachlässig sei, in der Schule hatte er nichts getan, und er war so untüchtig, daß er ihn nur mit Not und Mühe die Gänse hüten lassen konnte. Und die Mutter bestritt keineswegs, daß das wahr sei, aber sie war am meisten betrübt darüber, daß er ein so wilder und arger Bube war, hart gegen Tiere und boshaft gegen Menschen, »Wenn doch Gott ihn beugen und ihm einen andern Sinn geben wollte,« sagte die Mutter. »Sonst wird er ein Unglück für sich selbst und für uns.«
Der Junge stand lange da und überlegte, ob er die Predigt lesen solle oder nicht. Aber dann wurde er mit sich selbst einig, daß es diesmal am besten sein würde, wenn er gehorchte. Er setzte sich in den Pfarrhauslehnstuhl und fing an zu lesen. Als er aber eine Weile die Wörter halblaut hergeplappert hatte, war er nahe daran, über sein eigenes Gemurmel einzuschlafen, und er merkte, daß er anfing einzunicken.
Draußen war das schönste Frühlingswetter. Man war zwar nicht weiter im Jahr als am zwanzigsten März, aber der Junge wohnte im West-Vemmenhöger Kirchspiel, weit unten im südlichen Schonen, und da war der Frühling schon im vollen Gange. Es war noch nicht grün, aber

es war frisch und im Begriff, Knospen zu treiben. Da war Wasser in allen Gräben, und der Huflattich stand an den Grabenrändern in Blüte. All das kleine Krautwerk, das auf den Steinwällen wuchs, war braun und blank. Die Buchenwälder in der Ferne standen gleichsam da und schwollen und wurden mit jedem Augenblick dichter. Der Himmel war hoch und hellblau. Die Haustür stand angelehnt, so daß man in der Stube hören konnte, wie die Lerche sang. Die Hühner und Gänse gingen draußen im Hofe, und die Kühe, die die Frühlingsluft bis ganz in ihre Stände hinein spürten, gaben von Zeit zu Zeit ein Brüllen von sich.

Der Junge las und nickte und kämpfte mit dem Schlaf. »Nein, ich will nicht einschlafen,« dachte er, »denn dann komme ich heute vormittag nicht durch dies hier hindurch.«

Aber wie es nun kommen mochte, er schlief dennoch ein.

Er wußte nicht, ob er eine kurze oder eine lange Zeit geschlafen hatte, aber er erwachte davon, daß er ein schwaches Geräusch hinter sich hörte.

Auf der Fensterbank, gerade vor dem Jungen, stand ein kleiner Spiegel, und darin konnte man beinahe die ganze Stube sehen. In demselben Augenblick, als nun der Junge den Kopf erhob, fiel sein Blick in den Spiegel, und da sah er, daß der Deckel von der Mutter Truhe geöffnet war.

Die Mutter hatte nämlich eine große, schwere, eisenbeschlagene eichene Truhe, die niemand außer ihr selber öffnen durfte. Dort bewahrte sie all das auf, was sie von ihrer Mutter geerbt hatte, und womit sie am allereigensten war. Da lagen ein paar alte Bauerntrachten aus rotem Tuch mit kurzem Leibchen und Faltenrock und perlengesticktem Brusttuch. Da waren gesteifte weiße Kopftücher und schwere silberne Spangen und silberne Ketten. Heutzutage wollten die Leute nicht mit dergleichen Sachen gehen, und die Mutter hatte oft daran gedacht, sich von dem alten Kram zu trennen, aber dann hatte sie es doch nicht übers Herz bringen können.

Nun sah der Junge ganz deutlich im Spiegel, daß der Deckel der Truhe offenstand. Er konnte nicht begreifen, wie das zugegangen war, denn die Mutter hatte die Truhe geschlossen, ehe sie fortging. Es sah der Mutter wahrlich nicht ähnlich, sie offenstehen zu lassen, wenn er allein zu Hause war.

Ihm wurde ganz unheimlich zumute. Er war bange, daß sich ein Dieb ins Haus geschlichen hatte. Er wagte nicht, sich zu rühren, sondern saß ganz still da und starrte in den Spiegel hinein.
Während er so dasaß und wartete, daß sich der Dieb zeigen würde, grübelte er darüber nach, was für ein schwarzer Schatten das wohl sein könne, der über den Rand der Truhe fiel. Er sah und sah und wollte seinen eigenen Augen nicht trauen. Aber das, was zu Anfang wie ein Schatten aussah, wurde immer deutlicher, und er entdeckte bald, daß es etwas Wirkliches war. Es war weder mehr noch weniger als ein Kobold, der rittlings auf dem Rande der Truhe saß.
Der Junge hatte freilich von Kobolden reden hören, aber er hatte sich nie gedacht, daß sie so klein seien. Der, der da auf der Truhe saß, war nicht höher als eine Handbreit. Sein Gesicht war alt und runzelig und bartlos, und er hatte einen langen schwarzen Rock und Kniehosen an und einen breitkrempigen schwarzen Hut auf dem Kopf. Er war sehr fein und zierlich, mit weißen Spitzen am Halse und am Handgelenk, Spangen an den Schuhen und Strumpfbändern mit Rosetten. Er hatte ein gesticktes Brusttuch aus der Truhe genommen und saß nun da und betrachtete die altmodische Arbeit mit so großer Andacht, daß er das Erwachen des Jungen nicht bemerkt hatte.
Der Junge war sehr erstaunt, den Kobold zu sehen, aber bange wurde er eigentlich nicht. Man konnte nicht bange vor einem werden, der so klein war. Und da nun der Kobold so von dem in Anspruch genommen war, was er vorhatte, daß er weder sah noch hörte, so dachte der Junge, es würde ein Spaß sein, ihm einen Streich zu spielen, ihn in die Kiste hinunterzustoßen und den Deckel zuzuschlagen oder etwas Ähnliches.
Aber der Junge war doch nicht so mutig, daß er den Kobold mit den Händen zu berühren wagte, und er sah sich deswegen in der Stube nach etwas um, womit er ihn hinunterstoßen könne. Seine Augen wanderten von der Bettbank nach dem Klapptisch und von dem Klapptisch nach dem Feuerherd. Er sah nach den Kochtöpfen und dem Kaffeekessel, die auf einem Gesims neben dem Feuerherd standen, nach dem Wassereimer an der Tür hinüber und nach den Kellen und Messern und Gabeln und Schüsseln und Tellern, die er durch die halbgeöffnete Schranktür sehen konnte. Er guckte zu des Vaters Flinte hinauf, die an der Wand neben den Bildern der dänischen Königsfamilie hing, und zu den Pelargonien und Fuchsien hinüber, die im Fenster blühten.

Schließlich fiel sein Blick auf einen alten Fliegenfänger, der im Fensterrahmen hing.
Kaum hatte er den Fliegenfänger erblickt, als er ihn ergriff und hinlief und ihn am Rande der Truhe entlangschwenkte. Und er war selbst erstaunt über sein Glück. Er begriff kaum, wie es zugegangen war, aber er hatte den Kobold wirklich gefangen. Der Ärmste lag auf dem Grunde des tiefen Fliegenfängers, den Kopf nach unten und konnte nicht in die Höhe kommen.
Im ersten Augenblick wußte der Junge gar nicht, was er mit seinem Fang machen sollte. Er sorgte nur dafür, den Fliegenfänger hin und her zu schwingen, damit der Kobold keine Gelegenheit fand, hinaufzuklettern.
Der Kobold begann zu sprechen und bat so flehentlich, in Freiheit gesetzt zu werden. Er sagte, er habe ihnen seit vielen Jahren Gutes getan und verdiene eine bessere Behandlung. Wenn der Junge ihn nun freiließ, wollte er ihm einen alten Speziestaler, einen silbernen Löffel und ein Geldstück schenken, das so groß sei wie der Deckel von seines Vaters silberner Uhr.
Der Junge fand ja gerade nicht, daß dies ein großes Anerbieten war, aber seit er den Kobold in seiner Macht hatte, war er bange vor ihm geworden. Er merkte, daß er sich auf etwas eingelassen hatte, was fremd und unheimlich war und daher nicht zu seiner Welt gehörte, und er freute sich nur, ihn loszuwerden.
Deswegen schlug er sofort ein und hielt den Fliegenfänger still, damit der Kobold herauskommen konnte. Aber als der Kobold beinahe oben war, fiel dem Jungen ein, daß er sich größere Reichtümer und alle möglichen Herrlichkeiten hätte ausbedingen sollen. Zum mindesten hätte er die Bedingung stellen sollen, daß ihm der Kobold die Predigt in den Kopf hineingehext hätte. »Wie dumm war ich, daß ich ihn losließ,« dachte er und fing an, den Fliegenfänger zu schütteln, damit der Kobold wieder hinunterfallen sollte.
Aber im selben Augenblick, als der Junge das tat, bekam er eine so gewaltige Ohrfeige, daß er glaubte, sein Kopf müßte zerspringen. Er flog erst nach der einen Wand hinüber und dann nach der andern, schließlich fiel er auf dem Fußboden um, und dort blieb er besinnungslos liegen.
Als er wieder erwachte, war er allein in der Stube. Von dem Kobold war keine Spur zu sehen.

Der Deckel der Truhe war geschlossen, und der Fliegenfänger hing an seinem gewohnten Platz am Fenster. Hätte er nicht gefühlt, wie seine rechte Wange infolge der Ohrfeige brannte, so hätte er versucht sein können zu glauben, daß das Ganze ein Traum gewesen. »Aber Vater und Mutter werden doch behaupten, daß es nichts weiter gewesen ist,« dachte er. »Die ziehen aus Rücksicht auf den Kobold gewiß nichts ab. Es wird wohl am besten sein, wenn ich mich wieder hinsetze und lese.«
Aber als er an den Tisch herantrat, entdeckte er etwas Wunderliches. Es war doch unmöglich, daß die Stube größer geworden war. Woher konnte es denn aber nur kommen, daß er viel mehr Schritte machen mußte als sonst, um an den Tisch zu gelangen? Und was war denn in den Stuhl gefahren? Er sah nicht aus, als wenn er größer wäre als früher, aber er mußte erst auf die Sprosse zwischen den Stuhlbeinen steigen und dann klettern, um auf den Sitz zu gelangen. Und ebenso war es mit dem Tisch. Er konnte nicht über die Tischplatte sehen, ohne auf die Stuhllehne zu klettern.
»Was in aller Welt ist das nur?« sagte der Junge. »Der Kobold wird doch nicht den Lehnstuhl und den Tisch und auch das ganze Haus verhext haben!«
Die Postille lag auf dem Tisch, und sie sah so aus wie früher, aber auch damit mußte etwas nicht in der Ordnung sein, denn er konnte nicht dazu kommen, ein Wort zu lesen, ohne daß er geradezu mitten auf dem Buch stand.
Er las einige Zeilen, aber dann sah er zufällig auf. Dabei fiel sein Auge in den Spiegel, und da rief er plötzlich ganz laut: »Aber da ist ja noch einer!« Denn im Spiegel sah er ganz deutlich einen winzig kleinen Burschen in Zipfelmütze und Lederhose.
»Der ist ja genau so gekleidet wie ich,« sagte der Junge und schlug die Hände vor Erstaunen zusammen. Aber da sah er, daß der kleine Bursche im Spiegel dasselbe tat.
Da zupfte er sich selber im Haar und kniff sich in den Arm und drehte sich rund herum, und augenblicklich machte der im Spiegel es ihm nach.
Der Junge lief ein paarmal rund um den Spiegel herum, um zu sehen, ob sich ein Männlein dahinter versteckt hielt. Aber da war keins, und da begann er vor Angst zu zittern. Denn nun begriff er, daß der Kobold ihn verhext hatte, und daß der kleine Bursche, dessen Bild er im Spiegel sah, er selber war.

Die wilden Gänse

Der Junge konnte sich nun gar nicht bequemen, zu glauben, daß er in einen Kobold verwandelt war. »Es ist wohl nichts weiter als Traum und Einbildung,« dachte er. »Wenn ich nur ein wenig warte, werde ich wohl wieder ein Mensch.«

Er stellte sich vor den Spiegel und schloß die Augen. Er öffnete sie erst wieder, nachdem ein paar Minuten vergangen waren, und erwartete dann, daß es vorübergegangen sei. Aber das war es nicht; er war und blieb gleich klein. Sonst glich er sich selbst, er war ganz so wie früher. Das flachsgelbe Haar und die Sommersprossen über der Nase und die Flicken an der Hose und die Stopfstelle an dem Strumpf, das war alles genau so, wie es zu sein pflegte, nur daß alles kleiner geworden war.

Nein, es konnte nichts nützen, stillzustehen und zu warten, das merkte er wohl. Er mußte etwas anderes versuchen. Und er fand, das klügste, was er tun konnte, war, daß er versuchte, den Kobold zu finden und Frieden mit ihm zu schließen.

Er sprang an die Erde herab und machte sich daran, zu suchen. Er guckte hinter Stühle und Schränke, und unter die Bettbank und hinter den Herd. Er kroch sogar in ein paar Mauselöcher hinein, aber es war ihm nicht möglich, den Kobold zu finden.

Die ganze Zeit, während er suchte, weinte er und betete und gelobte alle möglichen Dinge. Er wollte nie wieder jemand das Wort brechen, er wollte nie wieder boshaft sein, er wollte nie wieder bei der Predigt einschlafen. Wenn er nur wieder ein Mensch werden könne, dann wollte er auch tüchtig sein und ein guter und gehorsamer Junge. Aber was er auch versprach, es half nicht im geringsten.

Plötzlich fiel ihm ein, daß er die Mutter hatte sagen hören, die Kobolde hielten sich mit Vorliebe im Kuhstall auf, und er beschloß, gleich da hinauszugehen und zu sehen, ob er den Kobold nicht finden könne. Zum Glück stand die Tür nur angelehnt, denn er hätte das Schloß nicht erreichen und sie öffnen können, aber nun gelangte er ohne Schwierigkeit hindurch.

Als er auf den Flur hinauskam, sah er sich nach seinen Holzschuhen um, denn drinnen in der Stube ging er natürlich auf Socken. Er überlegte gerade, was er mit den großen, klotzigen Holzschuhen anfangen sollte, aber im selben Augenblick sah er ein Paar kleine Schuhe auf der Türschwelle stehen. Als er sah, daß der Kobold auch

die Holzschuhe verwandelt hatte, wurde ihm noch beklommener zumute. Es sah ja so aus, als wenn dies Elend lange währen sollte.
Auf der alten Eichenplanke, die vor der Haustür lag, hüpfte ein Spatz. Kaum hatte der den Jungen erblickt, als er »Tit, tit! Tit, tit!« rief. »Nein, seht doch nur den Gänsejungen Niels! Seht den Däumling! Seht den Däumling Niels Holgersen!«
Sogleich wandten sowohl die Gänse als auch die Hühner die Köpfe herum und es entstand ein schreckliches Gegacker. »Kickerikih!« krähte der Hahn, »das ist gut genug für ihn; Kickerikih, er hat mich an meinem Kamm gezupft.« – »Gut, gut, gut, gut, das ist gut genug für ihn!« riefen die Hühner, und so blieben sie dabei bis ins unendliche. Die Gänse flogen in einem dichten Haufen zusammen, steckten die Köpfe zusammen und fragten: »Wer kann das doch nur getan haben? Wer kann das doch nur getan haben?«
Aber das Sonderbarste bei dem Ganzen war, daß der Junge verstand, was sie sagten. Er war so erstaunt, daß er still auf der Treppenstufe stehen blieb und lauschte. »Das muß daher kommen, weil ich in einen Kobold verwandelt bin,« sagte er. »Darum kann ich die Sprache der Vögel verstehen.«
Er fand, es war unleidlich, daß die Vögel nicht aufhören wollten zu sagen, daß es gut genug für ihn sei. Er warf einen Stein nach ihnen und rief: »So schweigt doch still, ihr Lumpengesindel!«
Aber er hatte vergessen, daß er nicht so groß war, daß die Hühner bange vor ihm zu sein brauchten. Die ganze Hühnerschar fuhr auf ihn los und stellte sich rund um ihn herum auf und schrie: »Gut, gut, gut, das ist gut genug für dich!«
Der Junge versuchte zu entkommen, aber die Hühner liefen ihm nach und schrien, so daß die Ohren ihm beinahe abgefallen wären. Er wäre ihnen wohl nie entronnen, wenn nicht die Hauskatze des Weges gekommen wäre. Sobald die Hühner die Katze sahen, schwiegen sie still und taten so, als dächten sie an nichts weiter, als nach Würmern in der Erde zu scharren.
Der Junge lief schnell zu der Katze hin. »Liebe kleine Miez,« sagte er »du kennst ja alle Winkel und Schlupflöcher hier auf dem Hofe? Willst du mir nicht erzählen, wo ich den Kobold finden kann?«
Die Katze antwortete nicht sogleich. Sie setzte sich hin, legte den Schwanz hübsch in einen Kranz vor ihre Pfoten und starrte den Jungen an. Es war eine große, schwarze Katze mit einem weißen Fleck auf der

Brust. Ihr Haar war glatt und glänzend im Sonnenschein. Die Krallen hatte sie eingezogen, und die Augen waren ganz grau bis auf einen kleinen schmalen Spalt in der Mitte. Die Katze sah aus wie die personifizierte Frömmigkeit.
»Ich weiß recht gut, wo der Kobold wohnt,« sagte sie mit sanfter Stimme, »aber darum ist es nicht gesagt, daß ich es dir erzählen will.«
»Liebe Miez, du mußt mir wirklich helfen,« sagte der Junge. »Siehst du denn nicht, daß er mich verhext hat?«
Die Katze öffnete die Augen ein wenig weiter, so daß die grüne Bosheit herauszulugen begann. Sie spann und schnurrte vor Wohlbehagen, ehe sie antwortete: »Soll ich dir vielleicht helfen, weil du mich so oft am Schwanz gezogen hast,« sagte sie schließlich.
Da wurde der Junge wütend und vergaß ganz, wie klein und machtlos er war. »Ich kann dich noch einmal am Schwanz ziehen!« sagte er und fuhr auf die Katze los.
Im selben Augenblick war die Katze so verändert, daß der Junge kaum glauben konnte, es sei dasselbe Tier. Jedes Haar auf ihrem Leibe sträubte sich. Der Rücken krümmte sich, die Beine streckten sich, die Krallen kratzten in der Erde, der Schwanz wurde kurz und dick, die Ohren legten sich zurück, der Mund fauchte, die Augen standen weit offen und funkelten wie glühende Kohlen.
Der Junge wollte sich nicht von einer Katze bange machen lassen, sondern ging noch einen Schritt vor. Aber da fuhr die Katze mit einem Sprung gerade auf den Jungen los, warf ihn um und stellte sich über ihn, die Vorderpfoten auf seiner Brust und den Rachen über seiner Kehle.
Der Junge fühlte, daß die Krallen ihm durch die Weste und das Hemd in die Haut drangen, während die scharfen Eckzähne seine Kehle kitzelten. Er schrie aus Leibeskräften um Hilfe.
Aber es kam niemand, und er glaubte bestimmt, daß seine letzte Stunde geschlagen habe. Da merkte er, daß die Katze die Krallen einzog und seine Kehle freigab.
»So,« sagte sie, »jetzt mag es genug sein. Diesmal will ich dich um meiner Hausmutter willen loslassen. Ich wollte nur, daß du wissen solltest, wer von uns beiden jetzt der Stärkere ist.«
Damit ging die Katze ihrer Wege und sah ebenso glatt und fromm aus wie vorher, als sie kam. Der Junge war so verlegen, daß er kein Wort

sagte, sondern sich nur beeilte, in den Kuhstall hineinzukommen, um nach dem Kobold zu suchen.
Da waren nicht mehr als drei Kühe. Aber als der Knabe in den Stall hineinkam, entstand ein Brüllen und Lärmen, so daß man gern hätte glauben können, da wären wenigstens dreißig.
»Muh, muh, muh!« brüllte Mairose. »Es ist nur gut, daß es noch Gerechtigkeit in der Welt gibt!«
»Muh, muh, muh!« stimmten sie alle drei ein. Er konnte nicht hören, was sie sagten, so riefen sie durcheinander.
Der Junge wollte nach dem Kobold fragen, aber er konnte sich kein Gehör verschaffen, weil die Kühe so loslegten. Sie benahmen sich so, wie sie zu tun pflegten, wenn er einen fremden Hund zu ihnen einließ. Sie schlugen mit den Hinterbeinen aus, rissen und zerrten an ihren Halsketten, drehten die Köpfe nach außen und stießen mit den Hörnern nach ihm.
»Komm du bloß heran!« sagte Mairose, »dann will ich dir einen Stoß versetzen, den du so bald nicht wieder vergißt!«
»Komm hierher,« sagte Goldlilie, »dann sollst du Erlaubnis haben, auf meinen Hörnern zu tanzen!«
»Komm nur her, dann sollst du fühlen, wie es schmeckte, wenn du mit deinen Holzschuhen nach mir warfst, wie du es diesen Sommer so oft getan hast!« brüllte Stern.
»Komm nur her, dann will ich dir die Bremse heimzahlen, die du mir ins Ohr gesetzt hast,« schrie Goldlilie.
Mairose war die älteste und klügste von ihnen, und sie war die allerzornigste, »Komm nur her,« sagte sie, »dann will ich dir alle die Male heimzahlen, wo du deiner Mutter den Milchhuker weggezogen hast, und alle die Male, wo du ihr ein Bein gestellt hast, wenn sie mit dem Milcheimer geschleppt kam, und alle Tränen, die sie hier um dich vergossen hat.«
Der Junge wollte ihnen sagen, er bereue, daß er schlecht gegen sie gewesen war, und daß er so etwas nie wieder tun wolle, wenn sie ihm nur sagen wollten, wo der Kobold sei. Aber die Kühe hörten nicht nach ihm hin. Sie wurden so erregt, daß er bange wurde, eine von ihnen könne sich losreißen, und er hielt es für das beste, sich aus dem Kuhstall herauszuschleichen.

Als er wieder draußen war, befiel ihn eine große Verzagtheit. Er sah ein, daß niemand auf dem Hofe ihm helfen wollte, den Kobold zu finden. Und es würde wohl auch nicht viel helfen, wenn er ihn fand.
Er kroch auf den breiten Steinwall hinauf, der das Grundstück umgab und der mit Dornen und Brombeerranken bewachsen war. Da setzte er sich hin, um darüber nachzudenken, wie es werden sollte, wenn er nie wieder ein Mensch würde. Wenn nun der Vater und die Mutter aus der Kirche nach Hause kämen, würde große Verwunderung herrschen. Ja, im ganzen Lande würde man sich verwundern, und aus Ost-Vemmenhög und aus Torp und aus Skurup würden Leute kommen; aus der ganzen Vemmenhöger Heide würde man kommen, um ihn zu sehen. Und vielleicht würden der Vater und die Mutter ihn nach dem Kiriker Markt mitnehmen und ihn für Geld sehen lassen.
Nein, das war schrecklich zu denken. Er wollte nur wünschen, daß ihn nie ein Mensch mehr zu sehen bekam.
Es war schrecklich, wie unglücklich er war. Niemand in der ganzen Welt war so unglücklich wie er. Er war kein Mensch mehr, sondern ein Ungetüm.
Nach und nach ward es ihm klar, was es hieß, daß er kein Mensch mehr war. Jetzt war er von allem getrennt: er konnte nicht mit andern Knaben spielen, er konnte das Haus nicht nach den Eltern übernehmen, und er konnte nun gar kein Mädchen bekommen, um sich mit ihr zu verheiraten.
Er saß da und betrachtete sein Heim. Es war ein kleines, weißgetünchtes Fachwerkhaus, das unter dem hohen, schrägen Strohdach wie in die Erde hineingedrückt dalag. Die Nebengebäude waren ebenfalls klein, und die Felder waren so schmal, daß ein Pferd nur mit genauer Not darauf umwenden konnte. Aber wie klein und ärmlich das Haus auch war, jetzt war es doch zu gut für ihn. Er konnte kein anderes Haus verlangen, als ein Loch unter dem Fußboden im Stall.
Das Wetter war so wunderbar schön. Es sickerte und es sproßte und es zwitscherte rings um ihn her. Er aber saß in tiefem Kummer da. Er konnte sich nie wieder über irgend etwas freuen.
Nie hatte er den Himmel so blau gesehen wie heute. Und Zugvögel kamen dahergesaust. Sie kamen aus dem Ausland und waren über die Ostsee gereist, sie waren gerade auf Smygehuk zugesteuert, und jetzt waren sie auf dem Wege gen Norden. Da waren sicher viele

verschiedene Arten, aber er konnte keine andere erkennen als die wilden Gänse; sie kamen in zwei langen Reihen geflogen, die sich in einem Winkel trafen.
Es waren schon mehrere Scharen von wilden Gänsen vorübergeflogen. Sie flogen hoch oben, aber er konnte sie doch rufen hören: »Jetzt geht's in die Berge! Jetzt geht's in die Berge!«
Als die wilden Gänse die zahmen Gänse sahen, die auf dem Hofe herumwatschelten, senkten sie sich zur Erde herab und riefen: Kommt mit! Kommt mit!
Die zahmen Gänse konnten sich nicht enthalten, einen langen Hals zu machen und zu horchen. Aber sie antworteten ganz vernünftig: »Wir haben es gut, so wie wir es haben. Wir haben es gut, so wie wir es haben.«
Es war, wie gesagt, ein wunderbar schöner Tag mit einer Luft, in der zu fliegen eine wahre Freude sein mußte, so frisch und so leicht. Und mit jeder neuen Schar von wilden Gänsen, die vorüberflog, wurden die zahmen Gänse mehr und mehr unruhig. Ein paarmal schlugen sie mit den Flügeln, als hätten sie Lust, mitzufliegen. Aber dann sagte immer eine alte Gänsemutter: »Seid doch nicht verrückt! Die da oben werden noch frieren und hungern.«
Einen jungen Gänserich erfaßte eine heftige Reiselust bei all dem Rufen. »Wenn noch eine Schar kommt, fliege ich mit,« sagte er.
Und dann kam eine neue Schar, die ebenso rief wie die andere. Da schrie der junge Gänserich: »Wartet! Wartet! ich komme.«
Er breitete die Flügel aus und schwang sich in die Luft hinauf, aber das Fliegen war ihm etwas so ungewohntes, daß er wieder auf die Erde zurücksank.
Die wilden Gänse mußten seinen Ruf aber doch gehört haben. Sie kehrten um und flogen langsam zurück, um zu sehen, ob er kam.
»Wartet! Wartet!« rief er und machte einen neuen Versuch.
Dies alles hörte der Junge, während er da auf dem Steinwall lag. »Es würde wirklich schlimm sein,« dachte er, »wenn der große Gänserich davonfliegt. Vater und Mutter würden sehr ärgerlich darüber sein, falls er weg wäre, wenn sie aus der Kirche kommen.«
Während er so dachte, vergaß er abermals ganz, daß er klein und ohnmächtig war. Er sprang von dem Steinwall mitten in die Gänseschar hinein und schlang den Arm um den Gänserich. »Du sollst es schon lassen, fortzufliegen!« sagte er.

Aber gerade im selben Augenblick hatte der Gänserich entdeckt, wie er es anfangen mußte, um sich von der Erde emporzuheben. Er hatte keine Zeit, den Jungen abzuschütteln, der mußte mit ihm in die Luft hinauf.

Es ging so schnell aufwärts, daß dem Jungen die Luft wegblieb. Ehe es ihm klar wurde, daß er den Hals des Gänserichs freigeben mußte, war er so hoch oben, daß er sich totgefallen hätte, wenn er heruntergestürzt wäre.

Das einzige, was er tun konnte, um seine Lage ein wenig zu verbessern, war ein Versuch, auf den Rücken des Gänserichs hinaufzukommen. Er arbeitete sich wirklich da hinauf, wenn auch nicht ohne Mühe. Und es war auch keine leichte Sache, auf dem platten Rücken zwischen den beiden schwingenden Flügeln festzusitzen. Er mußte mit beiden Händen einen tiefen Griff in Federn und Flaumen hineinmachen, um nicht abzufallen.

Das gewürfelte Tuch.

Dem Jungen ward es so schwindelig, daß er lange nicht wußte, wie ihm war. Die Luft sauste und pfiff ihm entgegen, die Flügel bewegten sich, und es brauste in den Federn wie ein wahrer Sturm. Dreizehn Gänse flogen um ihn herum, und alle schlugen sie mit den Flügeln und schnatterten. Es flimmerte ihm vor den Augen, und es sauste ihm in den Ohren. Er wußte nicht, ob sie hoch oder niedrig flogen, oder wohin es mit ihnen ging.

Endlich kam er so weit zu sich, daß er begriff, er müsse sich klar darüber werden, wohin die Gänse mit ihm flogen. Aber das war nicht so leicht, denn er wußte nicht, woher er den Mut nehmen sollte, hinabzusehen. Er war fest überzeugt, daß ihn schwindeln würde, wenn er es versuchte.

Die wilden Gänse flogen nicht so sehr hoch, da der neue Reisekamerad nicht in der allerdünnsten Luft atmen konnte. Um seinetwillen flogen sie auch ein wenig langsamer als sonst.

Schließlich zwang der Junge sich doch, einen Blick auf die Erde hinabzuwerfen. Und es schien ihm, als liege unter ihm ein großes Tuch ausgebreitet, das in eine unglaubliche Menge kleiner und großer Würfel eingeteilt war.

»Wo in aller Welt bin ich nur hingekommen,« dachte er.

Er sah nichts anderes als Würfel an Würfel. Einige waren schief und einige waren länglich, aber überall waren da Ecken und gerade Seiten. Nichts war rund und nichts war gekrümmt.
»Was ist das doch für ein großes, gewürfeltes Tuch, das ich da unten sehe?« sagte der Knabe zu sich selbst, ohne eine Antwort von irgend jemand zu erwarten. Aber die wilden Gänse, die rings um ihn herumflogen, riefen sogleich: »Äcker und Wiesen. Äcker und Wiesen.«
Da begriff er, daß das große, gewürfelte Tuch das flache schonensche Land war, über das er hinflog. Und es ward ihm nach und nach klar, woher es so vielfarbig und gewürfelt aussah. Die hellgrünen Würfel erkannte er zuerst, das waren die Roggenfelder, die im Herbst besät waren und sich grün unterm Schnee gehalten hatten. Die gelblichgrauen Würfel waren Stoppelfelder, auf denen im letzten Sommer Korn gewachsen war, die bräunlichen waren Kleewiesen, und die schwarzen waren leere Rübenäcker oder umgepflügte Brachfelder. Die braunen Würfel mit den gelben Rändern waren wohl Buchenwälder, denn in denen sind die großen Bäume, die mitten im Walde stehen, im Winter kahl, die kleinen Buchen aber, die am Waldrande wachsen, behalten die trockenen, gelben Blätter bis ganz in den Frühling hinein. Da waren auch dunkle Würfel mit Grau in der Mitte: das waren die großen, zusammengebauten Gehöfte mit den dunklen Strohdächern und den gepflasterten Höfen. Und dann waren da Würfel, die in der Mitte grün schimmerten und eine Kante von Braun hatten; das waren die Gärten, in denen die Rasenplätze schon zu grünen anfingen, obwohl die Büsche und die Bäume rings um sie herum noch mit der kahlen, braunen Rinde dastanden.
Der Junge konnte sich eines Lachens nicht enthalten, als er sah, wie gewürfelt alles war.
Aber als die wilden Gänse hörten, daß er lachte, riefen sie gleichsam tadelnd: »Fruchtbares, gutes Land. Fruchtbares, gutes Land.«
Der Junge war schon wieder ernsthaft geworden. »Daß du lachen kannst!« dachte er, »du, dem das Allerschrecklichste widerfahren ist, was einem Menschen widerfahren kann!«
Er hielt sich eine Weile ernsthaft, bald mußte er aber wieder lachen.
Allmählich, als er sich an den Sitz und die Fahrt gewöhnt hatte, so daß er an etwas anderes denken konnte, als nur daran, wie er sich auf dem Rücken des Gänserichs festhalten sollte, fiel es ihm auf, wie voll die

Luft von Vogelscharen war, die nordwärts flogen. Und da war ein Schreien und Rufen von einem Schwarm zum andern. »Also ihr seid heute auch übers Wasser gekommen,« riefen einige. – »Ja, das sind wir,« antworteten die Gänse. »Wie denkt ihr, daß es mit dem Frühling steht?« – Nicht ein Blatt an den Bäumen und kaltes Wasser in den Seen,« lautete die Antwort.

Wenn die Gänse über einen Ort dahinflogen, wo zahmes Federvieh draußen war, riefen sie: »Wie heißt der Hof? Wie heißt der Hof?« Und der Hahn machte einen langen Hals und antwortete: der Hof heißt Kleinhof, heut wie vorm Jahr, heut wie vorm Jahr.«

Die meisten Häuser hatten ja ihren Namen nach dem Besitzer, wie das in Schonen Sitte und Gebrauch ist, aber statt zu antworten, daß es Per Matssons oder Ola Bossons Haus sei, gaben ihnen die Hühner andere Namen, die sie passend fanden. Hähne, die auf ärmliche Anwesen der Häuslereien gehörten, riefen: »Dieser Hof heißt Grützlos.« Und andere, die zu den allerärmsten Hütten gehörten, riefen: »Dies Haus heißt: Kauewenig, Kauewenig, Kauewenig.«

Die großen, wohlhabenden Bauernhöfe bekamen seine Namen von den Hühnern, wie Glücksfeld, Eierberg und Geldheim.

Aber die Hähne auf den Rittergütern waren viel zu hochmütig, um sich etwas Amüsantes auszudenken. Einer von ihnen krähte und schrie mit einer Kraft, als wolle er, daß man ihn ganz bis zur Sonne hinauf hören sollte: »Dies ist das Rittergut Dybeck. Heut wie vorm Jahr. Heut wie vorm Jahr.«

Und ein wenig weiter hin stand einer und rief: »Dies ist Svaneholm. Das muß doch Gott und alle Welt wissen.«

Der Junge beobachtete, daß die Gänse nicht geradeaus flogen. Sie schwebten hierhin und dorthin über die ganze schonensche Ebene, als freuten sie sich, wieder da zu sein und hätten die größte Lust, jedes einzelne Gehöft zu besuchen.

Sie kamen an eine Stelle, wo einige mächtige Gebäude mit hohen Schornsteinen und rings um sie herum eine Menge kleinerer Häuser lagen. »Das ist die Jordberger Zuckerfabrik,« riefen die Hähne. »Das ist die Jordberger Zuckerfabrik.«

Der Junge schrak zusammen. Den Ort sollte er doch wohl kennen. Der lag nicht weit von seinem Heim, und im letzten Jahr hatte er dort als Hirtenbube gedient. Aber es schien, als wenn nichts sich so recht gleich sah, wenn man es so von oben betrachtete.

Aber nein, aber nein! Das Gänsemädchen Aase und der kleine Mads, die im vorigen Jahr seine Kameraden waren. Der Junge hätte gern gewußt, ob sie noch dort waren. Was würden sie wohl sagen, wenn sie ahnten, daß er hoch oben über ihrem Kopf dahinflog?
Dann verloren sie Jordberga aus den Augen und flogen auf Svedala und Skabersjö zu und zurück über das Börringer Kloster und Häkkeberga. Der Junge bekam an dem einen Tage mehr von Schonen zusehen, als während aller der Jahre, die er gelebt hatte.
Wenn die wilden Gänse zahme Gänse antrafen, amüsierten sie sich am allerbesten. Dann flogen sie ganz langsam und riefen hinab: »Jetzt geht es in die Berge. Wollt ihr mit? Wollt ihr mit?«
Aber die zahmen Gänse antworteten: »Es ist noch Winter. Ihr seid zu früh draußen. Kehrt um! Kehrt um!«
Die wilden Gänse flogen tiefer hinab, so daß man sie besser hören konnte, und riefen: »Kommt mit, dann wollen wir euch fliegen und schwimmen lehren.«
Dann wurden die zahmen Gänse böse und antworteten nicht mehr mit einem einzigen »Gack«.
Aber die wilden Gänse flogen noch tiefer hinab, so daß sie fast den Boden streiften, und dann stiegen sie wieder langsam, als seien sie sehr bange geworden. »Uha, uha!« riefen sie. »Das waren gar keine Gänse. Das waren nur Schafe. Das waren nur Schafe.«
Die Gänse auf dem Felde gerieten ganz außer sich und schrien: »Möchtet ihr erschossen werden, alle miteinander, alle miteinander!«
Wenn der Junge alle diese Scherze hörte, lachte er. Aber dann mußte er daran denken, welch ein Unglück er über sich selbst gebracht hatte, und dann weinte er. Aber nach einer Weile lachte er wieder.
Nie zuvor hatte er sich mit einer solchen Geschwindigkeit vorwärts bewegt, und er hatte doch immer so gern schnell und wild reiten mögen. Und er hatte natürlich nie geahnt, daß es da oben in der Luft so frisch sein konnte, wie es war, und daß ein so herrlicher Geruch von fetter Erde und Harz vom Erdboden aufstieg. Und er hatte auch gar nicht darüber nachgedacht, wie es wohl sein müßte, wenn man sich so hoch oben in der Luft bewegte. Aber es war, als flöge man fort von allem Leid und allen Sorgen und Verdrießlichkeiten, die man sich nur denken konnte.

II. Akka von Kebnekajse

Der Abend.

Der große, zahme Gänserich, der mit in die Luft aufgestiegen war, fühlte sich sehr stolz, so mit den wilden Gänsen über Schonen hin und her zu fliegen und mit den zahmen Vögeln Scherz zu treiben. Aber wie glücklich er auch war, konnte er nicht umhin, am Nachmittag müde zu werden. Er versuchte, tiefer zu atmen und stärker mit den Flügeln zu schlagen, aber trotzdem blieb er mehrere Gänselängen hinter den andern zurück.
Als die wilden Gänse, die zu hinterst flogen, merkten, daß die zahme nicht mitkommen konnte, riefen sie der Gans, die an der Spitze des Keiles flog und den Zug anführte, zu: »Akka von Kebnekajse! Akka von Kebnekajse!« – »Was wollt ihr von mir?« fragte die Führergans. – »Der Weiße bleibt zurück. Der Weiße bleibt zurück.« – »Sagt ihm, daß es leichter ist, schnell zu fliegen als langsam!« rief die Führergans und streckte die Flügel wie bisher.
Der Gänserich versuchte, dem Rat zu folgen und die Schnelligkeit zu erhöhen, davon wurde er aber so ermattet, daß er ganz bis zu den gestutzten Weiden hinabsank, die Äcker und Wiesen einfriedigten.
»Akka! Akka! Akka von Kebnekajse!« riefen von neuem die, die zu hinterst flogen und sahen, wie schwer es für den Gänserich war. – »Was wollt ihr denn schon wieder?« fragte die Führergans und schien sehr verstimmt.
»Der Weiße sinkt auf die Erde nieder. Der Weiße sinkt auf die Erde nieder.« – »Sagt ihm, daß es leichter ist, hoch zu fliegen als niedrig!« rief die Führergans. Und sie mäßigte ihre Geschwindigkeit nicht im geringsten, sondern streckte die Flügel wie bisher.
Der Gänserich versuchte auch diesen Rat, als er aber in die Höhe aufsteigen wollte, wurde er so atemlos, daß es war, als müsse ihm die Brust zerspringen.
»Akka! Akka!« riefen dann die, die zu hinterst flogen. – »Könnt ihr mich denn nicht in Frieden fliegen lassen?« fragte die Führergans und tat noch ungeduldiger als vorhin. – »Der Weiße ist nahe daran, herunterzustürzen. Der Weiße ist nahe daran, herunterzustürzen.« – »Sagt ihm, daß, wer nicht mit der Schar folgen kann, am besten wieder heimkehrt!« rief die Führergans. Und es kam ihr nicht im geringsten in

den Sinn, die Geschwindigkeit zu mäßigen, sondern sie streckte die Flügel wie bisher.

»Steht es so!« sagte der Gänserich. Es ward ihm plötzlich klar, daß die wilden Gänse nie daran gedacht hatten, ihn mit nach Lappland hinaufzunehmen. Sie hatten ihn nur des Scherzes halber mitgelockt.

Nein, wie er sich ärgerte, daß ihn die Kräfte jetzt im Stich ließen, so daß er den Landstreichern nicht zeigen konnte, daß eine zahme Gans auch zu etwas zu gebrauchen ist. Und das allerärgerlichste war, daß er in Akka von Kebnekajses Schar hineingeraten war. Denn wenn er auch nur eine zahme Gans war, hatte er doch von einer Führergans gehört, die Akka hieß und fast hundert Jahre alt war. Sie war so angesehen, daß sich die besten wilden Gänse, die es nur gab, ihr anzuschließen pflegten. Niemand aber verachtete zahme Gänse so sehr wie Akka und ihre Schar, und er hätte ihr gern gezeigt, daß er ihnen ebenbürtig sei.

Er flog langsam hinter den andern drein, während er sich mit sich selbst beriet, ob er umkehren oder weiterfliegen sollte. Da sagte plötzlich der kleine Knirps, den er auf dem Rücken hatte: »Lieber Gänserich Martin, du kannst doch wohl begreifen, daß es für dich, der du nie geflogen hast, unmöglich ist, mit den wilden Gänsen ganz bis nach Lappland hinaufzukommen. Willst du nicht lieber umkehren, ehe du dich ganz zuschanden machst?«

Aber der Gänserich kannte nichts Schlimmeres als diesen Häuslerjungen, und kaum ward es ihm klar, daß der armselige Bursche ihm nicht zutraute, die Reise zurücklegen zu können, als er sich auch schon entschloß, auszuhalten. »Sagst du noch ein Wort davon, so schmeiße ich dich in die erste Mergelgrube, über die wir hinfliegen,« sagte er, und im selben Augenblick verlieh ihm der Zorn solche Kräfte, daß er fast ebenso gut fliegen konnte wie irgendeine von den andern.

Er hätte jedoch kaum so weiter fliegen können, aber das tat auch nicht nötig, denn jetzt sank die Sonne schnell, und gerade bei Sonnenuntergang nahmen die Gänse den Kurs abwärts. Und ehe der Junge und der Gänserich sich's versahen, waren sie an das Ufer des Bombsees niedergeschwebt.

»Es scheint die Absicht zu sein, daß wir hier übernachten,« dachte der Junge und hüpfte von dem Rücken des Gänserichs herunter.

Er stand an einem schmalen Sandufer und vor ihm lag ein ziemlich großer See. Der war häßlich anzusehen, denn er war fast ganz mit einer Eiskruste bedeckt, die schmutzig und uneben und voller Risse und

Löcher war, so, wie das Eis im Frühling ist. Das Eis hatte scheinbar seine längste Zeit gesehen, drinnen am Lande hatte es sich schon gelöst und ringsherum hatte es einen breiten Gürtel von schwarzem, blankem Wasser. Aber noch lag es da und verbreitete Kälte und winterliche Unheimlichkeit um sich.
An der andern Seite des Sees schien es hell und frei und bebaut zu sein, aber da, wo sich die Gänse niedergelassen hatten, war eine große Tannenschonung. Und es sah so aus, als wenn der Tannenwald imstande wäre, den Winter festzuhalten. An allen andern Stellen war der Boden frei von Schnee, aber unter den dichten Tannenzweigen lag Schnee, der geschmolzen war und wieder gefroren, geschmolzen und gefroren, bis er hart war wie Eis.
Dem Jungen war es, als sei er in eine Wildnis, in ein Winterland gekommen, und ihm ward so unheimlich zumute, daß er gern laut geschrien hätte.
Er war hungrig. Er hatte den ganzen Tag nichts zu essen bekommen. Aber woher sollte er Essen bekommen? Im Monat März wächst nichts Eßbares weder an der Erde noch an den Bäumen.
Ja, wo sollte er Essen herbekommen, und wer würde ihm ein Dach über dem Haupte geben, und wer würde ihm sein Bett machen, und wer würde ihn an seinem Feuer erwärmen, und wer würde ihn gegen wilde Tiere beschützen?
Denn jetzt war die Sonne fort, und die Kälte stieg vom See herauf, und die Finsternis senkte sich vom Himmel herab, und die Angst kam in den Spuren der Dämmerung geschlichen, und im Walde fing es an zu pusseln und zu rascheln.
Jetzt war es vorbei mit dem frischen Mut, den der Junge gehabt hatte, während er oben in der Luft war, und in seiner Angst sah er sich nach seinen Reisegefährten um. Er hatte ja sonst niemand, an den er sich halten konnte.
Da entdeckte er, daß es mit dem Gänserich noch schlimmer stand als mit ihm. Er war an demselben Fleck liegen geblieben, wo er hinabgeschwebt war, und es sah so aus, als wenn er im Begriff war zu sterben. Der Hals lag schlaff an der Erde, die Augen waren geschlossen, und sein Atmen war nur noch ein schwaches Röcheln.
»Lieber Gänserich Martin,« sagte der Junge, »du mußt versuchen, einen Trunk Wasser zu nehmen! Es sind kaum zwei Schritt bis an den See hinab.«

Aber der Gänserich rührte sich nicht.
Der Junge war ja früher hart gegen alle Tiere gewesen, auch gegen den Gänserich, aber jetzt fand er, daß Martin die einzige Stütze war, die er hatte, und er war schrecklich bange, ihn zu verlieren. Er machte sich sofort daran, ihn zu schieben und zu stoßen, um ihn ans Wasser hinabzubefördern. Der Gänserich war groß und schwer, daher war es ein hartes Stück Arbeit für den Jungen, aber schließlich gelang es ihm. Der Gänserich kam kopfüber in den See hinein. Einen Augenblick lag er regungslos im Schlamm, aber bald steckte er den Kopf heraus, schüttelte das Wasser aus den Augen und prustete. Dann schwamm er stolz zwischen dem Röhricht und den Rohrkolben dahin.
Die wilden Gänse lagen schon vor ihm draußen im See. Sie hatten sich weder nach dem Gänserich noch nach dem Gänsereiter umgesehen, sondern sich sofort ins Wasser gestürzt. Sie hatten gebadet und sich geputzt, und nun lagen sie da und schlabberten halbverfaultes Entengrün in sich hinein.
Der weiße Gänserich war so glücklich, einen kleinen Barsch zu erblicken. Er schnappte ihn schnell auf, schwamm damit ans Ufer und legte ihn vor den Jungen hin. »Den sollst du zum Dank dafür haben, daß du mir ins Wasser hineinhalfst,« sagte er.
Das war das erstemal im Laufe des ganzen Tages, daß der Junge ein freundliches Wort hörte. Er war so erfreut, daß er Lust hatte, dem Gänserich um den Hals zu fallen, aber er konnte sich doch nicht dazu entschließen. Und auch über das Geschenk freute er sich. Zuerst meinte er, es sei unmöglich, rohen Fisch zu essen, aber dann bekam er doch Lust, den Versuch zu machen.
Er fühlte nach, ob er sein Dolchmesser mitbekommen hatte, und glücklicherweise hing es noch an dem Hosenknopf, aber es war freilich so klein geworden, daß es nicht größer war als ein Streichholz. Nun, er konnte es auf alle Fälle gebrauchen, um den Fisch auszunehmen und die Schuppen zu entfernen, und der Barsch war schnell verzehrt.
Als der Junge gut gesättigt war, überkam ihn ein Gefühl der Scham, daß er etwas hatte essen können, was roh war. »Es scheint wirklich, als ob ich kein Mensch mehr bin, sondern ein richtiger Kobold,« dachte er bei sich.
Die ganze Zeit, während der Junge aß, blieb der Gänserich neben ihm stehen, und als er den letzten Bissen heruntergeschluckt hatte, sagte er mit schwacher Stimme: »Wir haben uns ja mit einem wilden

Gänsevolk eingelassen, das alle zahmen Vögel verachtet.« – »Das habe ich freilich auch schon bemerkt,« sagte der Junge. – »Es würde sehr ehrenvoll für mich sein, wenn ich ganz bis nach Lappland hinauf mit ihnen fliegen und ihnen zeigen könnte, daß eine zahme Gans doch auch zu etwas taugt.« – »Hm, ja,« sagte der Junge ein wenig zögernd, denn er glaubte nicht, daß der Gänserich das würde durchführen können, aber er wollte ihm nicht widersprechen. – »Aber ich glaube nicht, daß ich mich allein auf einer solchen Reise zurechtfinden kann,« sagte der Gänserich, »deshalb möchte ich gern wissen, ob du nicht mit mir kommen und mir helfen willst.«

Der Junge hatte natürlich gar nichts anderes gedacht, als daß er so schnell wie möglich wieder nach Hause zurückkehren wollte, und er war so überrascht, daß er gar nicht wußte, was er antworten sollte. »Ich glaubte, wir wären gar keine guten Freunde,« sagte er. Aber das schien der Gänserich ganz vergessen zu haben. Das einzige, was er noch wußte, war, daß der Junge ihm vor einem Augenblick das Leben gerettet hatte.

»Ich muß wohl zu Vater und Mutter zurück,« sagte der Junge. – »Ja, zum Herbst will ich dich zu ihnen zurückbringen,« entgegnete der Gänserich. »Ich will dich nicht verlassen, ehe ich dich daheim auf die Türschwelle niedergesetzt habe.«

Der Junge dachte, daß es am Ende ganz gut sei, wenn er sich den Eltern eine Weile noch nicht zu zeigen brauchte. Der Vorschlag schien ihm gar nicht so übel, und er wollte gerade sagen, daß er darauf einginge, als er hinter sich einen großen Lärm hörte. Es waren die wilden Gänse, die alle auf einmal aus dem See heraufgekommen waren und das Wasser abschüttelten. Dann stellten sie sich in einer langen Reihe auf, die Führergans an der Spitze, und kamen auf die beiden zu.

Als der weiße Gänserich jetzt die wilden Gänse näher betrachtete, war ihm gar nicht so recht geheuer. Er hatte geglaubt, daß sie mehr Ähnlichkeit mit den zahmen Gänsen hätten und daß er sich ihnen verwandter fühlen würde. Sie waren viel kleiner als er, und keine von ihnen war weiß, sie waren alle grau, mit einer braunen Schattierung. – Und vor ihren Augen wurde er beinahe bange. Die waren gelb und schienen, als wenn ein Feuer dahinter brenne. Der Gänserich hatte immer gelernt, daß es am hübschesten sei, langsam und watschelnd zu gehen, aber diese Gänse gingen nicht, sie liefen fast. Am unruhigsten aber wurde er, als er ihre Füße ansah. Sie waren groß, abgetreten und zerrissen. Man konnte sehen, daß sich die wilden Gänse niemals daran kehrten, wohin sie traten. Sie machten keine Umwege. Sonst waren sie sehr zierlich und wohlgepflegt, aber an ihren Füßen konnte man sehen, daß sie arme Leute aus der Wildnis waren.

Der Gänserich hatte gerade noch Zeit, dem Jungen zuzuflüstern: »Antworte nun ordentlich, aber erzähle nicht, wer du bist!« Und dann waren sie da.

Als die wilden Gänse vor ihnen standen, verbeugten sie sich viele Male mit dem Hals, und der Gänserich tat dasselbe, noch mehrmals als sie. Sobald man sich hinreichend begrüßt hatte, sagte die Führergans: »Jetzt können wir wohl erfahren, was für Leute ihr seid?«

»Von mir ist nicht viel zu sagen,« erwiderte der Gänserich. »Ich bin im letzten Frühling in Skanör geboren. Im Herbst wurde ich an Holger Nielsen in Westvemmenhög verkauft, und da bin ich seither gewesen.«

»Es scheint ja gerade nicht, als wenn du Grund hättest, mit deiner Familie zu prahlen,« sagte die Führergans. »Was macht dich denn so eingebildet, daß du dich den wilden Gänsen anschließen willst?« – »Es könnte ja sein, daß ich euch wilden Gänsen zeigen will, daß auch wir zahmen Gänse zu etwas zu gebrauchen sind,« sagte der Gänserich. – »Das wäre ja schön, wenn du uns das zeigen wolltest!« meinte die Führergans. »Wir haben nun schon gesehen, wie gut du fliegen kannst, aber vielleicht bist du tüchtiger auf anderen Gebieten. Du hast vielleicht Übung im langen Schwimmen?« – »Nein, dessen kann ich mich nicht rühmen.« Er glaubte schon merken zu können, daß die Führergans bereits beschlossen hatte, ihn heimzusenden, und er machte sich nichts daraus, was er antwortete. »Ich bin nie weiter geschwommen als über eine Mergelgrube,« fuhr er fort. – »Dann erwarte ich, daß du ein Meister im Laufen bist,« sagte die Gans. – »Nie habe ich eine zahme Gans laufen sehen, und habe es auch selbst nicht getan,« sagte der Gänserich und machte sich noch geringer, als er war. Der große Weiße war nun fest überzeugt, daß die Führergans sagen würde, sie wolle ihn unter keinen Umständen mitnehmen. Er war höchlichst überrascht, als sie sagte: »Du antwortest mutig, wenn man dich fragt, und wer Mut hat, kann ein guter Reisekamerad werden, wenn er auch im Anfang nicht tüchtig ist. Was meinst du dazu, daß du ein paar Tage bei uns bleibst, bis wir gesehen haben, ob du zu etwas zu gebrauchen bist?« »Damit bin ich sehr zufrieden,« sagte der Gänserich und war sehr vergnügt.

Darauf zeigte die Führergans mit dem Schnabel auf den Jungen und sagte: »Aber wer ist denn das, den du da bei dir hast? So einen hab' ich noch nie gesehen.« – »Das ist mein Kamerad,« sagte die Gans. »Er ist sein ganzes Leben lang Gänsejunge gewesen. Er kann sicher auf der Reise von Nutzen sein.« – »Das mag ja für eine zahme Gans ganz gut sein,« entgegnete die wilde. »Wie heißt er?« – »Er hat mehrere Namen,« sagte der Gänserich zögernd und wußte nicht, was er in der Eile ersinnen sollte, denn er wollte nicht verraten, daß der Junge einen Menschennamen hatte. »Er heißt Däumling!« sagte er endlich. »Ist er aus dem Geschlecht der Kobolde?« fragte die Führergans. – »Um welche Zeit pflegt ihr Wildgänse euch eigentlich zum Schlafen hinzusetzen?« fragte der Gänserich schnell, um der Antwort auf die letzte Frage zu entgehen. »Meine Augen fallen um diese Zeit des Tages von selbst zu.«

Es war leicht zu sehen, daß die Gans, die mit dem Gänserich sprach, sehr alt war. Das ganze Federkleid war eisgrau, ohne dunkle Streifen. Der Kopf war größer, die Beine gröber und die Füße mehr abgetreten als die irgendeiner andern Gans. Die Federn waren steif, die Flügel knochig, und der Hals war dünn. Dies alles war das Werk des Alters. Nur den Augen hatte die Zeit nichts anzuhaben vermocht. Sie schienen klarer, gleichsam jünger als die all der andern.

Sie wandte sich jetzt mit Würde an den Gänserich. »Jetzt sollst du wissen, Gänserich, daß ich Akka von Kebnekajse bin, und die Gans, die zu meiner Rechten fliegt, ist Yki von Vassijaure, und die zu meiner Linken ist Kaksi von Nuolja! Du sollst auch wissen, daß die zweite Gans zur Rechten Kolme von Svappavara ist, und dahinter fliegt Viisi von den Oviksbergen und Kuusi von Sjangeli! Und du sollst wissen, daß diese, sowie die sechs jungen Gänse, die zu hinterst fliegen, drei rechts und drei links, alle Hochgebirgsgänse von edelstem Stamme sind. Du mußt uns nicht für Landstreicher halten, die mit jedem Beliebigen fliegen, und du mußt nicht glauben, daß wir unsern Schlafplatz mit jemand teilen, der nicht sagen will, welcher Familie er entstammt.«

Als die Führergans also sprach, ging der Junge schnell auf sie zu. Es hatte ihm weh getan, daß der Gänserich, der so mutig für sich selbst geantwortet hatte, so ausweichende Antworten gab, als es sich um ihn handelte. »Ich will nicht verheimlichen, wer ich bin,« sagte er. »Ich

heiße Niels Holgersen und bin der Sohn eines Häuslers, und bis auf den heutigen Tag bin ich ein Mensch gewesen, aber heute vormittag...«
Weiter kam er nicht. Kaum hatte er gesagt, daß er ein Mensch sei, als die Führergans drei Schritt zurückwich, und die andern noch weiter. Und sie machten alle lange Hälse und fauchten ihn an.
»Diesen Verdacht habe ich von dem ersten Augenblick an gehabt, als ich dich hier an dem Ufer des Sees sah,« sagte Akka. »Und nun mußt du dich sofort entfernen. Wir dulden keine Menschen unter uns.«
»Es ist doch nicht möglich,« sagte der Gänserich vermittelnd, »daß ihr wilden Gänse vor einem bange sein könnt, der so klein ist. Morgen soll er auch nach Hause reisen, aber über Nacht müßt ihr ihn wirklich hier bei uns bleiben lassen. Niemand von uns kann es verantworten, so einen armen Kleinen jetzt zu nächtlicher Stunde sich auf eigene Hand gegen Wiesel und Füchse verteidigen zu lassen.«
Die wilde Gans kam jetzt näher heran, aber es war leicht zu sehen, daß es ihr schwer wurde, ihre Furcht zu beherrschen. »Ich habe gelernt, vor allem bange zu sein, was einen Menschennamen trägt, mag es groß oder klein sein,« sagte sie. »Aber wenn du, Gänserich, für den da einstehen willst, daß er uns keinen Schaden zufügt, so kann er wohl Erlaubnis bekommen, über Nacht hier bei uns zu bleiben. Ich fürchte freilich, daß unser Nachtquartier weder dir noch ihm behagen wird, denn wir haben die Absicht, uns zum Schlafen da draußen auf der Eisscholle niederzulassen.«
Sie dachte wohl, daß der Gänserich seine Bedenken dabei haben würde. Der aber ließ sich nicht anfechten. »Ihr seid wirklich klug, daß ihr es versteht, einen so sichern Schlafplatz zu erwählen,« sagte er.
»Aber du stehst uns dafür ein, daß er sich morgen nach Hause begibt.«
– »Ja, dann bleibt mir nichts anderes übrig, als euch ebenfalls zu verlassen,« sagte der Gänserich. »Ich habe versprochen, daß ich ihn nicht im Stich lassen will.«
»Es steht dir frei, zu fliegen, wohin du willst,« entgegnete die Führergans.
Damit hob sie die Flügel und flog über das Eis dahin, und eine wilde Gans nach der andern folgte ihr.
Der Junge war betrübt, daß nun aus seiner Reise nach Lappland nichts wurde, und außerdem ängstigte er sich vor dem kalten Nachtquartier.
»Das wird ja immer schlimmer, Gänserich,« sagte er. »Erstens erfrieren wir draußen auf dem Eise.«

Aber der Gänserich war guten Mutes. »Das hat keine Not,« sagte er. »Jetzt will ich dich nur bitten, so schnell wie möglich soviel Gras und Stroh zusammenzusammeln, wie du nur tragen kannst.«
Als der Junge den ganzen Arm voll von welkem Gras hatte, packte ihn der Gänserich in seinen Hemdbund, hob ihn empor und flog auf das Eis, wo die wilden Gänse schon standen und schliefen, den Schnabel unter dem Flügel.
»Breite nun das Gras auf das Eis aus, damit ich etwas habe, worauf ich stehen kann, ohne festzufrieren. Hilfst du mir, dann werde ich dir auch helfen,« sagte der Gänserich.
Das tat der Junge, und sobald er fertig war, packte der Gänserich ihn noch einmal in den Hemdbund und steckte ihn unter seinen Flügel. »Da, denke ich, wirst du gut und warm liegen,« sagte er und klemmte den Flügel fest heran.
Der Junge lag so in Daunen eingepackt, daß er nicht antworten konnte, aber herrlich warm lag er, und müde war er, und schlafen tat er im selben Augenblick.

Die Nacht.

Es ist eine alte Wahrheit, daß Eis immer verräterisch ist, und daß man sich nicht darauf verlassen kann. Mitten in der Nacht geriet die Eisscholle auf dem Vombsee in Bewegung, so daß sie an einer einzelnen Stelle gegen das Ufer stieß. Und nun geschah es, daß Reineke Fuchs, der zu jener Zeit an der östlichen Seite des Sees im Park bei Övedskloster wohnte, dies entdeckte, als er auf einer nächtlichen Jagd draußen war. Reineke hatte die wilden Gänse schon am Abend gesehen, aber er hatte nicht erwartet, einer von ihnen habhaft zu werden. Jetzt begab er sich schnell auf das Eis hinaus.
Als Reineke ganz dicht bei den wilden Gänsen angelangt war, glitt er aus, so daß seine Klauen gegen das Eis kratzten. Die Gänse erwachten und schlugen mit den Flügeln, um sich in die Luft emporzuschwingen. Aber Reineke war ihnen zu flink. Wie aus einer Kanone geschossen, kam er angesaust, faßte eine Gans am Flügel und stürzte wieder an das Ufer zurück.
Aber in dieser Nacht waren die wilden Gänse nicht allein auf dem Eise; sie hatten einen Menschen unter sich, wie klein der auch war. Der Knabe erwachte durch das Flügelschlagen des Gänserichs.

Er war auf das Eis hinabgefallen und saß da nun ganz wach. Er hatte von dem ganzen Spektakel nichts verstanden, bis er einen kleinen kurzbeinigen Hund mit einer Gans im Maul über das Eis davonlaufen sah.

Der Junge lief gleich hinterdrein, um dem Hund die Gans wegzunehmen. Wohl hörte er den Gänserich hinter sich dreinrufen: »Nimm dich in acht, Däumeling! Nimm dich in acht!« – »Aber vor so einem kleinen Hund brauche ich doch nicht bange zu sein,« dachte der Junge und stürmte dahin.

Die wilde Gans, die Reineke Fuchs geraubt hatte, hörte den Lärm von den Holzschuhen des Jungen, die auf dem Eise klapperten, und sie wollte ihren eigenen Ohren kaum trauen. »Glaubt der Knirps, daß er mich dem Fuchs entreißen kann?« dachte sie. Und wie übel es ihr auch erging, es begann in ihrer Kehle ganz munter zu glucksen, fast als lache sie.

»Das erste, was geschieht, ist, daß er in einen Riß im Eise fällt,« dachte sie.

Aber wie dunkel auch die Nacht war, sah der Junge doch deutlich alle Risse und Löcher, die im Eise waren, und sprang kühn darüber hinweg. Das kam daher, daß er jetzt die guten Nachtaugen der Kobolde hatte und im Dunkeln sehen konnte. Er sah den See wie auch das Ufer so deutlich, als sei es Tag.

Reineke Fuchs lief auf das Eis hinauf, da, wo es ans Land stieß, und gerade als er sich an dem steilen Ufer hinaufarbeitete, rief ihm der Junge zu: »Laß die Gans los, du Schlingel!« Reineke wußte nicht, wer da rief, und ließ sich keine Zeit, sich umzusehen, er beschleunigte nur seinen Lauf.

Der Fuchs lief nun in einen Wald mit großen, prächtigen Buchen, und der Junge folgte ihm, ohne daran zu denken, daß ihm Gefahr drohen könne. Dahingegen dachte er die ganze Zeit daran, wie verächtlich die wilden Gänse ihn am vorhergehenden Abend behandelt hatten, und er hatte wohl Lust, ihnen zu zeigen, daß ein Mensch doch ein wenig über allen andern Geschöpfen steht.

Einmal über das andere rief er dem Hunde zu, daß er die Beute fahren lassen solle. »So ein Hund, der sich nicht schämt, eine Gans zu stehlen!« sagte er. »Laß sie sofort los, sonst prügle ich dich, darauf kannst du dich verlassen. Laß sie los, sage ich, sonst werde ich deinem Herrn erzählen, wie du dich aufführst.«

Als Reineke Fuchs merkte, daß man ihn für einen Hund hielt, der vor Prügel bange ist, fand er das so komisch, daß er kurz davor war, die Gans fallen zu lassen. Reineke war ein großer Räuber, der sich nicht damit begnügte, hinter Mäusen und Ratten auf den Feldern dreinzujagen, sondern der sich auch auf die Höfe wagte, um Hühner und Gänse zu stehlen. Er wußte, daß er in der ganzen Umgegend gefürchtet war. Etwas so Törichtes hatte er nicht gehört, seit er ein ganz kleines Füchslein war.

Aber der Junge lief so, daß er ein Gefühl hatte, als glitten die dicken Buchen rückwärts an ihm vorüber, und er holte Reineke ein. Schließlich war er ihm so nahe, daß er den Schwanz gefaßt bekam. »Jetzt nehme ich dir doch die Gans weg!« rief er und hielt so fest, wie er nur konnte. Aber er war nicht stark genug, um Reineke zurückzuhalten. Der Fuchs zog ihn mit sich, so daß die welken Buchenblätter um ihn herstoben.

Aber jetzt schien es, als wenn Reineke dahintergekommen sei, wie klein der Verfolger war. Er stand still, legte die Gans an die Erde nieder und setzte die Vorderpfoten darauf, damit sie nicht wegfliegen sollte. Er wollte ihr gerade die Kehle durchbeißen, aber er konnte sich nicht enthalten, den Knirps erst ein wenig zu necken: »Mach' daß du nach Hause kommst und verklag mich beim Hausherrn, denn nun beiße ich die Gans tot!« sagte er.

Wer erstaunt war, als er sah, was für eine spitze Schnauze, als er hörte, was für eine heisere und häßliche Stimme der Hund hatte, den er verfolgte, das war der Junge. Aber er wurde nun auch so wütend darüber, daß sich der Fuchs lustig über ihn machte, daß er nicht daran dachte, bange zu sein. Er umklammerte den Schwanz noch fester, stemmte die Füße gegen die Wurzel einer Buche, und im selben Augenblick, als der Fuchs den Rachen über der Kehle der Gans aufriß, zog er mit aller Macht an. Reineke war so überrascht, daß er sich ein paar Schritte rückwärts ziehen ließ, und die wilde Gans wurde frei. Die hob sich mit Mühe in die Luft empor. Einer ihrer Flügel war verletzt, so daß sie ihn kaum gebrauchen konnte, und außerdem konnte sie in der dunklen Nacht nichts im Walde sehen, sondern war so hilflos wie ein Blinder. Deswegen konnte sie dem Jungen in keiner Weise helfen, sondern strebte einer Öffnung im Laubdach zu und flog wieder nach dem See hinab.

Reineke aber stürzte sich über den Jungen. »Krieg' ich die eine nicht, so will ich den andern haben!« sagte er, und man konnte es seiner Stimme anhören, wie wütend er war. »Das bilde dir nur ja nicht ein,« sagte der Junge und war ganz mutig, weil er die Gans gerettet hatte. Er hielt sich noch immer am Fuchsschwanz fest und schwang sich daran auf die andere Seite hinüber, wenn der Fuchs ihn zu fangen suchte.
Das war ein Tanz im Walde, so daß die Buchenblätter aufwirbelten. Reineke drehte sich unaufhörlich herum, aber der Schwanz drehte sich mit, und der Junge hielt sich daran fest, so daß der Fuchs ihn nicht kriegen konnte.
Der Junge war so froh über sein Glück, daß er anfangs nur lachte und sich über den Fuchs lustig machte, aber Reineke war beharrlich, wie es alte Jäger zu sein pflegen, und der Junge wurde allmählich bange, die Sache könne damit enden, daß ihn der Fuchs erwischte.
Da gewahrte er eine kleine, junge Buche, die so dünn wie eine Gerte in die Luft geschossen war, um schnell in die freie Luft über dem Laubdach zu gelangen, das die alten Buchen über ihr aufgebaut hatten. Schnell ließ er den Fuchsschwanz los und kletterte in die Buche hinauf. Reineke Fuchs war so eifrig, daß er noch eine ganze Weile hinter dem Schwanz her weiter tanzte. »Jetzt brauchst du dir nicht die Mühe zu machen und noch länger zu tanzen,« sagte der Junge.
Aber der Fuchs konnte den Schimpf nicht ertragen, daß er so einen kleinen Knirps nicht zu bewältigen vermochte, und er legte sich unter den Baum und hielt Wache.
Der Junge fühlte sich gar nicht behaglich, wie er dort rittlings über einem dünnen Zweig saß. Die kleine Buche reichte noch nicht bis an das hohe Laubdach hinan. Er konnte nicht auf einen andern Baum hinübergelangen, und er wagte nicht, von dem Baum hinunterzuspringen.
Es fror ihn, so daß er ganz steif wurde und nahe daran war, den Zweig loszulassen, und er war so schrecklich müde, aber er wagte nicht, sich hineinzusetzen, aus Furcht herunterzufallen.
Es war gar nicht auszudenken, wie unheimlich es war, so zu nächtlicher Zeit draußen im Walde zu sitzen. Er hatte bisher nie gewußt, was es heißt, daß es Nacht war. Es war als sei die ganze Welt versteinert und könne nie wieder Leben gewinnen.

Und dann fing es an zu tagen, und der Junge freute sich, denn jetzt sah alles wieder so aus wie sonst, nur fand er, daß die Kälte noch schneidender wurde, als sie in der Nacht gewesen war.
Als die Sonne endlich aufging, war sie nicht gelb, sondern rot. Der Junge fand, sie sähe so böse aus und er grübelte nach, worüber sie wohl böse sein könne. Vielleicht darüber, daß die Nacht es so kalt und dunkel auf der Erde gemacht hatte, während die Sonne fort war.
Die Sonnenstrahlen kamen in großen Bündeln herbeigeeilt, um zu sehen, was die Nacht Schlimmes angerichtet hatte, und es sah so aus, als wenn alle Dinge erröteten, wie wenn sie ein schlechtes Gewissen hätten. Die Wolken am Himmel, die seidenglatten Buchenstämme, die kleinen ineinandergeflochtenen Zweige des Laubdaches, der Reif, der das Buchenlaub am Waldboden bedeckte, alles erglühte und errötete.
Aber es kamen immer mehr Strahlenbündel durch die Luft dahergeeilt, und bald war all das Unheimliche in der Natur in die Flucht getrieben. Die Versteinerung war geschwunden, und es kam so erstaunlich viel Lebendes zum Vorschein. Der Schwarzspecht mit dem roten Nacken begann mit dem Schnabel gegen einen Baumstamm zu picken. Das Eichhörnchen hüpfte mit einer Nuß aus seinem Nest heraus, setzte sich auf einen Zweig und machte sich daran, die Nuß zu knacken. Der Star kam mit einer Wurzelfaser geflogen, und im Wipfel des Baumes sang der Buchfink.
Da begriff der Junge, daß die Sonne zu diesen kleinen Geschöpfen gesagt hatte: »Jetzt könnt ihr erwachen und aus euern Nestern herauskommen! Jetzt bin ich hier, jetzt braucht ihr vor nichts bange zu sein!«
Vom See her konnte man die Schreie der wilden Gänse hören, während sie sich zum Fluge anschickten. Gleich darauf kamen alle vierzehn Gänse über den Wald geflogen. Der Junge versuchte, sie zu rufen, aber sie flogen so hoch oben, daß seine Stimme sie nicht erreichen konnte. Sie glaubten wohl, daß der Fuchs ihn schon lange aufgefressen habe. Sie fanden es nicht einmal der Mühe wert, nach ihm zu suchen.
Der Junge war nahe daran, vor Angst zu weinen, aber nun stand die Sonne goldgelb und munter am Himmel und flößte der ganzen Welt Mut ein. »Du brauchst nie bange zu sein, oder dich über etwas zu beunruhigen, Niels Holgersen, so lange ich hier bin,« sagte die Sonne.

Das Gänsespiel.

Montag, den 21. März.

Im Walde blieb alles so, wie es war, ungefähr so lange, wie eine Gans braucht, um Frühstück zu essen, aber gerade, als der Morgen im Begriff war, in den Vormittag überzugehen, kam eine einsame wilde Gans unter das dichte Laubdach geflogen. Sie tastete sich zwischen den Stämmen und Zweigen hindurch und flog ganz langsam. Sobald Reineke Fuchs sie sah, verließ er seinen Platz unter der kleinen Buche und schlich auf sie zu. Die wilde Gans flüchtete nicht vor dem Fuchs, sondern flog ganz dicht an ihm vorüber. Reineke sprang hoch in die Höhe nach ihr, konnte sie jedoch nicht packen, und die Gans flog weiter, dem See zu.

Es währte nicht lange, da kam eine neue wilde Gans geflogen. Sie kam denselben Weg wie die erste und flog noch niedriger und langsamer. Auch sie flog dicht an Reineke Fuchs vorüber, und er sprang so hoch nach ihr, daß seine Ohren ihre Füße berührten, aber sie entkam doch unbeschädigt und setzte ihren Weg stumm wie ein Schatten nach dem See zu fort.

Es verging eine kleine Weile, dann kam wieder eine wilde Gans. Sie flog noch niedriger und langsamer, es schien, als werde es ihr noch schwerer, den Weg zwischen den Buchenstämmen zu finden. Reineke machte einen mächtigen Sprung, und es fehlte nur eines Haares Breite, daß er sie gefaßt hätte. Aber auch diese Gans entkam.

Gleich nachdem sie verschwunden war, kam eine vierte wilde Gans. Obgleich sie so langsam und so schlecht flog, daß Reineke meinte, er könne sie ohne Mühe fangen, war er jetzt bange, daß ihm ein Unfall zustoßen könne, und er wollte sie unangerührt wegfliegen lassen. Aber sie flog denselben Weg wie die andere, und als sie gerade über Reineke angelangt war, schwebte sie so tief herab, daß er sich verleiten ließ, nach ihr in die Höhe zu springen. Er gelangte so hoch, daß er sie mit der Pfote berührte, aber sie warf sich schnell auf die Seite und rettete ihr Leben.

Ehe Reineke noch Atem geschöpft hatte, kamen drei Gänse in einer Reihe. Sie kamen genau so geflogen wie die andern, und Reineke sprang nach ihnen allen hoch in die Höhe, aber es gelang ihm nicht, eine von ihnen zu fangen.

Dann kamen fünf Gänse, aber sie flogen besser als die vorhergehenden, und obwohl auch sie so aussahen, als wollten sie Reineke verlocken zu springen, widerstand er der Versuchung.
Ziemlich lange darauf kam eine einsame Gans. Das war die dreizehnte. Die war so alt, daß sie ganz grau war und nicht einen einzigen braunen Strich an ihrem ganzen Körper hatte. Es sah so aus, als könne sie den einen Flügel nicht recht gebrauchen, sie flog so jämmerlich und so schief, daß sie fast die Erde berührte. Reineke begnügte sich nicht damit, hoch nach ihr in die Höhe zu springen, er verfolgte sie in schnellem Lauf bis an den See hinab, aber auch diesmal wurden seine Anstrengungen nicht belohnt.
Die vierzehnte Gans kam, und das sah sehr hübsch aus; sie war weiß, und es schimmerte wie eine Lichtung in dem dunklen Walde, wenn sie ihre großen Flügel schwang. Als Reineke die sah, bot er alle Kräfte auf und hüpfte halbwegs bis an das Laubdach hinauf, aber die weiße Gans flog ganz unbeschädigt davon, genau so wie alle die andern.
Nun wurde es eine Weile still unter den Buchen. Es schien, als sei der ganze Schwarm wilder Gänse vorübergezogen.
Plötzlich fiel Reineke sein Gefangener ein, und er sah zu der Buche hinauf. Wie zu erwarten stand, war der Knirps verschwunden.
Aber Reineke blieb nicht viel Zeit, an ihn zu denken, denn nun kam die erste Gans vom See zurück und flog so langsam wie vorher unter dem Laubdach dahin. Trotz all seines Mißgeschickes freute sich Reineke, daß sie zurückkam, und er stürzte mit einem hohen Sprung auf sie zu. Aber er war zu hastig gewesen und hatte sich keine Zeit gelassen, den Sprung zu berechnen, so daß er nebenbei sprang.
Auf die Gans folgte eine zweite und eine dritte und eine vierte und eine fünfte, bis die Reihe wieder herum war und mit der alten Eisgrauen und der großen Weißen endete.
Sie flogen alle langsam und niedrig. Gerade als sie über Reineke Fuchs dahinschwebten, ließen sie sich herab, als wollten sie ihn auffordern, sie zu fangen. Und Reineke verfolgte sie und machte Sprünge, die ein paar Klafter hoch waren, ohne jedoch auch nur eine einzige von ihnen fangen zu können.
Das war der schlimmste Tag, den Reineke Fuchs jemals erlebt hatte. Die wilden Gänse flogen unaufhörlich über seinem Kopf, kamen und verschwanden. Große, schöne Gänse, die sich auf den deutschen Feldern und Heiden dick gefressen hatten, flogen den ganzen Tag im

Walde herum, so in seiner Nähe, daß er sie viele Male berührte, und es gelang ihm nicht, seinen Hunger an einer einzigen von ihnen zu stillen. Der Winter war kaum vorüber, und Reineke entsann sich langer Tage und Nächte, wo er sich müßig herumgetrieben hatte, ohne daß ihm ein Stück Wild in den Wurf gekommen wäre, denn die Zugvögel waren fort, die Mäuse versteckten sich unter der gefrorenen Erdrinde und die Hühner waren eingeschlossen. Aber all der Hunger des ganzen Winters war nicht so hart gewesen wie die Enttäuschung dieses Tages.

Reineke war kein junger Fuchs mehr. Er hatte gar manches Mal die Hunde hinter sich drein gehabt und die Kugeln um seine Ohren pfeifen hören. Er hatte tief in seinem Bau verborgen gelegen, während die Dachshunde in den Gängen herumkrochen und kurz davor waren, ihn zu finden. Aber all die Angst, die Reineke bei der heißesten Jagd ausgestanden hatte, war nichts im Vergleich zu der, die er jedesmal empfand, wenn es ihm nicht gelang, eine der wilden Gänse zu erwischen.

Am Morgen, als das Spiel begann, war Reineke so fein gewesen, daß die Gänse staunten, als sie ihn sahen. Reineke liebte die Pracht, und sein Pelz war leuchtend rot, die Brust weiß, die Schnauze schwarz und der Schwanz wallend wie ein Federbusch. Aber als es an diesem Tage Abend wurde, hing Reinekes Pelz in Zotteln herunter, er war in Schweiß gebadet, seine Augen waren glanzlos, die Zunge hing ihm lang aus dem keuchenden Rachen, und aus dem Munde floß Schaum.

Am Nachmittag war Reineke so müde, daß er ganz von Sinn und Verstand war. Er sah nichts weiter vor seinen Augen als fliegende Gänse. Er sprang nach Sonnenflecken, die er am Erdboden sah, und nach einem armseligen Schmetterling, der zu früh aus der Puppe gekrochen war.

Die wilden Gänse flogen und flogen unermüdlich. Sie peinigten Reineke den ganzen Tag. Es bewegte sie nicht zu Mitleid, daß er vernichtet, erregt, wahnsinnig war. Sie fuhren unerbittlich fort, obwohl sie recht gut verstanden, daß er sie kaum sah, daß er nach ihren Schatten sprang.

Erst als Reineke Fuchs ganz kraftlos und matt auf einem Haufen welker Blätter umsank, kurz davor, den Atem aufzugeben, hielten sie inne, ihr Spiel mit ihm zu treiben.

»Jetzt weißt du, Fuchs, wie es dem geht, der es wagt, sich mit Akka von Kebnekajse einzulassen,« riefen sie ihm dann ins Ohr, und damit ließen sie ihn in Ruhe.

III. Wildvogelleben

Im Bauernhofe.

Donnerstag, den 24. März.

Gerade in jenen Tagen trug sich in Schonen eine Begebenheit zu, die sehr viel beredet wurde, ja sogar in die Zeitung kam. Von vielen wurde sie freilich für Erdichtung gehalten, weil sie nicht imstande waren, sie zu erklären.

In einem Nußholz am Ufer des Bombsees war nämlich ein Eichhörnchenweibchen gefangen und nach einem Bauernhof in der Nähe gebracht. Alle im Bauernhöfe, jung wie alt, freuten sich über das schöne kleine Tier mit dem großen Schwanz, den klugen, neugierigen Augen und den niedlichen, kleinen Beinchen. Sie dachten, sie wollten sich den ganzen Sommer an seinen flinken Bewegungen, seiner drolligen Art, Nüsse zu knacken und seinem munteren Spiel ergötzen. Sie setzten sofort einen alten Eichhörnchenkäfig in Ordnung; der bestand aus einem kleinen, grünangemalten Haus und einem Stahldrahtrad. Das kleine Haus, das sowohl eine Tür als auch Fenster hatte, sollte das Eichhörnchen als Eß- und Schlafzimmer haben; deswegen machten sie ein Bett aus welkem Laub für das Tierchen zurecht und setzten eine Schale mit Milch und einige Nüsse dahinein. Aber das Stahldrahtrad sollte es als Spielstube haben, in der es laufen und klettern und die es herumdrehen konnte.

Die Leute meinten, daß sie es sehr schön für das Eichhörnchen eingerichtet hätten und wunderten sich, daß es nicht gedeihen wollte. Es saß im Gegenteil niedergeschlagen und unwirsch in einer Ecke seiner Stube, und von Zeit zu Zeit stieß es einen lauten Klageschrei aus. Es rührte das Essen nicht an und drehte das Rad nicht ein einziges Mal herum. »Es ist gewiß bange,« sagten die Leute auf dem Bauernhof. »Morgen, wenn es sich erst heimischer fühlt, wird es schon essen und spielen.«

Nun traf es sich so, daß die Frauen im Bauernhof Anstalten zu einem Festschmaus trafen, und gerade an dem Tage, als das Eichhörnchen gefangen wurde, fand großes Backen statt. Und entweder hatten sie Unglück mit dem Teig gehabt, so daß er nicht aufgehen wollte, oder auch sie waren langsam bei der Arbeit gewesen, denn sie waren noch lange nach Hereinbruch der Dunkelheit damit beschäftigt.
Es herrschte natürlich großer Eifer und Geschäftigkeit in der Küche, und niemand ließ sich Zeit, daran zu denken, wie es dem Eichhörnchen ergehen mochte. In dem Hause war aber eine alte Frau, die war zu alt, um noch an dem Backen teilzunehmen. Das begriff sie selbst sehr wohl, aber sie mochte doch nicht gern so außerhalb des Ganzen stehen. Sie war betrübt, und deswegen ging sie nicht zu Bett, sondern setzte sich an das Fenster in der Stube und sah hinaus. In der Küche hatten sie der Hitze halber die Tür aufgemacht, so daß der klare Lichtschein auf den Hof hinausströmte. Es war ein Hofplatz mit Gebäuden nach allen Seiten, und es wurde so hell dort, daß die alte Frau die Risse und Löcher im Kalkputz an der Mauer gegenüber erkennen konnte. Sie sah auch den Eichhörnchenkäfig, der gerade an der Stelle hing, auf die der Lichtschein am allerstärksten fiel, und sie beobachtete, wie das Eichhörnchen die ganze Nacht aus seiner Stube in das Rad hinein und aus dem Rad wieder in die Stube sprang, ohne auch nur einen Augenblick zu ruhen. Sie fand, daß das Tier von einer wunderlichen Rastlosigkeit befallen sei, aber sie glaubte natürlich, daß der grelle Lichtschein es wach halte.
Zwischen dem Kuhstall und dem Pferdestall befand sich auf dem Hofe eine große Einfahrt, und die lag so, daß sie ebenfalls beleuchtet wurde. Und als die Nacht bereits ein wenig vorgeschritten war, sah die alte Frau einen kleinen Knirps, der nicht größer war als eine Handbreit, aber Holzschuhe und Lederhosen trug wie ein Arbeitsmann, leise und vorsichtig aus der Einfahrt auf den Hof schleichen. Die alte Frau begriff sofort, daß es der Kobold sei, und sie wurde nicht im geringsten bange. Sie hatte immer gehört, daß er sich dort auf dem Hofe aufhielt, obgleich sie ihn noch nie gesehen hatte, und ein Kobold hatte ja Glück im Gefolge, wo er sich zeigte.
Sobald der Kobold auf den gepflasterten Hof gekommen war, lief er geradeswegs auf den Eichhörnchenkäfig zu, und da der so hoch hing, daß er ihn nicht erreichen konnte, holte er sich eine Stange aus dem Gerätschaftsschuppen, stellte sie an den Käfig und kletterte daran in

die Höhe, wie ein Seemann ein Tau entert. Als er an den Käfig hinaufkam, rüttelte er an der Tür des kleinen grünen Hauses, als wolle er sie öffnen, aber die alte Frau war ganz ruhig, denn sie wußte, daß die Kinder ein Hängeschloß vor die Tür gehängt hatten, aus Furcht, daß die Nachbarjungen versuchen könnten, das Eichhörnchen zu stehlen. Die alte Frau sah, daß, als der Kobold die Tür nicht aufbekommen konnte, das Eichhörnchen in das Stahldrahtrad hinausging. Dort hielt es eine lange Beratung mit dem Kobold ab. Und als der Kobold alles gehört hatte, was das gefangene Tierchen zu erzählen hatte, rutschte er an der Stange herunter und lief zum Tore hinaus.
Die alte Frau dachte, sie würde in dieser Nacht nichts mehr von dem Kobold sehen, aber sie blieb trotzdem am Fenster sitzen. Als eine kleine Weile vergangen war, kam er zurück. Er lief so schnell, daß sie kaum sehen konnte, wie seine Füße den Erdboden berührten, und er eilte auf den Käfig zu. Die alte Frau mit ihren weitsichtigen Augen konnte ihn deutlich sehen, und sie konnte auch sehen, daß er etwas in den Händen trug, aber was es war, konnte sie nicht begreifen. Das, was er in der linken Hand hatte, legte er auf das Steinpflaster, aber das, was er in der rechten hatte, nahm er mit nach dem Käfig hinauf. Hier stieß er mit seinem Holzschuh gegen das kleine Fenster, so daß die Scheibe zerbrach, und dann steckte er das, was er in der Hand hatte, durch das Loch dem Eichhörnchen zu. Darauf ließ er sich wieder hinabgleiten, nahm das, was er an die Erde gelegt hatte, und kletterte auch damit nach dem Käfig hinauf. Und als das getan war, eilte er wieder so hastig von dannen, daß die alte Frau ihm kaum mit den Augen folgen konnte.
Nun aber war an dem Mütterchen die Reihe, nicht mehr still in der Stube sitzen zu können. Ganz leise ging sie auf den Hof hinaus und stellte sich in den Schatten der Pumpe, um auf den Kobold zu warten. Und da war noch eine, die ihn entdeckt hatte und neugierig geworden war, nämlich die Hauskatze. Die kam leise geschlichen und stellte sich an der Mauer auf, gerade ein paar Schritte außerhalb des hellsten Lichtstreifs.
Sie standen beide da und warteten eine ganze Ewigkeit in der kalten Märznacht, und die alte Frau dachte schon daran, wieder hineinzugehen, als sie etwas auf dem Steinpflaster klappern hörte und den kleinen Knirps noch einmal dahergetrabt kommen sah. Ebenso wie vorhin trug er etwas in jeder Hand, und das, was er trug, piepste und zappelte. Und nun ging dem Mütterchen ein Licht auf. Sie begriff, daß

der Kobold im Nutzholz gewesen war und die jungen Eichhörnchen geholt hatte, und daß er sie zu der Mutter bracht, damit sie nicht verhungern sollten.
Das Mütterchen stand ganz still, um nicht zu stören, und es schien auch nicht, als wenn der Kobold sie bemerkt hatte. Er wollte gerade das eine Junge an die Erde legen, um mit dem andern nach dem Käfig hinaufzuklettern, als er die grünen Augen der Katze dicht neben sich sah. Ganz ratlos blieb er stehen, ein Junges in jeder Hand.
Er wandte sich um, sah nach allen Seiten aus und gewahrte nun das Mütterchen. Da bedachte er sich nicht lange, sondern ging hin und reichte ihr eins der jungen Eichhörnchen hin.
Und das Mütterchen wollte sich seines Vertrauens nicht unwürdig zeigen, sie beugte sich hinab und nahm das Eichhörnchen entgegen und stand da und hielt es, bis der Kobold mit dem andern nach dem Käfig hinaufgeklettert war und nun kam, um das zu holen, das er ihr anvertraut hatte.
Am nächsten Morgen, als sich die Leute im Bauernhofe um den Morgenimbiß sammelten, konnte die alte Frau ja nicht an sich halten, sie mußte erzählen, was sie in der Nacht gesehen hatte. Und sie lachten natürlich alle zusammen und sagten, das habe sie geträumt. So früh im Jahre gebe es noch gar keine jungen Eichhörnchen.
Sie aber war ihrer Sache sicher und bat sie, im Eichhörnchenkäfig nachzusehen, und das taten sie. Und da lagen auf dem Laubbett in der Stube vier kleine halbnackte und halbblinde Junge, die mindestens ein paar Tage alt waren.
Als der Hausvater die Jungen sah, sagte er: »Es mag nun hiermit sein wie es will, das aber ist gewiß, wir haben uns hier auf dem Hofe so benommen, daß wir uns vor Tieren und Menschen schämen müssen.« Und dann nahm er das Eichhörnchen und alle die Jungen aus dem Käfig heraus und legte sie dem Mütterchen in die Schürze: »Geh du nun mit ihnen in das Nußholz hinaus,« sagte er, »und gib ihnen ihre Freiheit wieder!«
Über diese Begebenheit wurde soviel geredet, und sie kam sogar in die Zeitung. Aber die meisten wollten nicht daran glauben, weil sie sich nicht erklären konnten, wie so etwas geschehen könne.

Vittskövle.

Sonntag, den 26. März.

Ein paar Tage später trug sich ein ebenso sonderbares Ereignis zu. Eine Schar wilder Gänse kamen eines Morgens und ließen sich auf einem Felde drüben in dem östlichen Schonen, nicht weit von dem großen Gut Vittskövle nieder. In der Schar befanden sich dreizehn Gänse von der gewöhnlichen grauen Farbe und ein weißer Gänserich, der einen kleinen Knirps auf dem Rücken trug. Der hatte eine gelbe Lederhose, und eine grüne Weste an und auf dem Kopfe eine weiße Zipfelmütze. Sie waren nun ziemlich nahe an der Ostsee, und auf dem Felde, wo sich die Gänse niedergelassen hatten, war der Boden sandig, wie er es an der Küste zu sein pflegt. In der Gegend war allem Anschein nach früher Flugsand gewesen, denn an mehreren Stellen standen große Tannenanpflanzungen, offenbar um den Sand zu halten.

Als die wilden Gänse eine Weile gegrast hatten, kamen ein paar Kinder in der Ackerfurche entlang. Die Gans, die Wache hielt, schwang sich schnell mit klatschendem Flügelschlag in die Luft empor, damit die ganze Schar hören könne, daß Gefahr im Anzuge sei. Alle wilden Gänse flogen auf, aber der weiße Gänserich blieb ganz ruhig grasend auf dem Felde. Als er die andern fliegen sah, hob er den Kopf empor und rief ihnen nach: »Ihr braucht wirklich vor denen da nicht zu entfliehen. Es sind ja nur ein paar Kinder!«

Der kleine Knirps, den der weiße Gänserich auf dem Rücken gehabt hatte, saß auf einem Erdhügel am Waldesrande und zerzupfte einen Tannenapfel, um die Samenkörner herauszubekommen. Die Kinder waren so dicht in seiner Nähe, daß er nicht über das Feld hinüber zu dem weißen Gänserich zu laufen wagte. Er versteckte sich schnell unter einem großen, welken Distelblatt und stieß dabei einen warnenden Ruf aus.

Der Gänserich aber hatte offenbar beschlossen, sich nicht einschüchtern zu lassen. Er graste ruhig weiter auf dem Felde und achtete nicht einmal darauf, wohin die Kinder gingen.

Die bogen indessen vom Wege ab, gingen über das Feld und näherten sich dem Gänserich. Als der endlich aufsah, waren sie ganz in seiner Nähe, und nun erschrak er so und war so verwirrt, daß er ganz sein Fliegen vergaß und zu laufen anfing, um ihnen zu entkommen. Die Kinder folgten hinterdrein, jagten ihn in einen Graben und fingen ihn.

Das größere von den beiden steckte ihn unter den Arm und ging mit ihm davon.
Als der Knirps, der unter dem Distelblatt saß, das sah, fuhr er in die Höhe, als wolle er den Kindern den Gänserich entreißen. Aber dann fiel ihm ein, wie klein und machtlos er war, und er warf sich statt dessen auf den Erdhügel nieder und schlug mit geballten Fäusten in die Erde hinein, ganz außer sich.
Der Gänserich schrie aus Leibeskräften um Hilfe: »Däumling, komm und hilf mir! Däumling, komm und hilf mir!« Aber da mußte der Junge doch mitten in all seinem Kummer lachen. »Ja, ich bin wohl der Rechte, jemand zu helfen!« sagte er.
Die Kinder hatten einen großen Vorsprung, aber dem Jungen wurde es nicht schwer, sie im Auge zu behalten, bis er an eine Vertiefung im Boden gelangte, wo ein Bach dahergebraust kam. Der war weder breit noch tief, aber er war trotzdem gezwungen, am Ufer entlang zu laufen, bis er eine Stelle fand, wo er hinüberspringen konnte.
Als er aus der kleinen Schlucht herauskam, waren die Kinder verschwunden. Aber er konnte ihre Spuren auf einem schmalen Steig sehen, der in den Wald führte, und er fuhr fort, sie zu verfolgen.
Bald kam er jedoch an einen Fahrweg, und hier mußten die Kinder sich getrennt haben, denn da waren Spuren nach zwei Richtungen hin. Nun war der Knirps nahe daran, den Mut zu verlieren.
Im selben Augenblick aber sah er auf einem Heidehügel eine kleine weiße Daune. Er verstand nun, daß der Gänserich die am Wegesrande hatte fallen lassen, um ihm zu zeigen, nach welcher Seite er gebracht war, und er setzte deswegen seinen Weg fort. Und dann folgte er den Kindern durch den ganzen Wald. Von dem Gänserich sah er nichts, aber überall, wo er unsicher in bezug auf den Weg sein konnte, lag eine kleine, weiße Daune und zeigte ihn zurecht.
Der Knirps folgte getreulich den Daunen. Sie führten ihn zum Walde hinaus, über ein paar Felder, einen Weg entlang und schließlich eine Allee hinauf bis an ein Schloß. Am Ende der Allee konnte man einen Schimmer von Giebeln und Türmen und roten Steinen sehen, die mit hellen Streifen und Ornamenten geschmückt waren. Als der Knirps sah, daß da ein Schloß lag, konnte er sich wohl denken, was aus dem Gänserich geworden war. »Die Kinder sind gewiß mit dem Gänserich nach dem Schloß gegangen und haben ihn verkauft, und dann wird er wohl schon geschlachtet sein,« sagte er zu sich selbst. Aber er wollte

sich nicht beruhigen, ehe er richtigen Bescheid hatte, und lief noch eifriger weiter. Er begegnete niemand in der Allee, und das war ja gut. Denn alle, die von seiner Art sind, pflegen sich davor zu fürchten, von Menschen gesehen zu werden.
Das Schloß, zu dem er kam, war ein prächtiges, altes Gebäude. Es bestand aus vier Flügeln mit einem Burghof in der Mitte. An der Ostseite befand sich eine tiefe Torwölbung, die auf den Burghof führte. Soweit lief der Knirps, ohne sich zu bedenken, als er aber dahin gekommen war, blieb er stehen. Er wagte nicht, sich weiter zu begeben, sondern stand still und dachte darüber nach, was er nun tun sollte.
Er stand noch mit dem Finger an der Nase da, als er Schritte hinter sich hörte, und als er sich umwandte, sah er eine ganze Schar Menschen die Allee hinaufkommen. Schnell schlüpfte er hinter eine Wassertonne, die zufällig dicht neben dem Tor stand, und verbarg sich dort.
Was ihn so erschreckt hatte, waren ungefähr zwei Dutzend junger Leute von einer Hochschule; sie befanden sich in Begleitung eines Lehrers auf einer Fußwanderung, und als sie das Tor erreicht hatten, hieß er sie dort warten, während er hineinging und fragte, ob sie die alte Burg Vittskövle besehen könnten.
Die Neuangekommenen waren erhitzt und müde, als wenn sie weit gegangen wären. Einer von ihnen war so durstig, daß er an die Wassertonne trat und sich hinabbeugte, um zu trinken. Er hatte eine Botanisiertrommel auf dem Rücken und meinte offenbar, daß sie ihm hinderlich sei, denn er warf sie ab. Dadurch tat sich der Deckel auf, und man konnte sehen, daß einige Frühlingsblumen darin lagen.
Die Botanisiertrommel fiel dem Knirps gerade vor die Füße, und er fand, daß dies eine vorzügliche Gelegenheit sei, ins Schloß hinein zu gelangen und zu entdecken, wo der Gänserich geblieben war. Schnell schlüpfte er in die Botanisiertrommel und versteckte sich, so gut er konnte, unter Anemonen und Huflattich.
Kaum war es ihm gelungen, sich zu verbergen, als der junge Mann die Botanisierkapsel aufnahm, sie sich auf den Rücken hängte und den Deckel zuklappte.
Der Lehrer kam jetzt zurück und sagte, sie hätten die Erlaubnis erhalten, das Schloß zu besichtigen. Vorerst führte er sie jedoch nur auf den Burghof. Dort blieb er stehen und erzählte ihnen von dem alten Gebäude.

Schließlich ging die ganze Gesellschaft in das Schloß, aber wenn der Knirps gehofft hatte, daß er Gelegenheit haben würde, aus der Botanisiertrommel herauszuschlüpfen, so sah er sich getäuscht, denn der Schüler behielt die Botanisiertrommel auf dem Rücken, und der Knirps mußte alle Stuben mit durchwandern.
Es war eine langweilige Wanderung. Jeden Augenblick blieb der Lehrer stehen, um zu erklären und zu erzählen. Er beeilte sich wahrlich nicht. Aber er wußte ja auch nicht, daß ein armes kleines Wurm in einer Botanisierkapsel verborgen lag und sich nur danach sehnte, daß er aufhören sollte.
Schließlich ging der Lehrer wieder in den Burghof hinaus und blieb abermals stehen und sprach zu den Schülern.
Aber die Rede brauchte der Knirps nicht mit anzuhören, denn der Schüler, der ihn trug, war wieder durstig geworden und schlich in die Küche hinaus, um einen Trunk Wasser zu erbitten. Als sie da hinein kamen, fiel dem Knirps ein, daß der Gänserich hier gewiß sein mußte. Er fing an, sich zu rühren, und dabei drückte er unversehens zu stark gegen den Deckel, so daß der aufsprang. Aber die Deckel von Botanisiertrommeln springen ja immer auf, und der Schüler dachte nicht weiter daran, und drückte ihn nur wieder zu; die Köchin fragte jedoch, ob er eine Schlange darin habe. »Nein, ich habe nur einige Pflanzen,« antwortete der Schüler. »Aber es rührte sich doch etwas darin,« behauptete die Köchin. Der Schüler öffnete den Deckel ganz weit, um ihr zu zeigen, daß sie irre. »Da können Sie selbst sehen, daß ...«
Aber weiter kam er nicht, denn nun wagte der Knirps nicht länger, in der Botanisiertrommel zu bleiben, mit einem Satz war er an der Erde und stürzte zur Küche hinaus. Die Mägde hatten kaum gesehen, was es war, das da lief, aber sie rannten hinterdrein.
Der Lehrer stand noch da und redete, als er durch laute Rufe unterbrochen wurde: »Fangt ihn! Fangt ihn!« riefen alle, die aus der Küche kamen, und die sämtlichen jungen Leute jagten hinter dem Knirps drein, der schneller lief als eine Maus. Sie versuchten, ihn zu fangen, indem sie von der andern Seite in das Tor hineinliefen, aber es war nicht so leicht, jemand zu erwischen, der so klein war, und er gelangte glücklich ins Freie hinaus.
Der Knirps wagte nicht, die offene Allee hinabzulaufen, sondern bog nach einer andern Seite ab. Er stürzte durch den Garten in den

Hinterhof. Die ganze Zeit jagten sie unter Lachen und Rufen hinter ihm drein. Der arme Kleine rannte, so schnell er konnte, aber es sah trotzdem so aus, als wenn sie ihn einholen würden.
Gerade als er an einer kleinen Tagelöhnerwohnung vorüber kam, hörte er eine Gans gackern und sah eine kleine weiße Daune auf der Treppe liegen. Da war er, da war der Gänserich! Er war auf falscher Spur gewesen. Er dachte nicht mehr an Mägde und Knechte, die hinter ihm selber dreinjagten, sondern krabbelte die Treppe hinauf und lief auf den Flur. Weiter konnte er nicht kommen, denn die Tür war geschlossen. Er konnte den Gänserich da drinnen schreien und jammern hören, aber es war ihm nicht möglich, die Tür aufzubekommen. Die wilde Jagd, die hinter ihm her war, kam immer näher, und da drinnen in der Stube schrie der Gänserich immer jammervoller. In dieser höchsten Not faßte der Knirps schließlich Mut und donnerte aus Leibeskräften gegen die Tür.
Ein Kind kam und öffnete, und der Knirps sah sich in der Stube um. Mitten darin saß eine Frau, die den Gänserich festhielt, um ihm die Schwungfedern abzuschneiden. Ihre Kinder hatten den Gänserich gefunden, und sie wollte ihm kein Leides tun.
Sie wollte ihn nur zu ihren eigenen Gänsen hinauslassen, sobald sie ihm die Flügel gestutzt hatte, damit er nicht davonfliegen konnte. Aber es konnte dem Gänserich ja kein größeres Unglück widerfahren, und er schrie und jammerte aus Leibeskräften.
Ein Glück war es, daß die Frau nicht früher angefangen hatte zu schneiden. Jetzt waren nur zwei Federn vor der Schere gefallen, als die Tür aufging und der kleine Knirps auf der Schwelle stand. Aber so einen hatte die Frau noch nie im Leben gesehen. Sie konnte sich nichts anderes denken, als daß es der Koboldenvater in eigener Person sei, und vor Schrecken ließ sie die Schere fallen, schlug die Hände zusammen und vergaß, den Gänserich festzuhalten.
Sobald der sich frei fühlte, lief er nach der Tür. Er ließ sich keine Zeit, still zu stehen, packte aber in der Eile den Knirps beim Hemdbund und nahm ihn mit. Und auf der Treppe breitete er die Flügel aus und hub sich in die Luft empor. Gleichzeitig machte er eine flotte Bewegung mit dem Halse und setzte den Knirps auf seinen glatten Rücken hinauf. So ging es mit ihnen dahin, in die Luft hinauf, und ganz Vittskövle stand da und starrte ihnen nach.

Im Park von Övedkloster.

Den ganzen Tag, während die Gänse mit dem Fuchs spielten, lag der Junge in einem leeren Eichhörnchennest und schlief. Als er gegen Abend erwachte, war er sehr bekümmert: »Jetzt werde ich bald nach Hause geschickt, und dann läßt es sich ja nicht vermeiden, daß ich mich vor Vater und Mutter sehen lassen muß,« dachte er.
Aber als er die wilden Gänse fand, die auf dem Vombsee lagen und schwammen, sagte keine von ihnen ein Wort davon, daß er fort solle. »Sie finden am Ende, daß der Weiße zu müde ist, um heute abend mit mir nach Hause zu fliegen,« dachte der Junge.
Am nächsten Morgen erwachten die Gänse beim ersten Tagesgrauen, lange vor Sonnenaufgang. Jetzt war der Junge fest überzeugt, daß die Heimreise vor sich gehen müsse, aber sonderbarerweise erhielten der weiße Gänserich und er Erlaubnis, die wilden Gänse auf ihrem Morgenausflug zu begleiten. Der Junge konnte gar nicht begreifen, was der Grund zu dem Aufschub war, aber dann fiel ihm ein, daß die wilden Gänse den Gänserich wohl nicht auf eine weite Reise schicken wollten, ehe er sich ordentlich satt gegessen hatte. Was nun der Grund auch sein mochte, er freute sich über jede Stunde, die verging, ehe er gezwungen war, seine Eltern wiederzusehen.
Die wilden Gänse flogen über das Schloß Övedkloster, das in einem herrlichen Park östlich vom See lag und sich prächtig ausnahm mit seinem schönen, gepflasterten Burghof, umgeben von niedrigen Mauern und Pavillons und seinem feinen, altmodischen Garten mit beschnittenen Hecken, geschlossenen Alleen, Teichen, Springbrunnen, schönen Bäumen und geradlinigen Rasenflächen, die mit bunten Frühlingsblumen eingefaßt waren.
Als die wilden Gänse in der frühen Morgenstunde über das Schloß flogen, war noch kein Mensch auf den Beinen. Nachdem sie sich hierüber sorgfältig vergewissert hatten, ließen sie sich über das Hundehaus herniederschweben und riefen: »Was ist das für eine kleine Hütte? Was ist das für eine kleine Hütte?«
Augenblicklich kam der Kettenhund aus seinem Haus, wütend und zornig, und bellte in die Luft hinauf.
»Nennt ihr das eine Hütte, ihr Landstreicher? Seht ihr denn nicht, daß es ein hohes Schloß aus Steinen ist? Seht ihr denn nicht, was für schöne Mauern es hat, seht ihr nicht, wie viele Fenster es hat, und große Tore

und eine prachtvolle Terrasse? Wau, wau, wau! Also das nennt ihr eine Hütte? Seht ihr nicht den Hof? Seht ihr nicht den Garten, seht ihr nicht die Treibhäuser, seht ihr nicht die Marmorsäulen? Nennt ihr das eine Hütte? Pflegen die Hütten einen Park zu haben, in dem Buchenwälder sind und Nußhaine und Waldwiesen und Eichenhaine und Tannenschonungen und ein Tiergarten voll von Rehen, wau, wau, wau? Nennt ihr das eine Hütte? Habt ihr jemals Hütten gesehen, die so viele Wirtschaftsgebäude rings umher haben, daß es aussieht wie ein ganzes Dorf? Kennt ihr viele Hütten, die eine eigene Kirche haben und einen Pfarrhof, und die über Rittergüter und Bauernhöfe und Pachterhöfe und Häuslereien gebieten? Wau, wau, wau! Nennt ihr das eine Hütte? Zu dieser Hütte gehört das größte Gut in Schonen, ihr Lumpengesindel. Da, wo ihr in den Wolken hängt, könnt ihr kein Fleckchen Erde sehen, das nicht unter dieser Hütte steht. Wau, wau, wau!«

Dies alles rief der Hund in *einem* Atemzug, und die Gänse flogen über dem Schloß hin und her und hörten ihm zu, bis er gezwungen war, Atem zu schöpfen. Dann aber schrien sie: »Warum ereiferst du dich so? Wir fragten ja gar nicht nach dem Schloß, wir fragten nur nach deinem Hundehaus.«

Als der Junge diese Späße hörte, lachte er anfänglich, dann aber ergriff ihn ein Gedanke, der ihn plötzlich ernsthaft machte: »Denk doch, wieviel Kurzweiliges würdest du zu hören bekommen, wenn du mit den Gänsen durch das ganze Land fliegen dürftest, bis hinauf nach Lappland,« sagte er zu sich selbst. »Wenn du doch in das Unglück geraten bist, so wäre eine solche Reise das beste, was dir widerfahren könnte.«

Die wilden Gänse flogen auf eins der großen Felder östlich von dem Schloß, um Graswurzeln zu fressen, und damit beschäftigten sie sich stundenlang. Währenddessen ging der Junge in den großen Park hinein, der an das Feld stieß und guckte in die Büsche hinauf, um zu sehen, ob da nicht ein paar Nüsse vom Herbst her hängengeblieben sein sollten. Aber wie er da so im Park umherging, kehrte immer wieder derselbe Gedanke zu ihm zurück. Er malte sich aus, wie lustig es sein würde, wenn er mit den wilden Gänsen fliegen könnte. Hungern und frieren würde er wohl manch liebes Mal, aber dafür brauchte er dann ja auch nicht zu arbeiten und zu lernen.

Als er dort ging, kam die alte, graue Führergans auf ihn zu und fragte, ob er genug zu essen gefunden habe. Nein, sagte er, er hätte nichts gefunden. Da suchte sie ihm zu helfen. Nüsse konnte sie auch nicht finden, aber sie entdeckte ein paar Hagebutten, die an einem wilden Rosenbusch hingen. Der Junge verzehrte sie mit gutem Appetit, konnte aber nicht umhin, zu denken, was seine Mutter sagen würde, wenn sie wüßte, daß er jetzt von rohem Fisch und von alten überjährigen Hagebutten lebte.
Als sich die wilden Gänse endlich satt gegessen hatten, zogen sie wieder an den See hinab und belustigten sich bis gegen Mittag mit Spielen. Sie forderten den weißen Gänserich auf allen möglichen Sportgebieten zum Wettstreit auf. Sie schwammen um die Wette, liefen um die Wette und flogen um die Wette mit ihm. Der große Zahme tat sein Bestes, wurde aber stets von den flinken wilden Gänsen geschlagen.
Der Junge saß während der ganzen Zeit auf dem Rücken des Gänserichs und ermunterte ihn und amüsierte sich ebensogut wie die andern. Das war ein Schreien und ein Gackern und ein Lachen, und es war wirklich unbegreiflich, daß die Leute im Schloß es nicht hörten.
Als die wilden Gänse des Spielens überdrüssig waren, flogen sie auf das Eis hinaus, um ein paar Stunden zu ruhen. Den Nachmittag verbrachten sie ungefähr auf dieselbe Weise wie den Vormittag. Zuerst ein paar Stunden Grasen, dann Baden und Spielen im Wasser am Rande des Eises bis Sonnenuntergang, worauf sie sich gleich zum Schlafen hinsetzten.
»Das wäre gerade so ein Leben, wie es mir passen würde,« dachte der Junge, als er unter den Flügel der Gans kroch. »Aber morgen werde ich gewiß nach Hause geschickt.«
Ehe er einschlief, lag er da und dachte darüber nach, daß, wenn er Erlaubnis erhielt, mit den Wildgänsen zu reisen, er um die Schelte hinwegkam, weil er so faul war. Dann konnte er sich den ganzen Tag umhertreiben und hatte keine andern Sorgen, als, wie er sich etwas zu essen beschaffte. Aber er hatte für den Augenblick ja nur so wenig nötig, damit würde er schon fertig werden.
Und dann malte er sich alles aus, was er zu sehen bekommen würde, und die vielen Abenteuer, die er erleben sollte. Ja, das war etwas anderes, als all die Arbeit und Mühe daheim. »Dürfte ich nur die

wilden Gänse auf ihrer Reise begleiten, so wollte ich mich nicht darum quälen, daß ich verhext bin,« dachte der Junge.
Das einzige, wovor er sich fürchtete, war, daß er nach Hause geschickt werden würde, aber auch am Mittwoch sagten die Gänse nichts davon, daß er reisen solle. Dieser Tag verging in gleicher Weise wie der Dienstag, und das Leben in der Wildnis gefiel dem Jungen immer besser. Er meinte, er habe den einsamen Park von Övedkloster, der so groß war wie ein Wald, ganz für sich allein, und er sehnte sich nicht zurück nach dem engen Haus und den kleinen Feldern daheim.
Am Mittwoch glaubte er, daß die wilden Gänse die Absicht hatten, ihn bei sich zu behalten, aber am Donnerstag gab er die Hoffnung wieder auf.
Der Donnerstag begann in derselben Weise wie die andern Tage. Die Gänse weideten auf den großen Feldern, und der Junge suchte sich Nahrung im Park. Als er dort eine Weile gewesen war, kam Akka zu ihm hin und fragte, ob er etwas Eßbares gefunden habe. Nein, er hatte nichts gefunden, und da suchte sie ihm eine welke Kümmelpflanze, die alle ihre kleinen Früchte noch unversehrt bei sich trug.
Nachdem der Junge gegessen hatte, sagte Akka, sie fände, er laufe zu kühn im Park herum. Ob er wohl wisse, vor wie vielen Feinden er sich in acht nehmen müsse, er, der so klein sei. Nein, das wußte er nicht, und dann begann Akka, sie ihm aufzuzählen.
Wenn er in den Wald ging, sagte sie, müsse er sich vor dem Fuchs und dem Marder in acht nehmen, wenn er an den See hinabkam, müsse er an die Ottern denken, saß er auf dem Steinwall, dürfe er das Wiesel nicht vergessen, das durch die kleinsten Löcher schlüpfen könne, und wenn er sich in einem Haufen welker Blätter zur Ruhe legen wollte, müsse er erst nachsehen, ob nicht die Natter ihren Winterschlaf in demselben Blätterhaufen halte. Sobald er auf das offene Feld hinauskam, müsse er auf Habicht und Bussard, auf Adler und Falken achten, die alle oben in den Wolken schwebten. Im Nußholz könne er von dem Sperber gefangen werden; Elstern und Krähen gab es überall, und denen sollte er nicht zu sehr trauen, und sobald die Dämmerung hereinbrach, müsse er die Ohren gut aufmachen und nach den großen Eulen horchen, die mit so lautlosem Flügelschlag geflogen kommen, daß sie ihm ganz nahe kommen konnten, ehe er sie bemerkte.
Als der Junge hörte, daß es so viele gab, die ihm nach dem Leben trachteten, konnte er wohl einsehen, daß er es ganz unmöglich behalten

durfte. Er fürchtete sich nicht so schrecklich davor, zu sterben, aber er hatte keine Lust, aufgefressen zu werden, und deswegen fragte er Akka, was er tun könne, um sich gegen die Raubmörder zu schützen.
Akka antwortete sogleich, der Junge müsse sehen, gut Freund zu werden mit dem kleinen Tiervolk in Feld und Wald, mit dem Eichhörnchenvolk und dem Hasenvolk, mit Finken und Meisen und Spechten und Lerchen. Hätte er die zu Freunden, so konnten sie ihn vor Gefahren warnen, ihm Schlupfwinkel verschaffen und bei drohender Gefahr konnten sie sich zusammenrotten und ihn verteidigen.
Aber als der Junge späterhin am Tage den Rat befolgen wollte und sich an Sirle, das Eichhörnchen, wandte, um seine Hilfe zu erbitten, stellte es sich heraus, daß das Eichhörnchen ihm nicht helfen wollte. »Nein, weiß Gott, du hast nichts Gutes von mir oder den andern kleinen Tieren zu erwarten,« sagte Sirle. »Meinst du, wir wissen nicht, daß du der Gänsejunge Niels bist, der im vorigen Jahr Schwalbennester herunterholte, Stareneier zerschlug, junge Krähen in die Mergelgrube warf, Drosseln und Dohlen fing und Eichkätzchen in ein Bauer steckte. Du mußt dir selbst helfen, so gut du kannst, und du mußt dich freuen, daß wir uns nicht gegen dich zusammenrotten und dich zu deinesgleichen nach Hause jagen!«
Diese Antwort war gerade von der Art, wie sie der Junge, als er noch der Gänsejunge Niels gewesen, nie ungestraft gelassen hätte, aber nun war er bange, daß auch die wilden Gänse erfahren könnten, wie schlimm er gewesen war. Er hatte sich davor gefürchtet, nicht bei den wilden Gänsen bleiben zu dürfen, daß er es gar nicht gewagt hätte, dumme Streiche zu machen, nachdem er in ihre Gesellschaft geraten war. Er konnte ja freilich nicht viel Schaden anrichten, so klein, wie er war, aber er hätte ja doch viele Vogelnester zerstören und viele Eier zerschlagen können, wenn er Lust dazu gehabt hätte. Aber nun war er so brav gewesen, er hatte nicht eine einzige Feder aus einem Gänseflügel gezupft, hatte keinem eine unhöfliche Antwort gegeben, und jeden Morgen, wenn er Akka guten Tag sagte, hatte er die Mütze abgenommen und einen Diener gemacht.
Den ganzen Donnerstag dachte er darüber nach, daß ihn die wilden Gänse sicher wegen seiner Boshaftigkeit nicht mit nach Lappland hinaufnehmen wollten. Und als er am Abend hörte, daß Sirle, Eichhörnchens Frau, geraubt war und seine Kinder dem Hungertode

nahe waren, beschloß er, ihnen zu helfen, und wie gut ihm das gelang, ist bereits erzählt worden.

Als der Junge am Freitag in den Park hineinkam, hörte er in einem jeden Gebüsch die Buchfinken davon singen, wie Sirle, Eichhörnchens Frau, von bösen Räubern ihren neugeborenen Jungen entführt war, und wie sich der Gänsejunge Niels unter die Menschen gewagt und ihr die kleinen Eichhörnchenkinder gebracht hatte.

»Wer ist nun im Park von Övedkloster so angesehen,« sangen die Buchfinken, »wie Däumling, er, vor dem alle so bange waren, damals, als er noch der Gänsejunge Niels war? Das Eichhörnchen will ihm Nüsse geben, die Hasen wollen mit ihm spielen, die Rehe wollen ihn auf den Rücken nehmen und mit ihm davonlaufen, wenn Reineke Fuchs sich naht, die Meisen wollen ihn vor dem Sperber warnen, und die Finken und Lerchen wollen von seiner Heldentat singen!«

Der Junge war ganz sicher, daß sowohl Akka als auch die wilden Gänse dies alles hörten, aber trotzdem verging der ganze Freitag, ohne daß sie sagten, er könne bei ihnen bleiben.

Bis zum Sonnabend weideten die Gänse auf den Feldern um Öved herum, ungestört durch Reineke Fuchs. Aber am Sonnabendmorgen, als sie auf den Acker hinauskamen, lag er auf der Lauer und folgte ihnen von einem Felde zum andern, so daß sie keine Ruhe zum Fressen finden konnten. Als es Akka klar wurde, daß er nicht die Absicht hatte, sie in Frieden zu lassen, faßte sie schnell ihren Entschluß, schwang sich in die Luft empor und flog mit der ganzen Schar mehrere Meilen weit. Erst in der Nähe von Vittskövle ließ sie sich nieder.

Aber hier bei Vittskövle ereignete es sich, wie bereits erzählt ist, daß der weiße Gänserich gestohlen wurde. Hätte nicht der Junge alle seine Kräfte eingesetzt, um ihm zu helfen, so wäre er nie wieder zum Vorschein gekommen.

Als der Junge am Sonnabendabend mit dem Gänserich wieder an den Bombsee zurückkam, fand er, daß er ein gutes Tagewerk getan hatte, und war sehr neugierig, was Akka und die wilden Gänse sagen würden. Und die wilden Gänse kargten keineswegs mit Lob, aber das, was zu hören er sich sehnte, sagten sie nicht.

Dann wurde es wieder Sonntag. Eine ganze Woche war vergangen, seit der Junge verhext wurde, und er war noch immer ebenso klein.

Aber er schien sich die Sache nicht zu Herzen zu nehmen. Am Sonntagnachmittag saß er tief drinnen in einem großen Weidenbusch unten am See und blies auf einer Rohrflöte. Rings um ihn herum saßen so viele Meisen und Buchfinken und Stare, wie der Busch nur fassen konnte, und zwitscherten Lieder, die er nachzuspielen bemüht war. Aber der Junge war nicht sonderlich bewandert in der Kunst und blies so falsch, daß sich allen den kleinen Singemeistern die Federn sträubten, und sie schrien und schlugen verzweifelt mit den Flügeln. Der Junge lachte so herzlich über ihren Eifer, daß er die Flöte fallen ließ.

Er fing wieder von vorne an, es ging aber so schlecht, daß die kleinen Vögel jammerten: »Heute spielst du noch schlechter als sonst, Däumling. Du bläst keinen richtigen Ton. Wo hast du nur deine Gedanken, Däumling?«

»Die sind anderswo,« sagte der Junge, und so war es auch. Er saß da und dachte daran, wie lange er wohl noch Erlaubnis erhielt, bei den wilden Gänsen zu bleiben, – ob er am Ende noch am heutigen Tage nach Hause geschickt werden würde.

Plötzlich warf der Junge die Flöte hin und sprang von dem Busch herunter. Er hatte Akka und alle Gänse in einer langen Reihe auf sich zukommen sehen. Sie gingen so ungewöhnlich langsam und feierlich, daß der Junge sofort dachte, jetzt würde er wohl erfahren, was sie mit ihm zu tun gedächten.

Als sie endlich still standen, sagte Akka: »Du kannst allen möglichen Grund haben, dich über mich zu wundern, Däumling, weil ich dir nicht gedankt habe, als du mich von Reineke Fuchs errettetest. Aber ich gehöre zu denen, die lieber durch die Tat als mit Worten danken. Und nun, glaube ich, ist es mir gelungen, dir einen großen Dienst zu leisten, Däumling! Ich habe zu dem Kobold geschickt, der dich verhext hat. Anfangs wollte er nichts davon hören, dir zu helfen, aber ich habe ihm einen Boten nach dem andern geschickt und ihn wissen lassen, wie gut du dich bei uns aufgeführt hast. Er läßt dich jetzt grüßen und dir sagen, daß du, sobald du nach Hause zurückkehrst, wieder ein Mensch werden wirst.«

Aber so sehr sich der Junge gefreut hatte, als die wilde Gans zu reden anhub, so betrübt war er, als sie geendet hatte. Er sagte kein Wort, sondern wandte sich ab und weinte.

»Was in aller Welt ist denn das?« sagte Akka. »Es scheint ja, als hättest du dir mehr gewünscht, als ich dir eben angeboten habe.«

Aber der Junge dachte an sorgenfreie Tage und muntere Kurzweil, an Abenteuer und Freiheit und Reisen hoch oben über der Erde; das alles sollte ihm jetzt entgehen! Er weinte geradezu vor Kummer. »Ich mache mir nichts daraus, Mensch zu werden.« sagte er. »Ich will mit euch hinauf nach Lappland.« – »Jetzt will ich dir etwas sagen,« entgegnete Akka: »Der Kobold ist leicht beleidigt, und ich fürchte, wenn du sein Anerbieten jetzt nicht annimmst, wird es dir nicht leicht werden, ein zweites Mal Zutritt zu ihm zu erlangen.«

Es war sonderbar mit dem Jungen – sein ganzes Leben lang hatte er sich niemals etwas aus jemand gemacht. Er hatte sich nichts aus Vater und Mutter gemacht, nichts aus seinem Lehrer, nichts aus seinen Schulkameraden, nichts aus den Jungen auf den Nachbarhöfen. Und alles, wozu sie ihn veranlassen wollten, sei es Spiel oder Arbeit, hatte er langweilig gefunden. Deswegen entbehrte er jetzt niemand, sehnte sich nach niemand.

Die einzigen, mit denen er sich jemals hatte vertragen können, waren das Gänsemädchen Aase und der kleine Mads, ein paar Kinder, die Gänse auf dem Felde hüteten, so wie er. Aber auch sie hatte er nicht von Herzen lieb. Nein, eigentlich gar nicht.

»Ich will kein Mensch sein!« heulte der Junge. »Ich will mit euch nach Lappland. Darum bin ich eine ganze Woche artig gewesen.« – »Ich will dir nicht verweigern, mit uns zu kommen, so weit du willst,« sagte Akka. »Bedenke aber doch erst, ob du nicht lieber wieder nach Hause zurückkehren willst! Es könnte doch ein Tag kommen, an dem du es bereuen würdest.«

»Nein,« sagte der Junge, »da ist nichts zu bereuen. Ich habe mich nie so wohl gefühlt wie bei euch.«

»Ja, dann mag es so sein, wie du willst,« sagte Akka.

»Hab' Dank!« entgegnete der Junge und fühlte sich so glücklich, daß er vor Freuden weinen mußte, so wie er vorhin vor Kummer geweint hatte.

IV. Glimminghaus

Schwarze Ratten und graue Ratten.

Im südöstlichen Schonen, nicht weit vom Meer, liegt eine alte Burg, die Glimminghaus heißt. Sie besteht aus einem einzigen hohen, großen und starken Sandsteingebäude, das meilenweit über die Ebene hin sichtbar ist. Sie ist nicht mehr als vier Stockwerk hoch, aber doch so gewaltig, daß ein gewöhnliches Haus, das daneben liegt, sich wie ein Puppenhaus ausnimmt.

Das große Gebäude hat so dicke Außenmauern und Zwischenwände und Wölbungen, daß in seinem Innern kaum Platz für etwas anderes ist als für die dicken Mauern. Die Treppen sind eng, die Gänge schmal und die Zimmer wenig an Zahl. Um die Mauern nicht ihrer Stärke zu berauben, sind in den oberen Stockwerken nur sehr wenig Fenster angebracht, und in dem untersten überhaupt keine. In den alten kriegerischen Zeiten waren die Leute ebenso froh, wenn sie sich in so ein starkes und mächtiges Haus einschließen konnten, wie wir es jetzt sind, wenn wir bei beißendem Frost in einen warmen Pelz kriechen können; als aber die gute Friedenszeit kam, wollten sie nicht mehr in den dunklen und kalten Steinsälen der alten Burg wohnen. Sie haben längst das große Glimminghaus verlassen und sind in Wohnungen gezogen, die so eingerichtet sind, daß Licht und Luft hineindringen können.

Zu der Zeit, als Niels Holgersen mit den wilden Gänsen herumreiste, wohnten also keine Menschen in Glimminghaus, aber deswegen fehlte es doch nicht an Bewohnern. Auf dem Dach wohnte jeden Sommer ein Storchenpaar in einem großen Nest, auf dem Boden lebten ein paar Horneulen, in den geheimen Gängen hingen Fledermäuse, auf dem Herd in der Küche hatte sich eine alte Katze häuslich niedergelassen, und unten im Keller hielten sich einige Hunderte von den alten schwarzen Ratten auf.

Ratten sind ja sonst nicht gerade sehr angesehen bei den andern Tieren, aber die schwarzen Ratten in Glimminghaus bildeten eine Ausnahme. Von ihnen wurde immer mit Achtung gesprochen, weil sie im Streit mit ihren Feinden unter großen Heimsuchungen, die ihr Volk betroffen, große Tapferkeit und viel Ausdauer an den Tag gelegt hatten. Sie gehörten nämlich einem Rattenvolk an, das einstmals sehr zahlreich und mächtig gewesen war, jetzt aber im Begriff stand, auszusterben. Gar viele Jahre hatten die schwarzen Ratten Schonen und das ganze Land besessen. Sie hausten in jedem Keller, auf jedem Boden, in Scheunen und Schuppen, in Speisekammern und Backstuben, auf Vorwerken und in Ställen, in Kirchen und Burgen, in Brennereien und Mühlen, in jedem Gebäude, das von Menschen errichtet war. Aber nun waren sie von allen diesen Stätten vertrieben und fast ausgerottet. Nur hier und da in einem alten einsamen Gehöft konnte man noch einige von ihnen finden, und nirgends waren sie in so großer Menge vorhanden wie in Glimminghaus.

Wenn ein Tiervolk ausstirbt, pflegen die Menschen in der Regel schuld daran zu sein, aber das war diesmal nicht der Fall. Die Menschen hatten freilich die schwarzen Ratten bekämpft, aber sie hatten nicht vermocht, ihnen nennenswerten Schaden zuzufügen. Überwunden waren sie von einem Tiervolk ihres eigenen Stammes, von den grauen Ratten.

Diese grauen Ratten hatten nicht von Olyms Zeiten her im Lande gewohnt, so wie die schwarzen Ratten. Sie stammten von ein paar armen Einwanderern ab, die vor ungefähr hundert Jahren von einer lybschen Schute aus in Malmö an Land gingen. Es waren zwei heimatlose, verhungerte arme Tiere, die ihr Leben im Hafen selber fristeten, zwischen den Pfählen unter dem Bollwerk herumschwammen und den Abfall fraßen, der ins Wasser geworfen wurde. Sie wagten sich nie in die Stadt hinauf, die im Besitz der schwarzen Ratten war.

Aber nach und nach, als die grauen Ratten an Zahl gewachsen waren, wurden sie dreister. Zu Anfang zogen sie in einige alte verödete Häuser, die heruntergerissen werden sollten und die von den schwarzen Ratten bereits verlassen waren. Sie fanden ihre Nahrung in den Rinnsteinen und Abfallhaufen und nahmen mit all dem Unrat fürlieb, den die schwarzen Ratten verschmähten. Sie waren abgehärtet, genügsam und unerschrocken, und im Laufe von wenigen Jahren waren sie so mächtig geworden, daß sie sich daran machten, die schwarzen Ratten aus Malmö zu verjagen. Sie entrissen ihnen Bodenräume, Keller und Speicher, hungerten sie aus oder bissen sie tot, denn sie waren keineswegs bange vor Krieg.

Und als Malmö genommen war, zogen sie in großen und kleinen Scharen von dannen, um das ganze Land zu erobern. Es ist gar nicht zu verstehen, warum sich die schwarzen Ratten nicht zu einem großen, gemeinsamen Zuge zusammenrotteten und den grauen Ratten den Garaus machten, so lange diese noch in der Minderzahl waren. Aber die schwarzen waren wohl ihrer Macht so sicher, daß sie sich nicht die Möglichkeit denken konnten, sie zu verlieren. Sie saßen still auf ihren Gütern, und währenddessen nahmen die grauen Ratten ihnen ein großes Gehöft nach dem andern, ein Dorf nach dem andern weg. Sie wurden ausgehungert, herausgejagt, ausgerottet. In Schonen hatten sie sich nicht an einem einzigen Ort zu behaupten vermocht, ausgenommen gerade in Glimminghaus.

Das alte steinerne Gebäude hatte so feste Mauern, und es führten so wenige Rattengänge da hindurch, daß es den schwarzen Ratten gelungen war, es zu bewahren und die grauen Ratten am Eindringen zu hindern. Jahr für Jahr, Nacht für Nacht hatte der Streit zwischen Angreifern und Verteidigern gerast, aber die schwarzen Ratten hatten treulich Wache gehalten und mit der größten Todesverachtung gekämpft, und dank dem prächtigen alten Bau hatten sie beständig den Sieg davongetragen.

Es läßt sich nicht leugnen, daß die schwarzen Ratten, so lange sie die Macht besahen, von allen andern lebenden Wesen ebenso verabscheut wurden, wie es heutzutage die grauen Ratten sind. Und mit vollem Recht. Sie warfen sich über arme, gefesselte Gefangene und peinigten sie, sie schwelgten in Leichen, sie stahlen die letzten Rüben in dem Keller des Armen, sie bissen schlafenden Gänsen die Füße ab, stahlen den Hühnern Eier und Küchlein und taten nichts als Böses. Aber nachdem sie ins Unglück geraten, war das alles vergessen, und niemand konnte umhin, die letzten eines Geschlechts zu bewundern, das so lange in seinem Widerstand gegen die Feinde ausgeharrt hatte.

Die grauen Ratten, die in Glimminghaus und seiner nächsten Umgebung wohnten, setzten beständig den Kampf fort und suchten jede passende Gelegenheit zu benutzen, um sich der Burg zu bemächtigen. Man hätte meinen sollen, sie hätten der kleinen Schar schwarzer Ratten Glimminghaus gern friedlich überlassen können, da sie ja nun selber das ganze übrige Land erobert hatten. Aber das fiel ihnen nicht ein. Sie pflegten zu sagen, es sei eine Ehrensache für sie, die schwarzen Ratten endlich zu besiegen. Wer aber die grauen Ratten kannte, wußte sehr wohl, daß es einen andern Grund hatte: Sie fanden nur darum keine Ruhe, ehe sie Glimminghaus erobert hatten, weil die alte Burg von den Menschen als Kornspeicher benutzt wurde.

Der Storch.

Montag, den 28. März.

Eines Morgens, ganz in der Frühe, erwachten die wilden Gänse, die draußen auf dem Bombsee auf dem Eise standen und schliefen, durch laute Rufe oben aus der Luft herab. »Triap! Triap!« klang es. »Triamut, der Kranich, läßt Akka, die wilde Gans, und ihre Schar grüßen. Morgen findet der große Kranichtanz auf Kullaberg statt.«

Akka machte einen langen Hals und antwortete: »Gruß und Dank! Gruß und Dank!«

Dann zogen die Kraniche weiter, die wilden Gänse aber konnten noch lange hören, wie sie flogen und ihre Botschaft über jedes Feld und jeden Waldhügel hinausriefen: »Triamut läßt grüßen. Morgen findet der große Kranichtanz auf Kullaberg statt!«

Die wilden Gänse waren sehr erfreut über diese Nachricht. »Das ist wirklich ein Glück,« sagten sie zu dem weißen Gänserich, »daß du mit zu dem großen Kranichtanz kommst!« – »Ist es denn etwas so Merkwürdiges, Kraniche tanzen zu sehen?« fragte der Gänserich. – »Das ist etwas, wovon du dir nie hast träumen lassen,« erwiderten die wilden Gänse.

»Nun müssen wir überlegen, was wir morgen mit Däumling anfangen, damit ihm nichts zustößt, während wir nach Kullaberg reisen,« sagte Akka. – »Däumling darf nicht allein bleiben,« entgegnete der Gänserich. Wenn die Kraniche nicht erlauben, daß er dem Tanz zusieht, bleibe ich bei ihm.« – »Noch nie zuvor hat ein Mensch der Tierversammlung auf Kullaberg beigewohnt,« sagte Akka, »und ich wage nicht, Däumling dahin mitzunehmen. Aber darüber müssen wir späterhin reden. Jetzt wollen wir vor allen Dingen daran denken, daß wir etwas in den Leib bekommen.«

Damit gab Akka das Zeichen zum Aufbruch. Auch an diesem Tage suchte sie ihre Weide weit ferne, aus Angst vor Reineke Fuchs, und ließ sich nicht nieder, bis sie die tiefgelegenen Wiesen eine Strecke südlich von Glimminghaus erreicht hatten.

Den ganzen Tag saß der Junge am Ufer eines kleinen Teiches und blies auf der Rohrflöte. Er war schlechter Laune, weil er nicht mit nach dem Kranichtanz kommen sollte, und er konnte sich nicht entschließen, ein Wort zu dem Gänserich oder zu einer der andern Gänse zu sagen.

Es war so bitter, daß Akka und die andern Mißtrauen gegen ihn hegten. Wenn ein Junge darauf verzichtet hat, Mensch zu sein, um mit einigen armen wilden Gänsen umherzureisen, so mußten sie doch einsehen, daß er nicht die Absicht hatte, sie zu verraten. Und sie mußten doch auch einsehen können, daß, wenn er so viel geopfert hatte, um sie zu begleiten, es ihre Pflicht war, dafür zu sorgen, daß er all das Merkwürdige zu sehen bekam, was sie ihm zeigen konnten.
»Ich werde ihnen wohl meine Meinung sagen müssen,« dachte er. Aber Stunde auf Stunde verging, ohne daß er seinen Vorsatz ausführte. Es mag sonderbar klingen, aber der Junge hatte wirklich eine Art Respekt vor der alten Führergans bekommen. Es war gar nicht so leicht, sich gegen ihren Willen aufzulehnen, das merkte er sehr wohl.
An der einen Seite des sumpfigen Wiesengrundes, wo die Gänse weideten, befand sich ein breiter Steinwall. Und jetzt geschah es, daß, als der Junge gegen Abend den Kopf erhob, um endlich mit Akka zu reden, sein Blick auf die Umzäunung fiel. Er stieß einen kleinen Ruf des Erstaunens aus, und alle Gänse sahen sofort in die Höhe und starrten nach derselben Richtung wie er. Im ersten Augenblick sah es für sie wie auch für den Jungen so aus, als wenn alle die grauen Rollsteine, aus denen der Wall bestand, Beine bekommen hätten und zu laufen begannen.
Aber sie sahen bald, daß es eine Schar Ratten war, die darüber hin liefen. Sie bewegten sich sehr schnell und liefen so dicht nebeneinander, Reihe auf Reihe, und es waren ihrer so viele, daß sie eine lange Weile die ganze steinerne Mauer verdeckten.
Der Junge war schon bange vor Ratten gewesen, als er noch ein großer, starker Mensch war. Wieviel mehr jetzt, wo er so klein war, daß ein paar von ihnen ihm den Garaus machen konnten. Es lief ihm einmal über das andere kalt den Rücken hinab, während er dastand und sie ansah.
Das Wunderliche aber war, daß die Gänse denselben Abscheu vor den Ratten zu empfinden schienen wie er. Sie sprachen nicht mit ihnen, und als sie wieder fort waren, schüttelten sie sich, als hätten sie Schlamm zwischen die Federn bekommen.
»So viele graue Ratten unterwegs!« sagte Yksi von Bassijaure, »das ist kein gutes Zeichen!«
Jetzt wollte der Junge die Gelegenheit benutzen und zu Akka sagen, sie solle ihn mit nach Kullaberg nehmen, aber er wurde abermals daran

verhindert, indem sich ein großer Vogel plötzlich zwischen den Gänsen niederließ.
Wenn man diesen Vogel sah, konnte man glauben, er habe Leib, Hals und Kopf von einer kleinen, weißen Gans geliehen. Dazu hatte er sich aber große, schwarze Flügel, lange, rote Beine und einen langen, dicken Schnabel angeschafft, der viel zu groß für den kleinen Kopf war und ihn niederzog, so daß sein Aussehen etwas Bedrücktes und Kummervolles bekam.
Akka ordnete schnell ihre Deckfedern und machte viele Male eine Verbeugung mit dem Hals, während sie sich dem Storch näherte. Sie war nicht sonderlich überrascht, ihn so früh im Lenz in Schonen zu sehen, denn sie wußte, daß die Storchenmännchen zu rechter Zeit da hinüber zu fliegen pflegen, und nachsehen, ob das Nest im Laufe des Winters Schaden gelitten hat, ehe sich die Storchenweibchen die Mühe machen, über die Ostsee zu fliegen. Aber sie konnte nicht begreifen, warum er sie aufsuchte, da die Störche am liebsten mit Leuten ihrer eigenen Art verkehren.
»Ich hoffe, es ist doch nichts mit Ihrem Nest geschehen, Herr Langbein,« sagte Akka.
Jetzt zeigte es sich, daß es wahr ist, was man zu sagen pflegt, daß nämlich ein Storch selten den Schnabel aufmacht, ohne zu klagen. Und der Umstand, daß es dem Storch schwer wurde, die Worte hervorzubringen, bewirkte, daß das, was er sagte, noch kläglicher klang. Er stand lange da und tat nichts als mit dem Schnabel klappern, und dann begann er mit heiserer, schwacher Stimme zu sprechen. Er klagte über alles mögliche: das Nest, das ganz oben auf dem Dachrücken von Glimminghaus lag, war von den Winterstürmen ganz zerstört worden, und Nahrung war bald nicht mehr zu finden. Die Bewohner von Schonen waren im Begriff, sich seines ganzen Besitzes zu bemächtigen. Sie entwässerten die Wiesen und machten seine Sümpfe urbar. Es sei seine Absicht, dies Land zu verlassen und nie wieder zurückzukehren.
Während der Storch so jammerte, konnte Akka, die wilde Gans, die selber nicht die Stätte hatte, wohin sie ihr Haupt legen konnte, nicht umhin, im stillen zu denken: »Hätte ich es so gut wie Herr Langbein, da würde ich mich zu gut halten, zu klagen. Er ist noch heutigen Tages ein freier und wilder Vogel, und trotzdem ist er bei den Menschen so gut angeschrieben, daß niemand einen Schuß auf ihn abschießt oder

ihm auch nur ein Ei aus seinem Neste stehlen würde.« Das alles aber behielt sie für sich. Zu dem Storch sagte sie nur, sie könne sich nicht denken, daß er von einem Hause fortfliegen wolle, auf dem, seit es erbaut war, Störche Wohnung gehabt hätten.
Da fragte der Storch plötzlich, ob die Gänse die grauen Ratten gesehen hätten, die nach Glimminghaus gezogen waren. Und als Akka antwortete, sie habe das Ungeziefer gesehen, begann er, ihr von den tapferen schwarzen Ratten zu erzählen, die seit vielen Jahren die Burg verteidigt hatten. »Aber in dieser Nacht wird Glimminghaus in die Gewalt der grauen Ratten gelangen,« sagte der Storch seufzend.
»Warum gerade in dieser Nacht, Herr Langbein?« fragte Akka.
»Weil fast alle Ratten gestern abend nach Kullaberg gezogen sind,« sagte der Storch, »im Vertrauen darauf, daß auch alle andern Tiere dahin wollten. Aber Sie sehen, daß die grauen Ratten zu Hause geblieben sind, und nun rotten sie sich zusammen, um über Nacht, wenn Glimminghaus nur von einigen alten gebrechlichen Ratten verteidigt wird, die keine Kräfte mehr haben, mit nach Kullaberg zu wandern, in die Burg einzudringen. Sie werden ihr Ziel schon erreichen, aber nun habe ich seit so vielen Jahren in guter Nachbarschaft mit den schwarzen Ratten gelebt, daß ich keine Lust habe, auf demselben Hause zu wohnen, in dem ihre Feinde sich eingenistet haben.«
Akka begriff nun, daß der Storch so erbittert über die Handlungsweise der grauen Ratten war, daß er sie aufgesucht hatte, um sich über sie zu beklagen. Aber nach gewohnter Storchenart hatte er nichts getan, um dem Unglück vorzubeugen. »Haben Sie den schwarzen Ratten einen Boten geschickt, Herr Langbein?« fragte sie. – »Nein,« erwiderte der Storch, »was hätte das auch nützen können? Ehe sie nach Hause kommen, ist die Burg ja schon genommen.« – »Das dürfen Sie nicht so unbedingt glauben, Herr Langbein,« sagte Akka. »Ich kenne eine alte wilde Gans, die so eine Schandtat gern verhindern würde.«
Als Akka das sagte, erhob der Storch den Kopf und machte große Augen. Und das war nicht zu verwundern, denn die alte Akka hatte weder Schnabel noch Krallen, die zum Kampfe taugten. Außerdem war sie ein Tagvogel, und sobald es dunkel wurde, fiel sie unfehlbar in Schlaf, wahrend die Ratten gerade des Nachts kämpften.
Aber Akka hatte sich offenbar entschlossen, den schwarzen Ratten zu helfen. Sie rief Yksi von Bassijaure zu sich heran und befahl ihm, die

Gänse nach dem Vombsee hinaufzuführen, und als die Gänse Einwände erhoben, sagte sie sehr bestimmt:
»Ich glaube, es ist das beste, wenn ihr mir alle gehorcht. Ich muß nach dem großen steinernen Haus hinfliegen, und wenn ihr mich begleitet, läßt es sich nicht vermeiden, daß die Leute auf dem Hofe uns sehen und uns niederschießen. Der einzige, den ich mit auf die Reise nehmen will, ist Däumling. Er kann mir von großem Nutzen sein, weil er gute Augen hat und sich des Nachts wach halten kann.«
Der Junge hatte gerade seinen eigensinnigen Tag, und als er hörte, was Akka sagte, streckte er sich, um so groß wie möglich zu sein und ging, die Hände auf dem Rücken und die Nase in der Luft, auf sie zu, um zu sagen, daß er wahrhaftig nicht behilflich sein wolle, die grauen Ratten zu schlagen. Sie möge sich anderweitig nach Hilfe umsehen.
Aber in demselben Augenblick, als sich der Junge blicken ließ, kam Leben in den Storch. Er hatte die ganze Zeit dagestanden, wie Störche zu stehen pflegen, mit gesenktem Kopf, den Schnabel gegen den Hals gepreßt. Aber nun konnte man es tief drinnen in seiner Kehle förmlich glucksen hören, als lache er. Blitzschnell senkte er den Schnabel, ergriff den Jungen und warf ihn vier, fünf Ellen hoch in die Luft empor. Dies Kunststück machte er siebenmal hintereinander, während der Junge schrie und die Gänse riefen: »Was tun Sie denn da, Herr Langbein, das ist doch kein Frosch! Es ist ein Mensch, Herr Langbein!«
Schließlich jedoch setzte der Storch den Jungen ganz unbeschädigt wieder hin. Dann sagte er: »Nun fliege ich wieder nach Glimminghaus zurück, Mutter Akka. Alle, die da wohnen, waren sehr bekümmert, als ich von dannen zog. Die werden sich freuen, wenn ich nun komme und ihnen erzähle, daß die wilde Gans Akka und der Menschenknirps Däumling unterwegs sind, um sie zu erretten.«
Bei diesen Worten streckte der Storch den Hals lang aus, schlug mit den Flügeln und sauste davon wie ein Pfeil, der von einem stramm gespannten Bogen fliegt. Akka begriff sehr wohl, daß er sich lustig über sie machte, aber davon ließ sie sich nicht anfechten. Sie wartete, bis der Junge seine Holzschuhe gefunden, die ihm der Storch abgeschüttelt hatte; dann setzte sie ihn auf ihren Rücken und flog hinter dem Storch drein. Und der Junge leistete keinen Widerstand und sagte kein Wort davon, daß er nicht mitwolle. Er war so wütend auf den Storch daß er förmlich dasaß und schnob. Der rotbeinige Bursche

glaubte, daß er zu nichts zu gebrauchen sei, weil er klein war, aber er wollte ihm schon zeigen, was für ein Kerl Niels Holgersen aus Vemmenhög war.
Wenige Augenblicke später stand Akka in dem Storchennest auf Glimminghaus. Das war ein großes und schönes Nest. Als Unterlage diente ihm ein Rad, und darauf lagen mehrere Schichten aus Zweigen und Grassoden. Das Nest war alt, und viele Büsche und Kräuter hatten dort oben Wurzel geschlagen, und wenn die Storchenmutter in der runden Vertiefung mitten im Nest auf ihren Eiern saß, konnte sie sich nicht nur an der schönen Aussicht über einen großen Teil von Schonen erfreuen, sondern auch noch an den wilden Rosen und dem Huflattich, die in ihrem Nest blühten.
Der Junge wie auch Akka sahen sofort, daß hier etwas vor sich ging, was die gewöhnliche Ordnung der Dinge auf den Kopf stellte. Auf dem Rande des Storchennestes saßen nämlich zwei Horneulen, ein alter, graugestreifter Kater und ein Dutzend uralter Ratten mit schiefen Zähnen und rinnenden Augen. Es waren nicht gerade solche Tiere, wie man sie gewöhnlich friedlich beieinander sitzen sieht.
Keins von ihnen wandte sich um und sah Akka an oder hieß sie willkommen. Die hatten keinen andern Gedanken als auf einige lange, graue Streifen hinabzustarren, die hier und da auf den winterkahlen Feldern sichtbar wurden.
Alle schwarzen Ratten verhielten sich still. Man konnte ihnen ansehen, daß sie in tiefe Verzweiflung versunken waren und sehr wohl wußten, daß sie weder ihr eigenes Leben noch die Burg zu verteidigen vermochten. Die beiden Eulen saßen da und rollten mit ihren großen Augen, drehten ihre Augenkränze und sprachen mit unheimlicher, heiserer Stimme von der großen Grausamkeit der grauen Ratten, um deretwillen sie nun aus ihrem Nest fliehen mußten, denn sie hatten gehört, daß sie weder Eier noch Junge schonten. Der alte gestreifte Kater war überzeugt, daß die grauen Ratten ihn totbeißen würden, und er schalt ununterbrochen auf die schwarzen Ratten: »Wie konntet ihr nur so dumm sein, eure besten Streitkräfte von dannen ziehen zu lassen!« sagte er. »Ihr müßt doch wissen, daß auf die grauen Ratten kein Verlaß ist! Das ist ganz unverzeihlich.«
Die zwölf schwarzen Ratten erwiderten kein Wort, aber der Storch konnte es trotz seiner Betrübnis nicht lassen, Kurzweil mit dem Kater zu treiben: »Du brauchst nicht bange zu sein, Kater Murr!« sagte er.

»Siehst du denn nicht, daß Mutter Akka und Däumling gekommen sind, um die Burg zu retten? Du kannst sicher sein, daß es ihnen gelingt. Ich muß mich jetzt hinstellen und schlafen, und das tue ich mit der größten Ruhe. Wenn ich morgen aufwache, ist, weiß Gott, nicht eine einzige Ratte mehr in Glimminghaus.«
Der Junge blinzelte Akka zu und machte ein Zeichen, daß er den Storch vom Dach herunterstoßen wollte, wenn er sich nun zum Schlafen auf ein Bein am äußersten Rande des Nestes aufstellte, aber Akka hielt ihn davon zurück: »Es sähe schlimm aus, wenn jemand, der so alt ist wie ich, nicht größere Schwierigkeiten wie diese überwinden könnte. Wenn nur der Eulenvater und die Eulenmutter, die sich die ganze Nacht wach halten können, mit einer Botschaft von mir ausfliegen wollten, so denke ich, kann noch alles gut gehen.«
Die beiden Horneulen waren bereit, und dann bat Akka den Eulenvater, die von dannen gezogenen schwarzen Ratten aufzusuchen und ihnen den Rat zu erteilen, so schnell wie möglich heimzukehren. Die Eulenmutter sandte sie zu Flammea, der Turmeule, die im Dom zu Lund wohnte, mit einem Auftrag, der so geheimnisvoll war, daß Akka ihn ihr nur mit flüsternder Stimme anzuvertrauen wagte.

Der Rattenfänger.

Es ging schon stark auf Mitternacht, als die grauen Ratten nach vielem Suchen endlich eine Kellerluke fanden, die offen stand. Sie saß ziemlich hoch in der Mauer, aber die Ratten krochen eine auf die Schultern der andern, und es währte nicht lange, bis die mutigste von ihnen in der Luke saß, bereit, in Glimminghaus einzudringen, vor dessen Mauern so viele ihrer Vorfahren hatten ins Gras beißen müssen.
Die graue Ratte blieb eine Weile ganz still in der offenen Luke sitzen und wartete, daß sie angegriffen wurde. Freilich war das Hauptheer der Verteidiger fort, aber sie dachte sich, daß die schwarzen Ratten, die noch in der Burg waren, sich nicht ohne Kampf ergeben würden. Mit klopfendem Herzen lauschte sie auf das geringste Geräusch, aber alles war still. Da faßte der Anführer der grauen Ratten Mut und sprang in den stockdunklen Keller hinab.
Eine graue Ratte nach der andern folgte dem Anführer. Sie waren alle ganz still, und sie waren alle darauf vorbereitet, daß die schwarzen Ratten irgendwo im Hinterhalt lagen. Erst als so viele von ihnen in den

Keller eingedrungen waren, daß der Fußboden nicht mehr aufnehmen konnte, wagten sie sich weiter.
Obwohl sie nie zuvor in dem Gebäude gewesen waren, machte es ihnen keine Schwierigkeit, den Weg zu finden. Sie entdeckten sehr bald die Gänge in den Mauern, die die schwarzen Ratten benutzt hatten, um in die oberen Stockwerke zu gelangen. Ehe sie anfingen, diese schmalen und steilen Steige hinaufzuklettern, lauschten sie abermals gespannt, es war ihnen viel unheimlicher, daß sich die schwarzen Ratten so zurückhielten, als wenn sie ihnen in offenem Kampf begegnet wären. Sie wollten kaum ihrem Glück trauen, als sie so ohne Kampf in das erste Stockwerk hinaufgelangten.
Gleich bei ihrem Eindringen schlug den grauen Ratten der Geruch des Kornes entgegen, das in großen Haufen auf dem Estrich lag. Aber die Zeit, ihren Sieg zu genießen, war noch nicht für sie gekommen. Mit der größten Sorgfalt untersuchten sie erst die dunklen, leeren Säle. Sie sprangen auf den Herd, der mitten in der alten Burgküche stand und waren nahe daran, in dem innersten Raum in den Brunnen zu stürzen. Sie ließen nicht eine einzige der schmalen Lichtöffnungen unbesehen, fanden aber noch immer keine schwarzen Ratten. Als dies Stockwerk ganz und gar in ihrer Macht war, begannen sie, sich in derselben vorsichtigen Weise in Besitz des nächsten zu setzen. Wieder erfolgte ein mühseliges und gefährliches Klettern durch die Mauern, während sie in atemloser Spannung darauf warteten, daß sich der Feind über sie stürzen würde. Und obwohl sie der herrlichste Geruch der Kornhaufen lockte, zwangen sie sich, mit der größten Genauigkeit die gewölbte Gesindestube der alten Kriegsknechte mit ihrem steinernen Tisch und dem Herd und den tiefen Fensternischen und der Luke im Fußboden zu untersuchen, die man in vergangenen Zeiten benutzt hatte, um dahindurch kochendes Pech auf einen eindringenden Feind hinabzugießen.
Aber die schwarzen Ratten ließen sich noch immer nicht sehen. Die grauen tasteten sich hinauf nach dem dritten Stockwerk mit dem großen Festsaal des Burgherrn, der ebenso leer und kahl war wie alle die andern Räume in dem alten Haus, und sie fanden sogar den Weg zu dem obersten Stockwerk, das aus einem einzigen großen, leeren Raum bestand. Der einzige Ort, den zu untersuchen ihnen nicht in den Sinn kam, war das große Storchennest oben auf dem Dach, wo die Eulenmutter gerade in dieser Zeit Akka weckte und ihr mitteilte, daß

Flammea, die Turmeule, ihr Begehren erfüllt und ihr das Gewünschte gesandt habe.
Als nun die grauen Ratten so gewissenhaft die ganze Burg durchsucht hatten, fühlten sie sich beruhigt. Sie begriffen, daß die schwarzen Ratten geflüchtet waren und nicht daran dachten, sich zur Gegenwehr zu setzen, und leichten Herzens liefen sie in die Kornhaufen hinauf.
Kaum aber hatten sie die ersten Weizenkörner heruntergeschluckt, als sie unten vom Burghof her gellende Töne aus einer kleinen, schrillen Flöte vernahmen. Sie erhoben ihre Köpfe vom Korn, lauschten unruhig, liefen einige Schritte, als wollten sie den Futterhaufen verlassen, wandten sich aber wieder um und begannen von neuem zu fressen.
Abermals erschallte die Flöte laut und gellend, und nun geschah etwas Merkwürdiges. Eine Ratte, zwei Ratten, ja eine Menge Ratten sprangen von den Haufen herunter, ließen das Korn liegen und eilten auf dem kürzesten Wege in den Keller hinab, um aus dem Hause zu gelangen. Es waren aber noch viele graue Ratten zurückgeblieben. Sie dachten daran, welch eine große Mühe es sie gekostet hatte, Glimminghaus zu erobern, und sie wollten es nicht verlassen. Aber noch einmal drangen die Töne der Flöte bis zu ihnen, und sie mußten folgen. In wilder Hast stürzten sie von den Haufen herunter, ließen sich durch die engen Kanäle in den Mauern gleiten und taumelten übereinander in ihrem Eifer, hinauszugelangen.
Mitten auf dem Burghof stand ein kleiner Knirps und blies auf der Flöte. Er hatte schon einen ganzen Kreis von Ratten um sich gesammelt, die erstaunt und verzaubert seinen Tönen lauschten, und jeden Augenblick kamen mehr hinzu. Einmal nahm er nur eine Sekunde die Flöte vom Munde, um den Ratten eine lange Nase machen zu können, und da sah es aus, als hätten sie Lust, sich über ihn zu stürzen und ihn totzubeißen. Aber sobald er blies, waren sie seiner Macht untertan.
Als der Knirps alle Ratten aus Glimminghaus herausgespielt hatte, begab er sich langsam vom Hofplatz auf die Landstraße hinaus, und alle grauen Ratten folgten ihm, weil die Töne seiner Flöte so süß in ihren Ohren klangen, daß sie ihnen nicht zu widerstehen vermochten.
Der Knirps ging voran und lockte sie den Weg nach Valby entlang. In allen möglichen Kreisen und Windungen und auf allen möglichen Umwegen führte er sie durch Hecken und in Gräben hinab, und wo er

ging, mußten sie ihm folgen. Er blies unaufhörlich auf seiner Flöte, die aus einem Tierhorn gemacht zu sein schien. Aber das Horn war so klein, daß es heutigentags kein Tier gibt, dessen Stirn es entrissen sein könnte. Es wußte auch niemand, wer es verfertigt hatte. Flammea, die Turmeule, hatte es in einer Nische in dem Turm des Domes von Lund gefunden. Sie hatte es Bataki, dem Raben, gezeigt, und die beiden hatten ergründet, daß es so ein Horn war, wie es in alten Zeiten von denen gemacht wurde, die sich Gewalt über Ratten und Mäuse verschaffen wollten. Der Rabe aber war Akkas Freund, und von ihm hatte sie erfahren, daß Flammea im Besitze eines solchen Schatzes war. Und es verhielt sich wirklich so, daß die Ratten der Flöte nicht widerstehen konnten. Der Junge ging voran und spielte, solange die Sterne schimmerten, und sie folgten ihm die ganze Zeit. Er spielte bei Tagesgrauen, er spielte bei Sonnenaufgang, und immer folgte ihm die ganze Schar der grauen Ratten und wurde immer weiter von den großen Kornböden in Glimminghaus fortgelockt.

V. Der große Kranichtanz auf dem Kullaberge

Dienstag, den 29. März.

Man muß einräumen, daß, obwohl viele prachtvolle Gebäude in Schonen errichtet sind, doch keines von ihnen allen so schöne Mauern hat wie der alte Kullaberg.

Der Kullaberg ist niedrig und langgestreckt. Er ist keineswegs ein großer oder gewaltiger Berg. Auf dem breiten Bergrücken liegen Wälder und Felder und hin und wieder eine Heide. Hier und da ragen runde Heidehügel und nackte Bergkuppen auf. Es ist nicht sonderlich schön dort oben, es sieht dort so aus wie an allen andern hochgelegenen Orten in Schonen.

Wer die Landstraße entlang geht, die mitten über den Berg führt, kann nicht umhin, sich ein klein wenig enttäuscht zu fühlen.

Aber dann biegt er am Ende zufällig vom Wege ab und geht an die Seiten des Berges hinaus und sieht an dem Abhang hinab, und dann entdeckt er plötzlich so viel, was des Sehens wert ist, daß er kaum weiß, woher er die Zeit nehmen soll, es alles zu sehen. Denn die Sache ist die, daß der Kullaberg nicht im Lande liegt mit Ebenen und Tälern

rings umher wie andere Berge, sondern er hat sich ins Meer hinausgestürzt, so weit er kommen konnte. Nicht der geringste Streifen Landes liegt am Fuße des Berges und beschützt ihn gegen die Wellen des Meeres, nein, sie gelangen bis ganz an die Bergwände hinan und können sie nach ihrem Gutdünken abschleißen und formen.
Deswegen stehen die Bergwände dort so reichgeschmückt, wie es das Meer und sein Gehilfe, der Wind, nur zu tun vermochten. Da sind steile Schluchten, die tief in die Seiten des Berges eingeschnitten sind, und schwarze Felsklippen, die blank geschliffen sind von dem ständigen Peitschenschlag des Windes. Da sind einsame Steinsäulen, die sich kerzengerade aus dem Wasser erheben, und dunkle Grotten mit engem Eingang. Da sind lotrechte, nackte Felswände und Abhänge mit freundlichen Laubwäldern. Da sind kleine Landzungen und kleine Buchten mit kleinen Rollsteinen, die mit jedem Wellenschlag rasselnd auf und nieder gespült werden. Da sind stattliche Klippentore, die sich über dem Wasser wölben; da sind spitze Steine, die unaufhörlich von weißem Schaum überspritzt werden, und andere, die sich in schwarzgrünem, unveränderlich stillem Wasser spiegeln. Da sind Riesenkessel, die in die Felsklippen hineingegraben sind, und mächtige Spalte, die den Wandersmann locken, sich in die Tiefe des Berges bis in Kullamanns Höhle hineinzuwagen.
Auf und ab an allen diesen Schluchten und Klippen klettern und kriechen Ranken und Schlingpflanzen. Bäume wachsen dort auch, aber die Macht des Windes ist so groß, daß sich selbst die Bäume in Schlingpflanzen verwandeln müssen, um sich an den Abhängen festhalten zu können. Die Eichen liegen und kriechen an der Erde, während das Laub über ihnen steht wie eine gedrängte Wölbung, und niedrigstämmige Buchen stehen in den Schluchten gleich großen Laubzelten.
Diese eigentümlichen Bergwände im Verein mit dem breiten, blauen Meer da draußen und der sonnenzitternden, starken Luft darüber machen den Kullaberg den Menschen so lieb, daß große Scharen von ihnen jeden Tag, so lange der Sommer währt, dahinaufziehen. Schwieriger ist es wohl, zu sagen, was den Berg so anziehend für die Tiere macht, daß sie sich jedes Jahr dort zu einer großen Spielversammlung scharen. Aber das ist eine Sitte, der sie seit Olyms Zeiten gefolgt sind, und man hätte schon mit dabei sein müssen, als die erste Welle an dem Kullaberg zu Schaum zerschellte, um erklären zu

können, warum gerade er vor allen andern Orten zum Stelldichein gewählt wurde.
Wenn die Zeit zur Versammlung da ist, legen die Kronhirsche, die Rehe, die Hasen, die Füchse und die andern wilden, vierfüßigen Tiere schon in der Nacht die Reise nach Kullaberg zurück, um nicht von den Menschen gesehen zu werden. Kurz ehe die Sonne aufgeht, ziehen sie alle auf den Spielplatz, eine Heide links vom Wege, nicht weit von der äußersten Landzunge des Berges.
Der Spielplatz ist auf allen Seiten von runden Felshöhlen umgeben, die ihn vor jedem verbergen, der nicht zufällig ganz hineingelangt. Und im März ist es nicht wahrscheinlich, daß sich ein Wandersmann dahin verirrt. Alle die Fremden, die sonst auf den Hügeln umherstreifen und an den Bergwänden in die Höhe klettern, sind schon vor vielen Monaten in die Flucht gejagt worden. Und der Leuchtturmwärter draußen auf der Landzunge, die alte Frau in Kullahof und der Kullabauer und seine Leute gehen ihre gewohnten Wege und laufen nicht auf den einsamen Heideflächen umher.
Wenn die Tiere auf den Spielplatz gekommen sind, lassen sie sich auf den runden Bergkuppen nieder. Jede Tierart hält sich für sich, obwohl naturgemäß an einem solchen Tage allgemeiner Friede herrscht, so daß niemand einen Überfall zu befürchten braucht. An diesem Tage könnte ein kleines junges Häslein über den Hügel der Füchse laufen, ohne auch nur eines seiner langen Ohren einzubüßen. Aber trotzdem stellen sich die Tiere in verschiedenen Scharen auf. Das ist eine alte Sitte.
Haben sie alle ihre Plätze eingenommen, so fangen sie an, sich nach den Vögeln umzusehen. An dem Tage pflegt immer gutes Wetter zu sein. Die Kraniche sind vorzügliche Wetterpropheten und würden die Tiere nicht zusammenrufen, falls Regen zu erwarten wäre. Aber obwohl die Luft klar ist, und nichts die Aussicht behindert, sehen die vierfüßigen Tiere doch keine Vögel. Das ist sehr sonderbar. Die Sonne steht hoch am Himmel, und die Vögel müßten bereits unterwegs sein.
Die Tiere auf dem Kullaberge bemerken aber hier und da eine kleine Wolke, die langsam über die Ebene hingleitet. Und siehe! Eine von diesen Wolken steuert jetzt plötzlich an der Küste des Öresunds entlang, nach dem Kullaberge hinauf. Als die Wolke gerade über dem Spielplatz angelangt ist, bleibt sie stehen, und im selben Augenblick fängt die ganze Wolke an zu klingen und zu zwitschern, als bestünde sie nur aus Tönen. Sie steigt und sinkt, steigt und sinkt, aber während

der ganzen Zeit klingt und zwitschert sie. Schließlich fällt die ganze Wolke auf eine Bergkuppe nieder, die ganze Wolke auf einmal, und einen Augenblick später ist die Bergkuppe ganz verdeckt von grauen Lerchen, hübschen rot-grau-weißen Buchfinken, metallglänzenden Staren und gelbgrünen Meisen.
Gleich darauf kommt noch eine Wolke über die Ebene hingetrieben. Sie macht halt über jedem Gehöft, über den Häuslereien und den Herrensitzen, über kleinen Städten und großen Städten, über Bauernhöfen und Eisenbahnstationen, über Fischerdörfern und Zuckerfabriken. Jedesmal, wenn sie halt macht, saugt sie von den Gebäuden unten auf der Erde eine kleine, in die Höhe wirbelnde Wolke aus kleinen, grauen Staubkörnchen auf. Auf diese Weise wächst und wächst sie, und als sie endlich gesammelt ist und auf den Kullaberg zusteuert, ist sie keine einzelne Wolke mehr, sondern eine ganze Wolkendecke, die so groß ist, daß sie einen Schatten auf die Erde wirft, der von Höganäs bis Mölle reicht. Als sie über dem Spielplatz halt macht, verbirgt sie die Sonne, und lange müssen Spatzen auf eine der Bergkuppen herabregnen, ehe diejenigen, die sich im Innersten der Wolkendecke befinden, wieder einen Schimmer des Tageslichts zu sehen bekommen.
Aber die größte von diesen Vogelwolken ist doch die, die jetzt sichtbar wird. Sie ist aus Scharen gebildet, die von überall her geflogen kommen und sich ihr angeschlossen haben. Sie ist schwer blaugrau, und nicht ein Sonnenstrahl kann sie durchdringen. Sie nahet finster und schreckeinjagend wie eine Gewitterwolke. Sie ist angefüllt mit dem scheußlichsten Lärm, dem unglückverheißendsten Hohnlachen. Alle unten auf dem Spielplatz freuen sich, als sie sich endlich in einen Regen von flügelschlagenden und krächzenden Krähen und Raben und Dohlen und Saatkrähen auflöst.
Dann erscheinen am Himmel nicht nur Wolken allein, sondern eine Menge verschiedener Striche und Zeichen, gerade punktierte Linien im Osten und Nordosten. Das sind Waldvögel aus den Göinger Harden: Birkhähne und Auerhähne, die in langen Reihen in einem drei Ellen weiten Abstand voneinander geflogen kommen. Und die Schwimmvögel, die auf Maakläppen vor Falsterbo nisten, kommen jetzt in vielen wunderlichen Flugordnungen über den Öresund dahergeschwebt: in Dreiecken und in langen Winkeln, in schiefen Haken und in Halbkreisen.

Zu der großen Versammlung, die in dem Jahr stattfand, als Niels Holgersen mit den wilden Gänsen umherflog, kamen Akka und ihre Schar später als alle die andern, und darüber konnte man sich nicht verwundern, denn Akka war über ganz Schonen geflogen, um nach dem Kullaberg zu gelangen. Außerdem hatte sie, sobald sie am Morgen erwachte, ausfliegen müssen, um nach Däumling zu suchen; der war viele Stunden lang gewandert und hatte den grauen Ratten auf der Flöte vorgespielt, um sie weit von Glimminghaus wegzulocken. Der Eulenvater war mit der Nachricht heimgekehrt, daß die schwarzen Ratten gleich nach Sonnenaufgang wieder daheim sein würden, und so war denn keine Gefahr mehr, wenn man die Flöte der Turmeule verstummen und die grauen Ratten laufen ließ, wohin es ihnen beliebte.

Aber nicht Akka entdeckte den Jungen, wie er da mit seinem großen Gefolge ging, nicht sie ließ sich schnell zu ihm herab, packte ihn mit dem Schnabel und schwebte mit ihm in die Luft empor, nein, das alles tat Herr Langbein, der Storch. Denn Herr Langbein hatte sich ebenfalls aufgemacht, um nach ihm zu suchen, und hinterher, als er ihn in das Storchennest hinaufgebracht hatte, bat er ihn um Verzeihung, weil er ihn am Abend zuvor mit Geringschätzung behandelt hatte.

Darüber freute sich der Junge sehr, und der Storch und er wurden gute Freunde. Akka war auch sehr freundlich gegen ihn, scheuerte ihren alten Kopf mehrmals an seinem Arm und lobte ihn, weil er denen geholfen hatte, die in Not waren.

Aber das muß man zur Ehre des Jungen sagen: er nahm kein Lob an, das er nicht verdient hatte. »Nein, Mutter Akka,« sagte er, »Sie müssen nicht glauben, daß ich die Grauen weglockte, um den Schwarzen zu helfen. Ich wollte nur Herrn Langbein zeigen, wozu ich zu gebrauchen war.«

Kaum hatte er diese Worte gesagt, als sich Akka an den Storch wandte und fragte, ob er glaube, daß es angehe, Däumling mit nach dem Kullaberge zu nehmen. »Ich finde, wir können uns auf ihn verlassen wie auf uns selbst,« sagte sie. Der Storch riet sofort sehr eifrig zu, Däumling mitzunehmen. »Natürlich müssen Sie Däumling mit nach dem Kullaberg nehmen, Mutter Akka,« sagte er. »Es ist ein großes Glück für uns, daß wir ihn für alles belohnen können, was er über Nacht für uns ausgestanden hat. Und da es mich noch quält, daß ich

mich gestern abend nicht hübsch gegen ihn aufgeführt habe, will ich ihn auf meinem Rücken ganz bis an den Versammlungsort tragen.«
Es gibt nicht viel, was besser schmeckt, als Lob von denen zu empfangen, die selbst klug und tüchtig sind, und der Junge war nie so glücklich gewesen, wie jetzt, wo die wilde Gans und der Storch so von ihm sprachen.
Der Junge legte also die Reise nach dem Kullaberge auf einem Storchenrücken sitzend zurück. Obwohl er wußte, daß dies eine große Ehre war, verursachte es ihm doch viel Angst. Denn Herr Langbein war ein Meister im Fliegen und sauste mit einer ganz andern Geschwindigkeit dahin als die wilden Gänse. Während Akka den geraden Weg mit gleichmäßigen Flügelschlägen flog, belustigte sich der Storch damit, eine Menge Fliegekunststücke zu machen. Bald lag er in einer unermeßlichen Höhe ganz still und schwamm auf der Luft, ohne die Flügel zu bewegen, bald warf er sich mit so starker Geschwindigkeit herab, daß man ein Gefühl hatte, als falle man auf die Erde wie ein Stein, bald trieb er Kurzweil, indem er sich in großen und kleinen Kreisen rund um Akka herumschwang wie ein Wirbelwind. Der Junge hatte noch nie etwas Ähnliches mitgemacht, und obwohl er sich in steter Angst befand, mußte er sich doch gestehen, daß er nie zuvor gewußt hatte, was ordentliches Fliegen war.
Sie machten nur eine einzige Unterbrechung in der Reise, nämlich als sich Akka auf dem Bombsee den Reisegefährten anschloß und ihnen zurief, daß die grauen Ratten überwunden seien. Dann flogen sie alle geraden Weges nach dem Kullaberge.
Dort ließen sie sich auf dem obersten Teil der Bergkuppe nieder, die den wilden Gänsen vorbehalten war, und als nun der Junge den Blick von einer Kuppe zur andern wandern ließ, sah er, daß sich über der einen das vielzackige Gehörn des Kronhirsches erhob, und über einer der andern die grauweißen Nackenfedern des Reihers. Eine Bergkuppe war rot von Füchsen, eine war schwarz und weiß von Strandvögeln, eine war grau von Ratten. Eine war mit schwarzen Raben bedeckt, die unaufhörlich schrien, eine mit Lerchen, die nicht imstande waren, sich still zu verhalten, sondern sich unablässig in die Luft emporschwangen und vor Freude sangen.
Wie es stets auf dem Kullaberge herzugehen pflegt, eröffneten die Krähen die Spiele und die Kurzweil des Tages mit ihrem Flugtanz. Sie teilten sich in zwei Scharen, die gegeneinander flogen, sich

begegneten, umkehrten und wieder von vorne anfingen. Dieser Tanz hatte viele Touren und erschien den Zuschauern, die nicht in die Regeln des Tanzes eingeweiht waren, zu einförmig. Die Krähen waren sehr stolz auf ihren Tanz, und alle andern waren froh, als er beendet war. Die Tiere fanden ihn ebenso trübselig und sinnlos wie das Spiel der Winterstürme mit den Schneeflocken. Sie wurden schlechter Laune von dem Ansehen und warteten gespannt auf etwas, das sie ein wenig belustigen konnte.

Sie sollten auch nicht vergebens warten, denn sobald die Krähen ihren Tanz beendet hatten, kamen die Hasen gelaufen. Ohne sonderliche Ordnung wimmelten sie in einer langen Reihe hervor. In einigen Reihen ging nur einer, in andern liefen drei oder vier nebeneinander. Alle hatten sie sich auf zwei Beine erhoben und kamen in einer solchen Fahrt dahergesaust, daß die langen Ohren nach allen Seiten flogen. Während sie liefen, drehten sie sich rund herum, machten hohe Sprünge und schlugen die Vorderpfoten gegen die Rippen, so daß es klatschte. Einige schossen eine lange Reihe Purzelbäume, andere duckten sich zusammen und rollten wie Räder auf der Erde dahin, einer stand auf einem Bein und drehte sich rund herum, einer ging auf den Vorderpfoten. Da war gar keine Ordnung, aber es lag gute Laune über dem Spiel der Hasen, und die vielen Tiere, die dastanden und ihnen zusahen, fingen an, schneller zu atmen. Jetzt war Frühling, Lust und Freude waren in Anmarsch. Der Winter war zu Ende. Der Sommer nahte. Bald war das Leben nur noch ein Spiel.

Als die Hasen sich ausgetollt hatten, kam die Reihe aufzutreten an die großen Waldvögel, hunderte von Auerhähnen in glänzend schwarzem Federkleid und mit schimmernd roten Augenbrauen schwangen sich in eine große Eiche hinauf, die mitten auf dem Spielplatz stand. Derjenige, der auf dem obersten Zweige sah, blies die Federn auf, senkte die Flügel und schlug den Schweif auseinander, so daß die weißen Deckfedern sichtbar wurden. Dann streckte er den Hals vor und entsandte ein paar tiefe Halstöne aus seiner schwellenden Kehle. »Tjäk, tjäk, tjäk,« klang es. Mehr konnte er nicht hervorbringen, es gluckste nur ein paarmal tief unten in der Kehle. Dann schloß er die Augen und flüsterte: »Sis, sis, sis. Hört, wie schön es ist! Sis, sis, sis.« Und im selben Augenblick verfiel er in eine solche Verzückung, daß er nicht mehr wußte, was um ihn her vor sich ging.

Während der erste Auerhahn noch »Sis, sis, sis« flüsterte, begannen die drei, die zunächst unter ihm saßen, zu singen, und ehe sie das Lied beendet hatten, begannen die zehn, die unter ihnen saßen, und so weiter von Zweig zu Zweig, bis alle die Hunderte von Auerhähnen sangen und gluckten und zischelten. Sie gerieten alle in dieselbe Verzückung während ihres Gesanges, und gerade dies wirkte auf die andern Tiere wie ein ansteckender Rausch. Noch vor kurzem floß das Blut lustig und leicht, jetzt fing es an, schwer und heiß zu strömen. »Ja, wahrlich ist es Frühling,« dachten die vielen Tiervölker. »Die Kälte des Winters ist entschwunden. Das Feuer des Lenzes brennt über der Erde.«
Als die Birkhähne merkten, daß die Auerhähne einen solchen Erfolg hatten, konnten sie sich nicht langer ruhig verhalten. Da dort kein Baum war, auf den sie sich setzen konnten, sausten sie auf den Spielplatz hinab, wo das Heidekraut so hoch stand, daß man nichts weiter sehen konnte als ihre schönen, wehenden Schwanzfedern und ihre dicken Schnäbel, und dann begannen sie zu singen: »Orr, orr, orr«.
Gerade als die Birkhähne anfingen, um die Wette mit den Auerhähnen zu singen, geschah etwas, was noch nie geschehen war. Während alle Tiere ganz in Anspruch genommen waren von dem Spiel der Auerhähne, schlich sich ein Fuchs ganz leise an die Bergkuppen der wilden Gänse heran. Er ging sehr vorsichtig und kam ein Stück des Hügels hinauf, ehe ihn jemand entdeckte. Plötzlich ward jedoch eine Gans seiner ansichtig, und da sie sich nicht denken konnte, daß sich ein Fuchs in guter Absicht zwischen die Gänse schlich, begann sie zu rufen: »Nehmt euch in acht, ihr wilden Gänse! Nehmt euch in acht!« Der Fuchs schnappte nach ihr, vielleicht hauptsächlich damit sie schweigen solle, aber die wilden Gänse hatten den Ruf bereits vernommen und hoben sich alle in die Luft empor. Und als sie davongeflogen waren, sahen die Tiere Reineke Fuchs auf der Bergkuppe der wilden Gänse stehen, die tote Gans im Rachen.
Aber weil Reineke so den Frieden des Spieltages gebrochen hatte, erhielt er eine so harte Strafe, daß er zeitlebens bereute, seiner Rachgier keinen Zwang angetan zu haben, daß er versucht hatte, doch einmal Akka und ihrer Schar Schaden zuzufügen. Er wurde sofort von einer Schar von Füchsen umringt und nach dem alten Gesetz verurteilt, das also lautet: Wer an dem großen Spieltage den Frieden stört, soll zu Landflüchtigkeit verdammt sein. Auch nicht ein Fuchs wollte das Urteil mildern, denn sie wußten alle, daß sie im selben Augenblick, wo

sie das versuchten, vom Spielplatz verjagt werden würden und nie mehr ihren Fuß dorthin setzen durften. Also wurde Landesverweisung über Reineke ausgesprochen, ohne daß jemand Einspruch dagegen erhob. Es wurde ihm verboten, sich in Schonen aufzuhalten. Er wurde von Frau und Sippe verbannt, von Jagdgründen und Wohnung, von den Ruhestätten und Schlupfwinkeln, die bisher die seinen gewesen waren, und mußte sein Glück im fremden Lande suchen. Und auf daß alle Füchse in ganz Schonen wußten, daß Reineke dortzulande friedlos war, biß ihm der älteste der Füchse den rechten Ohrzipfel ab. Sobald das geschehen war, fingen alle die jungen Füchse an, vor Blutdurst zu heulen und stürzten sich über Reineke. Es blieb ihm nichts weiter übrig als zu fliehen, und mit allen den jungen Füchsen auf den Fersen eilte er fort vom Kullaberge.

Dies alles trug sich zu, während die Birkhähne und Auerhähne ihren Sängerkampf abhielten. Aber diese Vögel gehen in dem Maße in ihrem Gesang auf, daß sie weder sehen noch hören. Sie hatten sich auch gar nicht stören lassen.

Kaum war der Wettstreit der Waldvögel beendet, als die Kronhirsche vom Häckeberge vortraten, um ihr Kampfspiel zu zeigen. Es waren mehrere Paar Kronhirsche, die gleichzeitig kämpften. Sie stürzten sich mit großer Kraft aufeinander, schlugen die Geweihe dröhnend gegeneinander, so daß sie sich ineinanderflochten, und suchten sich gegenseitig hintenüber zu zwingen. Sie rissen Heidehügel mit ihren Hufen aus, ihr Atem stand wie eine Rauchwolke um sie, aus ihren Kehlen tönte ein fürchterliches Brüllen, und an ihrem Bug floß Schaum herab.

Ringsumher auf den Hügeln herrschte atemlose Stille, während die streitgewohnten Hirsche kämpften. Und bei allen Tieren wurden neue Gefühle wachgerufen. Alle fühlten sie sich mutig und stark, belebt von wiederkehrender Kraft, neugeboren vom Frühling, frisch und aufgelegt zu allerhand Abenteuern. Sie empfanden keinen Zorn gegeneinander, aber doch hoben sich alle Flügel, die Nackenfedern sträubten sich, die Krallen wurden gewetzt. Hätten die Häckeberger noch einen Augenblick weitergestritten, würde auf den Hügeln ein wilder Kampf entstanden sein, denn sie waren alle von einem brennenden Verlangen erfaßt, zu zeigen, daß auch sie voller Leben waren, daß die Ohnmacht des Winters vorbei war, daß ihre Leiber von Kraft glühten.

Aber die Kronhirsche beendeten ihren Kampf im rechten Augenblick, und sofort lief ein Flüstern von einem Hügel zum andern: »Jetzt kommen die Kraniche.«
Und dann kamen die Vögel im grauen Dämmerungsgewande, mit Federbüschen auf den Flügeln und rotem Federschmuck im Nacken. Die großen Vögel mit ihren hohen Beinen, ihren schlanken Hälsen und ihren kleinen Köpfen kamen in mystischer Verzückung die Hügel hinab. Während sie vorwärtsglitten, drehten sie sich herum, halb fliegend, halb tanzend. Die Flügel anmutig erhoben, bewegten sie sich mit unbegreiflicher Schnelligkeit. Es lag etwas Seltsames und Fremdes über ihrem Tanz. Es war, als spielten graue Schatten ein Spiel, dem die Augen kaum zu folgen vermochten. Es war, als hätten sie es von den Nebeln gelernt, die über den einsamen Mooren schweben. Es lag Zauberei darin. Alle, die noch nie auf dem Kullaberge gewesen waren, begriffen, warum die ganze Zusammenkunft ihren Namen nach dem Tanz der Kraniche hatte. Es lag Wildheit darüber, aber das Gefühl, das es wachrief, war trotzdem eine sanfte Sehnsucht. Niemand dachte jetzt mehr daran, zu kämpfen. Aber statt dessen empfanden alle, die Beschwingten und die, so da keine Schwingen hatten, ein Sehnen, unendlich hoch emporzusteigen, sich über die Wolken zu erheben, das zu suchen, was dahinter war, den beschwerenden Körper abzuwerfen, der zur Erde niederzog, und zu dem Überirdischen emporzuschweben. Eine solche Sehnsucht nach dem Unerreichbaren, nach dem, was sich hinter dem Leben verbirgt, empfanden die Tiere nur einmal im Jahre, nämlich an dem Tage, wo sie den großen Kranichtanz sahen.

VI. Im Regenwetter

Mittwoch, den 30. März.

Es war der erste Regentag auf der Reise. Während der ganzen Zeit, die sich die wilden Gänse in der Gegend des Bombsees aufgehalten, hatten sie gutes Wetter gehabt, aber an demselben Tage, als sie die Reise gen Norden antraten, fing es an zu regnen, und der Junge mußte mehrere Stunden ganz durchnäßt und zähneklappernd vor Kälte auf dem Gänserücken sitzen. Am Morgen, als sie von dannen zogen, war es still und klar. Die wilden Gänse flogen hoch oben in der Luft, gleichmäßig und ohne Hast, in strenger Ordnung, mit Akka an der Spitze, und die übrigen in zwei schrägen Reihen hinter ihr drein. Sie ließen sich keine Zeit, die Tiere auf dem Felde zu necken, da sie aber nicht imstande waren, sich ganz ruhig zu verhalten, sangen sie die ganze Zeit im Takt mit den Flügelschlägen ihren gewöhnlichen Lockruf: »Wo bist du? Hier bin ich. Wo bist du? Hier bin ich.«

Sie riefen alle gleich eifrig, und sie hielten nur hin und wieder inne, um den weißen Gänserich auf die Wegezeichen aufmerksam zu machen, nach denen sie ihren Kurs nahmen. Auf dieser Reise bestanden die Zeichen aus den kahlen Hügeln des Linderoder Abhanges, dem Schloß Ovesholm, dem Kristianstädter Kirchturm, der Königsburg Backaskog auf der schmalen Landzunge zwischen dem Omannasee und dem Ivösee und aus dem steilen Abhang des Ryßberges.

Es war eine einförmige Reise, und als die Regenwolken sich zusammenzogen, schien es dem Jungen geradezu, als sei dies eine Abwechslung. In alten Zeiten, als er die Regenwolken nur von unten gesehen hatte, fand er, daß sie grau und langweilig waren, aber es war etwas ganz anderes, oben zwischen ihnen zu sein. Jetzt konnte er deutlich sehen, daß die Wolken mächtige Frachtwagen waren, die mit wolkenhohen Fudern am Himmel entlang fuhren: einige von ihnen waren mit großen grauen Säcken beladen, andere mit Tonnen, die so groß waren, daß sie einen ganzen See fassen konnten, und wieder andere mit großen Kübeln und Flaschen, die zu einer gewaltigen Höhe aufgestapelt waren. Und als so viele Wagen dahergefahren waren, daß sie den ganzen Himmelsraum füllten, war es, als gäbe einer ein Zeichen, denn auf einmal fing es an, aus Kübeln, Tonnen, Flaschen und Säcken Wasser auf die Erde hinab zu strömen.

In demselben Augenblick, als die ersten Frühlingsschauer auf die Erde niederschlugen, stimmten alle Vögel in Hainen und Buschwerken ein solches Freudengeschrei an, daß die ganze Luft davon widerhallte, so daß der Junge zusammenzuckte. »Jetzt bekommen wir Regen, der Regen bringt uns den Frühling, der Frühling bringt uns Blumen und grüne Blätter, und Blumen bringen uns Larven und Insekten, Larven und Insekten bringen uns Essen, und gutes Essen ist das beste, was es gibt,« sangen die kleinen Vögel.

Auch die wilden Gänse freuten sich über den Regen, der kam, um die Pflanzen aus ihrem Schlaf zu erwecken und Löcher in die Eisdecke auf den Seen zu schlagen. Sie konnten nicht auf die Dauer so ernsthaft sein

wie bisher, sondern ließen lustige Rufe über die Gegend unter ihnen erschallen.
Als sie über die großen Kartoffelfelder flogen, von denen es so viele in der Umgegend von Kristianstad gibt, und die noch kahl und schwarz dalagen, riefen sie: »Wacht auf und schafft Nutzen! Jetzt kommt jemand, der euch weckt! Jetzt habt ihr lange genug gefaulenzt.«
Wenn sie Leute sahen, die sich beeilten, ins Haus zu kommen, tadelten sie sie und sagten: »Weshalb habt ihr es so eilig? Seht ihr denn nicht, daß es Feinbrot und Spießkuchen regnet, Feinbrot und Spießkuchen!«
Da war eine große, dichte Wolke, die sich schnell nach Norden zu bewegte und dicht hinter den Gänsen her segelte. Fast glaubten sie, daß sie die Wolke mit sich zögen, und da sie gerade jetzt große Gärten unter sich gewahrten, riefen sie ganz stolz: »Hier kommen wir mit Anemonen, hier kommen wir mit Rosen, hier kommen wir mit Apfelblüten und Kirschenknospen, hier kommen wir mit Erbsen und Bohnen, hier kommen wir mit Rüben und Kohl. Nehme es entgegen, wer da will! Nehme es entgegen, wer da will!«
Nach dieser Melodie ging es, während die ersten Schauer fielen, als alle noch froh über den Regen waren. Aber als er den ganzen Nachmittag anhielt, wurden die Gänse ungeduldig und riefen den durstigen Wäldern um den Ivösee zu: »habt ihr noch nicht bald genug? Habt ihr noch nicht bald genug?«
Der Himmel wurde mehr und mehr grau überzogen, und die Sonne verkroch sich so gut, daß niemand begreifen konnte, wo sie geblieben war. Der Regen fiel dichter, peitschte hart gegen die Flügel und bahnte sich einen Weg zwischen den tranigen Außenfedern hindurch, bis ganz auf den Leib hinein. Die Erde war von einem Regennebel verhüllt; Seen, Berge und Wälder flossen zusammen in einem undeutlichen Wirrwarr, und man konnte die Wegezeichen nicht erkennen. Der Flug wurde langsamer und langsamer, die munteren Rufe verstummten, und der Junge fühlte die Kälte immer bitterer.
Aber er hielt trotzdem den Mut aufrecht, so lange er durch die Luft dahinritt. Und am Nachmittage, als sich die Gänse unter einer kleinen verkrüppelten Fichte mitten in einem großen Moor niedergelassen hatten, wo alles naß und alles kalt war, wo einige von den Erderhöhungen mit Schnee bedeckt waren und andere kahl aus einer Lache halbgeschmolzenen Eiswassers aufragten, da fühlte er sich auch

keineswegs verzagt, sondern lief in fröhlicher Laune umher und suchte nach Moosbeeren und gefrorenen Kronsbeeren.
Aber dann kam der Abend, und die Dunkelheit senkte sich so dicht herab, daß nicht einmal Augen wie die des Jungen sie durchdringen konnten und die Einöde wurde so sonderbar häßlich und unheimlich. Der Junge lag unter den Flügel des Gänserichs eingebettet, aber er konnte nicht schlafen, kalt und naß, wie er war. Und er hörte so ein Pusseln und Rascheln und schleichende Schritte und drohende Stimmen, ihm wurde so bange, er wußte nicht, was er anfangen sollte. Er mußte dahin, wo Feuer und Licht war, wenn er nicht vor Angst umkommen sollte.
»Ob ich mich für diese eine Nacht zu den Menschen hinwagen soll?« dachte der Junge. »Wenn ich nur ein wenig beim Feuer sitzen und etwas zu essen bekommen könnte. Ich könnte ja vor Sonnenaufgang zu den wilden Gänsen zurückkehren.«
Er kroch unter dem Flügel hervor und ließ sich auf die Erde niedergleiten. Er weckte weder den Gänserich noch eine der anderen Gänse, sondern schlich still und unbemerkt über das Moor.
Er ahnte nicht, wo in aller Welt er war, ob in Schonen, in Smaaland oder in Bleking. Aber kurz bevor sie in das Moor heruntergeflogen waren, hatte er einen Schimmer von einem Dorf gesehen, und dahin wandte er nun seine Schritte. Es währte auch nicht lange, bis er einen Weg entdeckte, und bald befand er sich auf der Dorfstraße, die lang und mit Bäumen bepflanzt war, und zu deren beiden Seiten Häuser lagen.
Der Junge war in eins der großen Kirchdörfer gekommen, deren es oben im Lande so viele gibt, während man unten in der Ebene keine davon antrifft.
Die Häuser waren aus Holz und sehr zierlich gebaut. Die meisten hatten Giebel und Frontespize mit einem Rande aus geschnitzten Holzleisten, und Glasveranden mit einer bunten Fensterscheibe hier und da. Sie waren mit heller Ölfarbe gestrichen, Türen und Fensterpfosten schimmerten grün und blau, ja, sogar rot. Während der Junge so dahinging und die Häuser betrachtete, konnte er draußen auf dem Wege hören, wie die Leute, die in den warmen Stuben saßen, schwatzten und lachten. Die Worte konnte er nicht unterscheiden, aber er fand, es war schön, Menschenstimmen zu hören: »Ich möchte wohl

wissen, was sie sagen würden, wenn ich anklopfte und um Einlaß bäte,« dachte er.
Das hatte er ja tun wollen, aber jetzt, wo er die erhellten Fenster sah, war die Angst vor der Dunkelheit überwunden. Dahingegen empfand er von neuem die Scheu, die ihn immer in der Nähe der Menschen befiel. »Ich will mich ein wenig mehr im Dorf umsehen,« dachte er, »ehe ich jemand um Einlaß bitte.«
An einem der Häuser war ein Balkon. Und gerade als der Junge vorüberging, wurden die Balkontüren geöffnet und gelber Lichtschimmer drang durch feine, leichte Gardinen. Und dann trat eine hübsche junge Frau auf den Balkon hinaus und lehnte sich über das Geländer: »Es regnet, jetzt bekommen wir Frühling,« sagte sie. Als der Junge sie sah, wurde ihm so sonderbar beklommen ums Herz. Er war nahe daran, zu weinen. Zum erstenmal überkam ihn ein unheimliches Gefühl, weil er sich von den Menschen ausgeschlossen hatte.
Bald darauf kam er an einem Kaufmannsgeschäft vorüber. Draußen vor dem Laden stand eine rote Säemaschine. Er blieb stehen und betrachtete sie, und kroch schließlich auf den Kutschersitz, auf den er sich niedersetzte. Als er dahinauf gekommen war, schnalzte er mit der Zunge und tat so, als säße er dort und führe. Er dachte daran, wie amüsant es sein würde, auf so einer feinen Maschine über ein Feld zu fahren. Einen Augenblick hatte er vergessen, wie er nun war, aber dann fiel es ihm wieder ein, und er sprang schnell von der Maschine herunter. Er wurde immer unruhiger. Da war doch gar mancherlei, worauf derjenige verzichten mußte, der immer unter den Tieren leben wollte. Die Menschen waren sowohl eigentümlich als auch tüchtig.
Er kam an der Post vorüber, und da dachte er an alle die Zeitungen, die jeden Tag mit Neuigkeiten aus allen Ecken der Welt anlangten. Er sah die Apotheke und die Doktorwohnung, und er dachte daran, wie groß die Macht der Menschen war, daß sie Krankheit und Tod bekämpfen konnten. Er kam an die Kirche und dachte daran, daß sie von Menschen erbaut sei, damit sie dort Reden hören konnten über eine Welt außer der, in der sie lebten, und über Gott und Auferstehung und das ewige Leben. Und je länger er dort ging, um so lieber wurden ihm die Menschen.
Kinder sind nun einmal so, daß sie nicht weiter denken als von der Nase bis zum Mund. Was gerade vor ihren Augen liegt, wollen sie sogleich haben, ohne sich daran zu kehren, was es ihnen kosten kann.

Niels Holgersen hatte keinen Verstand davon gehabt, was er verlor, als er es vorzog, Kobold zu bleiben, jetzt überkam ihn jedoch eine furchtbare Angst, daß er vielleicht nie wieder seine wahre Gestalt erlangen würde.

Wie in aller Welt sollte er es anfangen, wieder Mensch zu werden? Das hätte er wirklich gern gewußt.

Er kletterte auf eine Treppe hinauf und setzte sich hin, um mitten in dem strömenden Regen nachzudenken. Dort saß er eine Stunde, zwei Stunden, und er sann und dachte, so daß er Runzeln auf der Stirn davon bekam. Aber er wurde deswegen nicht klüger. Es war, als wenn die Gedanken ihm nur rund im Kopf herumliefen. Je länger er dasaß, um so unmöglicher erschien es ihm, eine Lösung zu finden.

»Dies hier ist gewiß zu schwer für jemand, der so wenig gelernt hat wie ich,« dachte er schließlich. »Ich muß am Ende doch wohl zu den Menschen zurückgehen. Ich werde wohl den Pfarrer und den Doktor und den Schullehrer und andere gelehrte Leute fragen müssen, die wissen, was gegen so etwas hilft.«

So beschloß er denn, dies sogleich zu tun, und er erhob sich und schüttelte sich, denn er war so naß wie eine ertrunkene Maus.

Im selben Augenblick sah er eine große Eule daherfliegen und sich auf einen der Bäume setzen, die an der Straße entlang standen. Gleich darauf begann eine Horneule, die unter dem Dachfirst saß, sich zu rühren und zu rufen: »Quiwitt, quiwitt! Bist du wieder da, Sumpfeule? Wie ist es dir denn im Ausland ergangen?«

»Hab' Dank, Horneule! Mir ist es gut gegangen,« sagte die Sumpfeule, »Hat sich hier in der Heimat etwas Besonderes zugetragen, seit ich fort war?«

»Nicht hier in Bleking, Sumpfeule, aber in Schonen geschah es, daß ein Junge von einem Kobold verhext wurde und so klein gemacht worden ist wie ein Eichhörnchen, und dann ist er mit einer zahmen Gans nach Lappland gereist.«

»Das ist doch eine merkwürdige Nachricht, eine merkwürdige Nachricht. Kann er denn nie wieder ein Mensch werden, Horneule? Kann er nie wieder ein Mensch werden?«

»Das ist ein Geheimnis, Sumpfeule, aber ich will es dir trotzdem anvertrauen. Der Kobold hat gesagt, wenn der Junge gut acht gibt auf den zahmen Gänserich, so daß der wohlbehalten wieder heimgelangt, so ...«

»Was weiter, Horneule? Was weiter? Was weiter?«
»Fliege mit nach dem Kirchturm hinauf, Sumpfeule, dann will ich es dir alles erzählen! Ich fürchte, es könnte mitten auf der Straße jemand sein, der lauscht.«
Damit flogen die Eulen von dannen, der Junge aber warf seine Mütze hoch in die Luft hinauf. »Wenn ich nur gut acht auf den Gänserich gebe, so komme ich wohlbehalten wieder nach Hause, dann werde ich wieder ein Mensch. Hurra! Hurra! Dann werde ich wieder ein Mensch!«
Er rief ganz laut Hurra, und es war merkwürdig, daß sie ihn nicht drinnen in den Häusern hörten. Aber das taten sie nicht, und er eilte, so schnell seine Füße ihn nur tragen wollten, wieder zu den wilden Gänsen in das nasse Moor hinaus.

VII. Die Treppe mit den drei Stufen

Donnerstag, den 31. März.

Am nächsten Tage wollten die wilden Gänse nordwärts durch die Allboer Harde in Smaaland ziehen. Sie sandten Yksi und Kaksi als Späher voraus, aber als diese zurückkamen, sagten sie, alles Wasser sei gefroren und die ganze Erde mit Schnee bedeckt. »Bleiben wir doch lieber, wo wir sind,« sagten die wilden Gänse. »Wir können nicht über ein Land hinfliegen, wo weder Wasser noch Gras ist.« – »Wenn wir bleiben, wo wir sind, müssen wir noch einen ganzen Mondwechsel warten,« sagte Akka. »Es ist besser ostwärts durch Blekinge zu fliegen und zu versuchen, ob wir dann über Smaaland durch die Mörer Harde kommen können, die an der Küste liegt, und wohin der Lenz früh gelangt.«
So flog denn der Junge am nächsten Tage über Bleking hin. Es war ziemlich schlechtes Wetter, aber es war hell. Er war wieder in seiner richtigen Laune und konnte nicht begreifen, was am gestrigen Abend mit ihm vorgegangen war. Jetzt wollte er wahrlich die Reise und das Leben in der Wildnis nicht aufgeben.
Über Bleking lag ein dichter Regennebel. Der Junge konnte nicht sehen, wie es hier aussah. »Ich möchte wohl wissen, ob es ein gutes oder ein schlechtes Land ist, über das ich hinwegreite,« dachte er und

versuchte aus seinem Gedächtnis herauszugraben, was er in der Schule über Bleking gelernt hatte. Aber er wußte eigentlich sehr wohl, daß das nichts nützen konnte, denn er hatte ja in der Regel seine Schulaufgaben nicht gelernt.

Im selben Augenblick sah der Junge die ganze Schule vor sich. Die Kinder saßen an den kleinen Pulten und hoben die Hände in die Höhe, der Lehrer saß auf dem Katheder und sah mißvergnügt aus, und er selber stand oben vor der Karte und sollte eine Frage über Bleking beantworten, aber er konnte kein Wort. Das Gesicht des Lehrers wurde mit jeder Sekunde, die verging, finsterer, und der Junge dachte daran, daß der Lehrer strenger darauf gehalten hatte, daß sie ihre Geographie wußten als irgend etwas anderes. Jetzt stieg er auch vom Katheder herunter, nahm dem Jungen den Zeigestecken weg und schickte ihn auf seinen Platz zurück. »Dies nimmt noch ein Ende mit Schrecken,« dachte der Junge.

Aber der Lehrer trat an eins der Fenster, blieb dort eine Weile stehen und sah hinaus, und dann fing er an zu pfeifen. Jetzt stieg er wieder auf den Katheder hinauf und sagte, er wolle ihnen etwas von Bleking erzählen. Und was er erzählte, war so amüsant, daß der Junge zuhörte. Sobald er nachdachte, konnte er sich jedes Wortes entsinnen.

»Smaaland ist ein hohes Haus mit Tannenbäumen auf dem Dach,« sagte der Lehrer. »Und davor liegt eine breite Treppe mit drei großen Stufen, und die Treppe heißt Bleking.

Es ist eine Treppe, die sich sehen lassen kann. Sie erstreckt sich acht Meilen an der Vorderseite des Smaaländer Hauses entlang, und wer die Treppe ganz hinabgehen will, bis an die Ostsee, der hat vier Meilen zu gehen.

Es ist auch ein tüchtiges Stück Zeit her, seit die Treppe erbaut wurde. Es sind Tage und Jahre vergangen, seit die ersten Stufen aus dem Granit gehauen und eben und glatt gelegt wurden als bequemer Verkehrsweg zwischen Smaaland und der Ostsee.

Da die Treppe so alt ist, kann man wohl begreifen, daß sie jetzt nicht mehr so aussieht wie damals, als sie noch neu war. Ich weiß nicht, wieviel sie sich in jenen Zeiten aus der Reinlichkeit machten, aber sie war zu groß, als daß irgendein Besen auf der Welt sie hätte rein halten können. Nach Verlauf von ein paar Jahren fing eine Menge Moos und Flechten an darauf zu wachsen; welkes Gras und welke Blätter wehten im Herbst darauf herunter und im Frühling stürzten Steine und Kies

darauf nieder. Und da das alles liegen blieb, sammelte sich schließlich so viel schwarze Erde auf der Treppe an, daß nicht nur Kräuter und Gras, sondern auch Büsche und große Bäume Wurzeln schlagen konnten.
Es macht sich trotzdem ein großer Unterschied zwischen den drei Treppenstufen geltend. Die oberste, die Smaaland am nächsten liegt, ist zum größten Teil mit magerer Erde und kleinen Steinen bedeckt, und da können natürlich keine andern Bäume wachsen als Weißbirke und Faulbaum und Tanne, die die Kälte da oben auf der Höhe zu ertragen vermögen und mit wenigem zufrieden sind. Man versteht am allerbesten, wie jammervoll und armselig sie ist, wenn man sieht, wie klein die Pflanzen sind, die aus dem Walde genommen und dort gepflanzt wurden, und wie klein die Häuser sind, die sich die Leute dort bauen, und wie weit der Weg zwischen den einzelnen Kirchen ist. Auf der mittleren Stufe ist gleich bessere Erde, und die Kälte bindet sie hier auch nicht so strenge; das kann man leicht daran sehen, daß die Bäume höher und von besserer Art sind. Da wächst Ahorn und Eiche und Linde, Hängebirke und Haselstaude, aber keine Nadelbäume. Und noch besser kann man es daran sehen, daß eine Menge Erde urbar gemacht ist und die Leute sich hübsche, große Häuser gebaut haben. Da sind viele Kirchen auf der mittleren Stufe, und sie sind von großen Dörfern umgeben, und diese Stufe nimmt sich nach jeder Richtung hin besser aus als die obere.
Die allerunterste Stufe ist aber doch die beste. Sie ist mit wirklich guter und reichlicher schwarzer Erde bedeckt, und wie sie da so liegt und im Meere schwimmt, spürt sie nicht das geringste von der Smaalandkälte. Hier unten können Buchen und Kastanien und Wallnußbäume gedeihen, und sie werden so groß, daß sie über die Kirchendächer hinüberreichen. Hier findet man auch die größten Felder, aber die Leute haben nicht allein Landwirtschaft und Waldwirtschaft als Erwerb, sie treiben auch Fischerei und Handel und Seefahrt. Deswegen trifft man hier auch die schönsten Kirchen, und die Dörfer sind zu Flecken und Städten herangewachsen.
Hiermit ist aber noch nicht alles über die drei Stufen gesagt. Denn man muß bedenken, daß, wenn es oben auf das Dach des großen Smaalandhauses regnet, oder wenn der Schnee da oben schmilzt, das Wasser notwendigerweise irgendwohin laufen muß, und dann stürzt naturgemäß eine große Menge davon die breite Treppe hinab.

Zu Anfang floß es wohl die ganze Treppe in ihrer vollen Breite herunter, aber dann entstanden Risse darin, und jetzt hat sich das Wasser nach und nach daran gewöhnt, in einigen gut vertieften Rinnen abzulaufen. Und Wasser ist Wasser, was man auch damit macht. Es ist nie in Ruhe. Irgendwo gräbt und höhlt es und führt mit sich fort, und an einer andern Stelle fügt es hinzu. Die Rinnen hat es zu Tälern ausgegraben, die Talwände hat es mit Erde bedeckt, und daran haben sich Büsche und Ranken und Bäume festgeklammert, so dicht und so reich, daß sie fast den Strom verbergen, der unten in der Tiefe fließt. Aber wenn die Ströme zu den Absätzen zwischen den Stufen gelangen, müssen sie sich kopfüber auf sie hinabstürzen und dadurch gerät das Wasser in eine so brausende Geschwindigkeit, daß es Kräfte erlangt, Mühlräder und Maschinen zu treiben, und deren sind auch viele dort bei jedem Wasserfall emporgewachsen.
Hiermit ist jedoch nicht alles über das Land mit den drei Stufen gesagt. Das aber soll noch gesagt werden, daß da oben in Smaaland in dem großen Haus einstmals ein Riese wohnte, der alt geworden war. Und es ergrimmte ihn, daß er in seinem hohen Alter gezwungen sein sollte, die lange Treppe hinabzugehen, um in der See Lachs zu fischen. Er fand, es sei bequemer, wenn die Lachse zu ihm hinaufkämen, da, wo er wohnte.
Deswegen stieg er auf das Dach seines großen Hauses, und da stand er und warf Steine in die Ostsee hinein. Er warf sie mit großer Kraft, daß sie über ganz Bleking flogen und ins Meer hinabfielen. Und als die Steine fielen, erschrak der Lachs so sehr, daß er aus dem Meer herausstieg, den Strom in Bleking aufwärts flüchtete, durch die Gießbäche dahinstürzte, sich mit großen Sprüngen die Wasserfälle hinaufwarf und erst haltmachte, als er weit drinnen in Smaaland bei dem alten Riesen angelangt war.
Daß dies wahr ist, kann man an den vielen kleinen Inseln und Klippen sehen, die an der Küste von Bleking liegen, und die nichts anderes sind als die vielen, großen Steine, die der Riese hinabgeworfen hat.
Man kann es auch daran sehen, daß der Lachs noch heute in die Blekinger Ströme hinaufgeht und sich durch Gießbäche und stilles Wasser ganz bis nach Smaaland hinaufarbeitet.
Aber die Bewohner von Blekinge sind dem Riesen zu großem Dank verpflichtet, denn der Lachsfang in den Strömen und die Steinhauerei

in den Schären ist eine Arbeit, die noch heutigen Tages viele von ihnen ernährt.«

VIII. Am Rönneberger Bach

Freitag, den 1. April.

Weder die wilden Gänse noch Reineke Fuchs hatten sich gedacht, daß sie einander jemals wieder begegnen sollten, wenn sie erst Schonen verlassen hatten. Aber nun traf es sich ja so, daß die wilden Gänse den Weg über Blekinge nehmen mußten, und dahin hatte sich Reineke Fuchs ebenfalls begeben. Anfangs hatte er sich in dem nördlichen Teil aufgehalten, und er hatte bisher weder die Schloßparke noch die Tiergärten voller Rehe und leckerer Rehkitzchen gesehen. Er war so mißvergnügt wie nur möglich.

Eines Nachmittags, als Reineke in einer einsamen Waldgegend nicht weit vom Rönneberger Bach umherstreifte, sah er eine Schar wilder Gänse durch die Luft ziehen. Er bemerkte sofort, daß die eine von den Gänsen weiß war, und da wußte er ja, mit wem er es zu tun hatte.

Reineke machte sich sogleich daran, hinter den Gänsen drein zu jagen, ebensosehr aus Verlangen nach einem guten Bissen, wie um sich an ihnen für all den Schaden zu rächen, den sie ihm zugefügt hatten. Er sah, daß sie gen Osten zogen, bis sie an den Rönneberger Bach gelangten. Dann wechselten sie die Richtung und folgten dem Bach nach Süden zu. Er begriff, daß sie einen Schlafplatz am Ufer des Baches suchen wollten, und er dachte, daß er wohl ein paar Stück von ihnen ohne große Schwierigkeit ergattern könne.

Aber als Reineke endlich den Platz erblickte, wo sich die Gänse niedergelassen hatten, sah er wohl, daß sie eine Stelle gewählt hatten, die so gut geschützt war, daß er nicht zu ihnen gelangen konnte.

Der Rönneberger Bach ist ja kein sehr großes oder starkes Gewässer, aber er ist doch sehr bekannt wegen seiner schönen Ufer. An mehreren Stellen bahnt er sich seinen Weg durch steile Felswände, die lotrecht aus dem Wasser aufsteigen und ganz mit Gaisblatt und Faulbaum, mit Weißdorn und Erlengestrüpp, mit Ebereschen und Weiden bewachsen sind. Und es gibt kaum etwas Erfreulicheres an einem schönen Sommertag, als den kleinen dunklen Bach hinabzurudern und all das

weiche Grün zu sehen, das sich in den rauhen Felswänden festklammert.
Aber jetzt, als die wilden Gänse und Reineke an den Bach kamen, war es noch früh im Lenz, es war naßkalt und windig, alle Bäume standen kahl und niemand achtete darauf, ob das Bachufer häßlich war oder schön. Die wilden Gänse priesen sich glücklich, daß sie unter so einer steilen Felswand einen schmalen Streifen Sand entdeckt hatten, gerade so groß, daß sie Platz darauf fanden. Vor ihnen der brausende Bach, der jetzt in der Schneeschmelze breit und reißend war, hinter ihnen die unerklimmbare Felswand, und sie selber von herabhängendem Gras verborgen. Sie konnten es nicht besser haben.
Die Gänse schliefen sofort ein, aber der Junge schloß kein Auge. Sobald die Sonne verschwunden war, ergriff ihn die Angst vor der Dunkelheit und Einsamkeit, und er sehnte sich zu den Menschen zurück. Wie er da so unter dem Gänseflügel lag, konnte er nichts sehen und nur schlecht hören; stieß dem Gänserich etwas zu, so war er nicht imstande, ihn zu retten. Rascheln und Pusseln hörte er von allen Seiten, und es überkam ihn eine solche Unruhe, daß er unter dem Flügel hervorkriechen und sich neben die Gänse an den Erdboden setzen mußte.
Oben am Rande des Felsens stand Reineke, machte ein langes Gesicht und sah auf die wilden Gänse hinab. »Du kannst es nur gleich aufgeben, sie zu verfolgen,« sagte er zu sich selbst. »Eine lotrechte Felswand kannst du doch nicht hinabklettern, in einem so reißenden Strom kannst du nicht schwimmen, und unterhalb des Berges ist nicht der geringste Streifen Erde, der zu dem Schlafplatz führt. Die Gänse sind zu klug für dich. Denk' nur gar nicht mehr daran, sie zu jagen.«
Aber es wurde Reineke, wie allen andern Füchsen, schwer, ein Vorhaben aufzugeben, das er begonnen hatte, und er legte sich deswegen an den äußersten Rand der Klippe und verwandte kein Auge von den wilden Gänsen. Während er da lag und sie ansah, dachte er an all das Böse, das sie ihm zugefügt hatten. Um ihretwillen war er ja aus Schonen verwiesen, war er gezwungen worden, nach dem armseligen Bleking zu ziehen. Er erregte sich selbst derartig, daß er den wilden Gänsen den Tod wünschte, selbst wenn er nicht den Vorteil haben sollte, sie aufzufressen.
Als Reinekes Zorn eine solche Höhe erreicht hatte, hörte er neben sich in einer großen Fichte etwas rascheln und sah ein Eichhörnchen von

dem Baum herabspringen, scharf verfolgt von einem Marder. Keins von beiden hatte Reineke bemerkt, und er saß still da und schaute der Jagd zu, die von Baum zu Baum ging. Er sah zu dem Eichhörnchen hinüber, das so leicht zwischen den Zweigen umhersprang, als könne es fliegen. Er sah den Marder an, der lange nicht so gut kletterte wie das Eichhörnchen, aber doch sicher an den Baumstämmen auf und nieder lief, als seien es ebene Steige im Walde. »Kletterte ich nur halb so gut wie eins von den beiden,« dachte der Fuchs, »so sollten die da unten nicht lange ruhig schlafen.«

Sobald das Eichhörnchen gefangen und die Jagd beendet war, ging Reineke zu dem Marder, blieb aber in Entfernung von zwei Schritten stehen, zum Zeichen, daß er ihm die Jagdbeute nicht entreißen wollte. Er begrüßte den Marder sehr freundlich und wünschte ihm Glück zu dem Fang. Reineke hatte das Wort sehr in der Gewalt, so wie alle Füchse. Aber der Marder, der mit seinem langen und schmalen Körper, seinem feinen Kopf, seinem weißen Fell und seinem hellbraunen Fleck am Halse aussieht wie ein kleines Wunder von Schönheit, ist in Wirklichkeit nur ein roher Waldbewohner, und er antwortete ihm kaum. »Es wundert mich doch,« sagte Reinecke, »daß ein so gewaltiger Jäger wie du sich damit begnügt, Eichhörnchen zu jagen, wenn da so viel besseres Wild in deinem Bereich ist.« Hier machte er eine Pause und wartete auf eine Antwort, aber als ihm der Marder ganz frech die Zähne zeigte, fuhr er fort: »Ist es möglich, daß du die wilden Gänse nicht gesehen hast, die hier unter der Felswand stehen? Oder kletterst du nicht gut genug, um zu ihnen hinabzugelangen?«

Diesmal brauchte er nicht auf die Antwort zu warten. Der Marder fuhr auf ihn ein – sein Rücken war krumm und alle seine Haare sträubten sich. »Hast du wilde Gänse gesehen?« fauchte er. »Wo sind sie? Sag' es mir sofort, sonst beiß' ich dir die Kehle durch!« – »Vergiß nur ja nicht, daß ich doppelt so groß bin wie du; sei nur lieber ein wenig höflich. Ich verlange ja nichts Besseres, als dir die wilden Gänse zu zeigen.«

Einen Augenblick später war der Marder auf dem Wege nach dem Abhang hinab, und während Reineke dasaß und zusah, wie er seinen langen, schlangenähnlichen Körper von Zweig zu Zweig wand, dachte er: »Der schöne Baumjäger dort hat das grausamste Herz im ganzen Walde. Ich denke, die wilden Gänse werden mir für ein blutiges Erwachen danken können.«

Aber gerade als Reincke gespannt auf das Todesgeschrei der Gänse horchte, sah er den Marder von einem Zweig fallen und in den Bach hinabplumpsen, so daß das Wasser hoch aufspritzte. Gleich darauf erscholl ein klatschendes Geräusch von harten Flügeln, und alle Gänse stiegen in eilsamer Flucht in die Höhe.
Reineke wollte sofort hinter den Gänsen drein eilen, aber er war so neugierig, zu erfahren, wodurch sie errettet waren, daß er sitzen blieb, bis der Marder wieder heraufgeklettert kam. Der Ärmste war klatschnaß und blieb von Zeit zu Zeit stehen, um sich das Gesicht mit den Vorderpfoten zu reiben. »Hab' ich mir es doch gedacht,« sagte Reineke verächtlich. »So ein Tolpatsch und in den Bach zu fallen!«
»Ich bin kein Tolpatsch gewesen. Du sollst mich nicht ausschelten!« sagte der Marder. »Ich saß schon auf einem der untersten Zweige und dachte darüber nach, wie ich es anfangen sollte, eine ganze Menge Gänse zu zerreißen, als ein kleiner Knirps, der nicht größer war als ein Eichhörnchen, herbeigestürzt kam und mir mit einer solchen Gewalt einen Stein gegen den Kopf schleuderte, daß ich ins Wasser fiel, und ehe es mir gelungen war, wieder herauszuklettern ...«
Das weitere konnte sich der Marder ersparen. Er hatte keinen Zuhörer mehr, Reineke war schon lange über alle Berge, hinter den Gänsen drein.
Akka war indessen südwärts geflogen, auf der Umschau nach einem neuen Schlafplatz. Das Tageslicht war noch nicht ganz entschwunden, und außerdem stand der Halbmond hoch am Himmel, so daß sie einigermaßen sehen konnte. Glücklicherweise kannte sie die Gegend gut, denn es war mehr als einmal geschehen, daß sie vom Sturm nach Bleking hineingetrieben war, wenn sie im Frühling über die Ostsee zog.
Sie folgte dem Bach, solange sie ihn sich durch die mondhelle Landschaft gleich einer glänzend schwarzen Schlange winden sah. So gelangte sie bis ganz nach Djupafors, wo sich der Bach zuerst in einer unterirdischen Rinne versteckte und sich dann, klar und durchsichtig wie Glas, in eine enge Schlucht hinabstürzt, auf deren Grund er zu blitzenden Tropfen weitspritzenden Schaumes zerstiebt. Unter dem weißen Wasserfall lagen einige Steine, zwischen denen das Wasser mit wildem Brausen dahin stürzte, und hier ließ Akka sich nieder. Dies war wieder ein guter Schlafplatz, namentlich so spät am Abend, wenn keine Menschen unterwegs waren. Bei Sonnenuntergang hätten sich die

Gänse kaum dort niederlassen können, denn Djupafors liegt nicht in einer einsamen Gegend. An der einen Seite des Wasserfalles liegt eine Papiermassefabrik, und an der andern, die steil und mit Bäumen bestanden ist, liegt der Djupataler Park, wo es stets von Leuten wimmelt, die auf den glatten und steilen Steigen umherstreifen, um sich an dem Anblick des unten zwischen Felsenklippen dahinbrausenden wilden Flusses zu erfreuen.

Es war hier wie an dem ersten Lagerplatz: nicht eine von den Gänsen dachte daran, daß sie sich an einem schönen und bekannten Aussichtsort befanden. Sie fanden wohl vielmehr, daß es unheimlich und gefährlich war, auf glatten, nassen Steinen mitten in einem lärmenden Gießbach zu stehen und zu schlafen. Aber sie mußten ja zufrieden sein, wenn sie nur gegen Raubtiere beschützt waren.

Die Gänse schliefen bald ein, der Junge hingegen hatte keine Ruhe zum Schlafen, er saß neben ihnen, um acht auf den Gänserich zu geben.

Nach einer Weile kam Reineke am Ufer entlang gelaufen. Er erblickte die Gänse sogleich draußen in den Schaumwirbeln und sah ein, daß er ihnen auch jetzt nichts anhaben konnte. Aufgeben wollte er sie aber doch nicht; er setzte sich am Ufer nieder und sah sie an. Er fühlte sich sehr gedemütigt und fand, daß sein ganzes Ansehen als Jäger auf dem Spiel stehe.

Plötzlich sah er einen Otter aus dem Gießbach herauskriechen; der trug einen Fisch im Maul. Reineke ging auf ihn zu, blieb aber in einer Entfernung von zwei Schritten stehen, um zu zeigen, daß es nicht seine Absicht sei, ihm die Jagdbeute wegzunehmen. »Du bist ein wunderlicher Kauz, daß du dich damit begnügst, Fische zu fangen, wenn es da draußen auf den Steinen von wilden Gänsen wimmelt,« sagte Reineke. Er war so eifrig, daß er sich keine Zeit ließ, in so wohlgesetzten Worten zu reden wie sonst. Der Otter drehte nicht einmal den Kopf nach Reineke um. Er war ein Landstreicher wie alle Ottern, hatte oft im Bombsee gefischt und kannte Reineke Fuchs sehr wohl. »Ich weiß recht gut, wie du es machst, um eine Lachsforelle zu ergattern, Reineke,« sagte er. »Ach, du bist es, Gripe,« sagte Reineke und freute sich, denn er wußte, daß dieser Otter ein mutiger und tüchtiger Schwimmer war. »Es ist ja nicht so zu verwundern, daß du dich nicht nach den wilden Gänsen umsehen willst, da du ja doch nicht zu ihnen hinauskommen kannst.« Aber der Otter, der eine Schwimmhaut zwischen den Zehen hatte und einen steifen Schwanz, der so gut wie ein Ruder war, und außerdem auch einen wasserdichten Pelz, wollte es nicht auf sich sitzen lassen, daß es einen Gießbach gebe, mit dem er nicht anzubinden wagte. Er wandte sich nach dem Strom um, und sobald er die wilden Gänse erblickt, warf er den Fisch hin und stürzte sich das steile Felsenufer hinab, in den Strom hinein.

Wäre der Frühling ein wenig weiter vorgeschritten, so daß die Nachtigallen im Djupadaler Park zu Hause gewesen wären, so würden sie noch viele Nächte hinterher von Gripes Kampf mit dem Wasserfall gesungen haben. Denn der Otter wurde wieder und wieder von den Wellen mit fortgerissen, arbeitete sich aber jedesmal wieder in die Höhe. Er schwamm durch seichtes Wasser, er kletterte über Steine, und nach und nach kam er den wilden Gänsen näher. Es war ein Wagestück, das wohl verdient hätte, von den Nachtigallen besungen zu werden.

Reineke folgte ihm mit den Augen, so gut er konnte. Schließlich sah er, daß der Otter im Begriff war, zu den wilden Gänsen hinaufzuklettern. Aber im selben Augenblick ertönte ein wilder, gellender Schrei, der Otter stürzte rücklings ins Wasser und wurde von den Wellen mit fortgerissen, als sei er ein blindes junges Kätzchen. Gleich darauf ertönte abermals der harte Flügelschlag der wilden Gänse. Sie schwangen sich empor und flogen davon, um sich einen neuen Schlafplatz zu schaffen.

Der Otter kam gleich an Land. Er sagte nichts, machte sich aber daran, seine eine Vorderpfote zu lecken. Als Reineke ihn verhöhnte, weil er Unglück gehabt hatte, rief er aus: »Das kam nicht daher, weil ich nicht schwimmen kann, Reineke. Ich war ganz bis zu den Gänsen gelangt und wollte gerade zu ihnen hinaufklettern, als ein kleiner Knirps gelaufen kam und mich mit einem scharfen Eisen in den Fuß stach. Das tat so weh, daß ich ins Gleiten geriet, und da entführte der Gießbach mich.«

Er konnte es sich ersparen, mehr zu sagen. Reineke war schon weit weg, hinter den Gänsen drein.

Noch einmal mußten Akka und ihre Schar in die dunkle Nacht hinausfliehen. Glücklicherweise war der Mond noch nicht untergegangen, und mit Hilfe seines Scheines gelang es ihr, noch einen der Schlafplätze zu finden, die ihr dort in der Gegend bekannt waren. Sie folgte abermals dem glitzernden Bach gen Süden. Ohne sich niederzulassen, schwebte sie über Schloß Djupdal und über den dunklen Dächern von Rönneberg dahin. Aber ein Stück südlich von der Stadt, nicht weit von der See, liegt Bad Rönneberg mit Badehaus und Kurhaus, mit großen Hotels und Sommerwohnungen für die Kurgäste. Dies alles steht den ganzen Winter leer und öde, worüber alle Vögel genau Bescheid wissen und gar manch eine Vogelschar sucht in strengen Sturmzeiten Schutz auf den Balkons und Veranden der leeren Häuser.

Hier ließen sich die wilden Gänse auf einen Balkon nieder und schliefen wie gewöhnlich sofort ein. Der Junge aber wollte nicht schlafen, denn er wollte nicht unter den Flügel des Gänserichs kriechen.

Der Balkon lag nach Süden, so daß der Junge Aussicht über die See hatte. Und da er nicht schlafen konnte, saß er da und beobachtete, wie schön es sich ausnahm, wenn Meer und Land sich hier in Bleking begegneten.

Nun können sich ja Meer und Land auf viele verschiedene Art begegnen. An vielen Stellen geht das Land mit flachen Wiesen voll kleinen Erderhöhungen an das Meer hinab, und das Meer nimmt das Land mit Flugsand in Empfang, den es zu Schanzen und Dünen auftürmt. Es ist, als könnten die beiden einander so wenig leiden, daß sie sich nur von ihrer allerschlechtesten Seite zeigen wollten. Aber es kann auch geschehen, daß das Land, wenn es nach dem Meer hinabgeht, eine Felswand vor sich aufrichtet, als sei das Meer etwas Gefährliches, und wenn das Land das tut, geht ihm das Meer mit erzürnten Brandungen entgegen, schäumt und bullert und schlägt gegen die Felsen und sieht so aus, als wolle es den Erdboden in Stücke zerreißen.

Aber in Blekinge geht es ganz anders zu, wenn Meer und Land sich begegnen. Da zersplittert sich das Land in Landspitzen und Inseln und Weiden, und das Meer teilt sich in Buchten und Föhrden und Sunde, und daher kommt es wohl, daß es so aussieht, als begegneten sie sich in Freude und Eintracht.

Denke nun zuvörderst an das Meer! Weit da draußen liegt es öde und leer und schwarz und tut nichts weiter als seine grauen Wogen rollen. Wenn es sich dem Lande nähert, begegnet es der ersten Schäre. Über die macht es sich gleich zum Herrn, reißt all das Grün ab und macht sie ebenso kahl und grau, wie es selber ist. Dann begegnet es noch einer Schäre. Mit der geht es ebenso. Und noch einer. Ja, auch mit der geht es nicht anders. Sie wird entkleidet und geplündert, als sei sie unter Räuber gefallen. Aber dann kommen immer mehr Schären, und nun versteht das Meer wohl, daß das Land ihm seine kleinsten Kinder entgegensendet, um es zu Milde zu bewegen. Es wird auch freundlicher und freundlicher, je weiter es hineingelangt, rollt seine Wellen weniger hoch, dämpft seine Stürme, läßt das Grün in Rissen und Spalten stehen, teilt sich in kleine Sunde und Buchten und wird schließlich ganz in der Nähe des Landes so wenig Furcht einflößend, daß sich kleine Boote darauf hinaus wagen. Es kann sich gewiß kaum selbst wiedererkennen, so licht und freundlich ist es geworden.

Und dann denke an das Land! Es liegt so einförmig da, und ein Fleck gleicht dem andern. Es besteht aus flachen Feldern, hier und da mit einem Birkenhain dazwischen, oder auch aus langen waldbedeckten Höhenzügen. Es sieht aus, als dächte es an nichts weiter als an Hafer und Rüben und Kartoffeln und Tannen und Fichten. Dann kommt ein Fjord, der sich tief hineinschneidet. Es macht kein Aufhebens davon, sondern säumt ihn mit Birken und Erlen, ganz als sei er ein gewöhnlicher Süßwassersee. Dann kommt noch ein Fjord dahergefahren. Auch von dem macht das Land kein Aufhebens, aber er erhält dieselbe Bekleidung wie der erste. Nun aber beginnen die Fjorde sich zu erweitern und zu teilen. Sie zersplittern die Felder und Wälder, und dann kann das Land nicht umhin, sie zu beachten. »Ich glaube wahrhaftig, da kommt das Meer selber,« sagt das Land, und dann fängt es an, sich zu schmücken. Es bekränzt sich mit Blumen, schlängelt sich in Hügeln und Tälern und wirft Inseln ins Meer hinaus. Es will nichts mehr wissen von Fichten und Tannen, es wirft sie weg wie ein vertragenes Alltagsgewand und prangt statt dessen mit großen Eichen und Linden und Kastanien und mit blühenden Hainen und wird so zierlich wie ein Schloßpark. Und als es sich mit dem Meer begegnet, ist es so verändert, daß es sich selbst nicht mehr wieder zu erkennen vermag.

Das alles kann man ja nicht wirklich sehen, ehe es Sommer wird, aber der Junge konnte doch merken, wie mild und freundlich die Natur war und ihm war ruhiger zumute wie sonst während der Nacht. Da vernahm er plötzlich ein lautes, unheimliches Heulen unten vom Kurpark her, und als er sich erhob, sah er in dem weißen Mondlicht auf dem Platz vor dem Balkon einen Fuchs stehen. Denn Reineke verfolgte die Gänse noch einmal. Als er aber den Platz sah, auf dem sie sich aufgestellt

hatten, begriff er, daß es diesmal unmöglich war, ihnen etwas anzuhaben, und da konnte er sich nicht bezwingen, er mußte vor Wut heulen.
Als der Fuchs so heulte, erwachte die alte Akka, die Führergans, und obwohl sie fast nichts sehen konnte, war es ihr doch, als müsse sie die Stimme kennen. »Bist du es, Reineke, der in dieser Nacht auf Raub ausgeht?« sagte sie. – »Ja,« antwortete Reineke, »ich bin es, und ich möchte euch jetzt fragen, wie ihr Gänse über die Nacht denkt, die ich euch bereitet habe?« – »Willst du damit sagen, daß du uns sowohl den Marder als auch den Otter auf den Hals geschickt hast?« fragte Akka. – »Eine gute Tat soll man nicht abstreiten,« sagte Reineke. »Ihr habt einmal Gänsespiel mit mir gespielt. Jetzt habe ich angefangen, Fuchsspiel mit euch zu spielen, und ich bin nicht gesonnen, aufzuhören, solange noch eine einzige von euch am Leben ist, und sollte ich auch gezwungen sein, euch durch das ganze Land zu folgen.« – »Ja, Reineke, du solltest doch bedenken, ob es recht von dir ist, der du mit Zähnen und Krallen bewaffnet bist, uns, die wir wehrlos sind, so zu verfolgen,« sagte Akka. Reineke fand, daß es so klang, als sei Akka bange, und er sagte schnell: »Wenn du diesen Däumling nehmen und mir herunterwerfen willst, ihn, der mir nun schon so manches Mal in die Quere gekommen ist, dann verspreche ich dir, Frieden mit dir zu machen, Akka. Dann will ich weder dich noch eine von den Deinen je wieder verfolgen.« – »Däumling kann ich dir nicht geben,« sagte Akka. »Von der Jüngsten bis zur Ältesten würden wir alle gern unser Leben für ihn wagen.« – »Haltet ihr so große Stücke auf ihn,« sagte Reineke, »dann verspreche ich dir, daß er der erste von euch sein soll, an dem ich Rache üben werde.«
Akka sagte nichts mehr, und als Reineke noch ein paar heulende Töne ausgestoßen hatte, wurde alles still. Der Junge aber lag noch immer wach. Jetzt hinderten ihn die Worte, die Akka zu dem Fuchs gesagt hatte, am Schlafen. Nie hatte er sich träumen lassen, etwas so Großes zu hören, daß nämlich jemand sein Leben für ihn wagen wollte. Von dem Augenblick an konnte man von Niels Holgersen nicht mehr sagen, daß er niemand lieb hatte.

IX. Karlskrona

Sonnabend, den 2. April.

Es war an einem Abend in Karlskrona, und es war Mondschein. Es war still und schön, aber früherhin am Tage hatte es gestürmt und geregnet, und die Leute glaubten wohl, daß noch schlechtes Wetter sei, denn kaum ein Mensch hatte sich auf die Straße hinausgewagt.

Wie nun die Stadt so verlassen dalag, kamen die wilde Gans Akka und ihre Schar über die Vämmö und den Pantorholm auf Karlskrona zugeflogen. Sie waren in der späten Abendstunde darauf aus, einen sichern Schlafplatz in den Schären zu suchen. Sie konnten nicht an Land bleiben, weil Reineke Fuchs sie störte, wo sie sich auch niederließen.

Als nun der Junge hoch oben in der Luft dahergeritten kam und das Meer und die Schären sah, die sich vor ihm ausbreiteten, fand er, daß alles so wunderlich und gespensterhaft aussah. Der Himmel war nicht mehr blau, er wölbte sich über ihm wie eine Kuppel aus grünem Glas. Das Meer lag milchweiß. So weit er sehen konnte, kamen kleine, weiße Wellen mit Silberglanz auf dem Kamm dahergerollt. Mitten in all dem Weiß lagen die vielfachen Schäreninseln ganz kohlschwarz. Mochten sie groß sein oder klein, mochten sie flach sein wie Wiesen oder voll von Klippen, sie waren gleich schwarz. Ja, selbst Häuser und Kirchen und Windmühlen, die sonst weiß oder rot sind, heben sich schwarz gegen den grünen Himmel ab. Der Junge fand, es war so, als sei die Erde unter ihm vertauscht, als sei er in eine andere Welt gekommen.

Er sagte zu sich selbst, heute nacht wolle er tapfer aushalten und nicht bange sein, aber dann erblickte er sogleich etwas, das ihm einen großen Schrecken einjagte. Es war eine hohe Felseninsel, die mit großen, eckigen Steinblöcken bedeckt war, und zwischen den schwarzen Steinblöcken glitzerten Punkte von klarem, schimmerndem Gold. Er konnte es nicht lassen, an den Maglestein bei Trolle-Ljungby zu denken, den die Kobolde einstmals auf hohen goldenen Säulen errichtet hatten, und er dachte, daß dies vielleicht etwas von derselben Art sei.

Aber das mit den Steinen und dem Gold hätte noch angehen können, wenn da nur nicht so viel Teufelkram rings um die Insel herum im Wasser gelegen hätte. Das sah aus wie Walfische und Haie und andere große Meerestiere, aber der Junge wußte ja sehr wohl, daß es Wassergeister waren, die sich um die Insel geschart hatten und nun da hinaufklettern und mit den Landgeistern kämpfen wollten, die dort wohnten. Und die da oben an Land waren gewiß bange, denn er konnte einen großen Riesen oben auf der Spitze der Insel stehen und, wie in Verzweiflung über all das Unglück, das über ihn und die Insel kommen würde, die Arme ausstrecken sehen.

Der Junge war nicht wenig erschrocken, als er merkte, daß Akka den Flug abwärts nahm, sobald sie über der Insel waren. »Huh! Wir wollen uns doch nicht dort niederlassen!« sagte er.

Aber die Gänse schwebten ruhig abwärts, und bald mußte der Junge staunen, daß er sich so geirrt hatte. Denn erstens waren die großen Steinblöcke nichts weiter als Häuser. Die ganze Insel war eine Stadt, und die schimmernden goldenen Punkte waren Laternen und Reihen von erleuchteten Fenstern. Der Riese, der oben auf der Spitze der Insel stand und die Arme in die Höhe streckte, war eine Kirche mit zwei viereckigen Türmen, und alle die Meeresgeister und Ungeheuer, die er zu sehen geglaubt, waren Boote und Schiffe jeglicher Art, die rings um die Insel vertäut lagen. Auf der Seite, die dem Lande zunächst lag, waren die meisten Ruderboote und Segelboote und kleinen Küstendampfer, aber auf der Seite nach dem Meere zu lagen gepanzerte Kriegsschiffe, einige breit, mit mächtig dicken, hintenüberliegenden Schornsteinen, andere lang und schmal und so gebildet, daß sie wie Fische durchs Wasser gleiten mußten.

Was für eine Stadt konnte dies nur einmal sein? Ja, der Junge ward sich klar darüber, sobald er die vielen Kriegsschiffe sah. Er hatte Schiffe geliebt, seit er klein war, obwohl er mit keinen anderen zu schaffen gehabt, als mit den Fahrzeugen, die er zum Segeln in den Gräben ausgesetzt hatte. Es unterlag keinem Zweifel, daß die Stadt, wo so viele Kriegsschiffe lagen, keine andere als Karlskrona sein konnte.

Der Junge hatte einen alten Großvater mütterlicherseits gehabt, der in der Marine gedient und so lange er lebte, jeden Tag von Karlskrona erzählt hatte, von der großen Marinewerft und von all dem andern, das in dieser Stadt zu sehen war. Hier fühlte sich der Junge ganz wie zu Hause, und er freute sich, daß er nun all das zu sehen bekam, wovon er so viel hatte reden hören.

Aber er bekam nicht mehr als einen Schimmer von den Türmen und Festungswerken, die die Einfahrt des Hafens sperrten, und von den

vielen Gebäuden auf der Werft zu sehen, denn Akka ließ sich auf einem der beiden flachen Kirchtürme nieder.
Das war ja freilich ein sicherer Ort für jemand, der einem Fuchs entkommen wollte, und der Junge meinte, diese Nacht könne er gewiß ruhig unter den Flügel des Gänserichs schlüpfen. Ja, das konnte er wohl, es würde gut tun, ein wenig zu schlafen. Sobald es hell wurde, wollte er versuchen, etwas mehr von der Werft und von den Schiffen zu sehen.
Der Junge fand es selber wunderlich, daß er sich nicht ruhig verhalten und den nächsten Morgen abwarten konnte, bis er die Schiffe sah. Er hatte wohl kaum fünf Minuten geschlafen, als er schon unter dem Flügel hervorkroch und an dem Blitzableiter und den Dachrinnen auf die Straße hinabglitt.
Bald stand er auf einem großen Marktplatz, der vor der Kirche lag. Er war mit spitzigen Steinen gepflastert, und es war für ihn ebenso schwer dort zu gehen wie für Erwachsene auf einer Wiese voller Erderhöhungen. Leuten, die in der Einöde hausen oder weit draußen auf dem Lande wohnen, wird immer unheimlich zumute, wenn sie in eine Stadt kommen, wo die Häuser schnurgerade stehen und die Straßen offen liegen, so daß ein jeder den sehen kann, der darin geht. Und so erging es jetzt dem Jungen. Als er auf dem großen Karlskronaer Marktplatz stand, und die deutsche Kirche und das Rathaus und die große Kirche sah, von der er eben herabgestiegen war, da konnte er sich nicht enthalten, zu wünschen, daß er wieder oben auf dem Turm bei den Gänsen sein könne.
Zum Glück war es ganz leer auf dem Marktplatz. Da war kein Mensch, wenn man nicht eine Statue mitrechnen will, die auf einem erhöhten Sockel stand. Der Junge sah die Statue lange an, sie stellte einen großen, starkknochigen Mann dar mit dreieckigem Hut, langem Rock, Kniehosen und dicken Schuhen. Er grübelte nach, wer das wohl sein könne. Der Mann hatte einen langen Stock in der Hand und sah auch wohl aus, als ob er ihn gebrauchen könne, denn er hatte ein schrecklich strenges Gesicht mit einer großen, krummen Nase und einem häßlichen Mund.
»So eine Langlippe!« sagte der Junge. »Was will der Kerl hier?« Nie war er sich selbst so klein und elend vorgekommen wie an diesem Abend. Er suchte sich Mut zu machen, indem er ein flottes Wort sagte.

Dann dachte er nicht mehr an die Statue, sondern ging eine breite Straße hinab, die an die See führte.
Aber er war noch nicht weit gegangen, als er hörte, daß jemand hinter ihm drein kam. Es ging einer hinter ihm und stampfte mit schweren Schritten und stieß mit einem eisenbeschlagenen Stock hart auf das Pflaster. Es klang so, als sei es der große Bronzemann vom Marktplatz selber, der sich auf die Wanderschaft begeben hatte.
Der Junge lauschte den Schritten, während er die Straße hinabging, und er wurde immer mehr davon überzeugt, daß es der Bronzemann war. Die Erde bebte und die Häuser zitterten. Kein anderer als er konnte so schwer auftreten, und der Junge wurde bange und dachte daran, was er eben noch zu ihm gesagt hatte. Er wagte nicht, den Kopf umzudrehen, um zu sehen, ob er es wirklich sei.
»Vielleicht geht er nur zu seinem Vergnügen spazieren,« dachte der Junge. »Er kann doch unmöglich böse auf mich sein, weil ich das vorhin sagte. Ich habe ja nichts Böses damit gemeint.«
Statt geradeaus zu gehen und den Versuch zu machen, zur Werft hinabzugelangen, bog der Junge in eine Straße ein, die nach Osten führte. Vor allen Dingen mußte er dem entkommen, der ihm folgte.
Aber gleich darauf hörte er den Bronzemann in dieselbe Straße einbiegen, und der Junge wurde so bange, daß er sich nicht zu helfen wußte. Und wie schwer war es doch, ein Versteck in einer Stadt zu finden, wo alle Türen geschlossen waren! Da sah er zu seiner Rechten eine alte hölzerne Kirche, die ein wenig abseits von der Straße in einer großen Gartenanlage lag. Er besann sich keinen Augenblicks sondern stürzte auf die Kirche zu. »Gelange ich nur dahin, so bin ich gegen alles Böse beschützt,« dachte er.
Wie er so davonlief, gewahrte er plötzlich einen Mann, der mitten im Kiesgang stand und ihm zuwinkte. »Das ist gewiß einer, der mir helfen will,« dachte der Junge, freute sich sehr und eilte dahin. Er war wirklich so bange, daß ihm das Herz heftig in der Brust schlug.
Aber als er zu dem Manne hinkam, der auf einem Sockel hart an dem Kiesgang stand, wurde er ganz stutzig. »Der kann mir doch nicht gewinkt haben,« dachte er, denn er sah, daß der ganze Mann aus Holz war.
Er blieb stehen und starrte ihn an. Es war ein vierschrötiger, kurzbeiniger Mann mit einem breiten, rotscheckigen Gesicht, blankem, schwarzem Haar und einem schwarzen Vollbart.

Auf dem Kopf trug er einen schwarzen, hölzernen Hut, auf dem Leibe einen braunen, hölzernen Rock, um die Taille einen schwarzen, hölzernen Gürtel, an den Beinen weite, graue, hölzerne Kniehosen und hölzerne Strümpfe und an den Füßen schwarze, hölzerne Stiefel. Er war frisch gemalt und frisch lackiert, so daß er im Mondschein schimmerte und glitzerte, was vielleicht dazu beitrug, ihm einen gutmütigen Ausdruck zu verleihen, so daß der Junge sofort Vertrauen zu ihm faßte.

Er stand mit einer hölzernen Tafel in der linken Hand da, und auf der Tafel las der Junge:

So herzlich flehe ich dich an,
Wenn auch nur matt ist meine Stimm':
Leg' einen Schilling nieder hier,
Doch meinen Hut erst ab mir nimm!

Ach so, der Mann war also nichts weiter als eine Armenbüchse! Der Junge war enttäuscht. Er hatte sich etwas Merkwürdigeres hiervon versprochen. Und nun fiel ihm ein, daß der Großvater auch von einem hölzernen Mann erzählt und gesagt hatte, daß alle Kinder in Karlskrona ihn so liebten. Und das verhielt sich offenbar wirklich so, denn auch ihm wurde es schwer, sich von dem hölzernen Mann zu trennen. Er hatte etwas so Altmodisches an sich, daß man ihn gut mehrere hundert Jahre alt halten konnte, und doch sah er so stark und keck und lebensfroh aus, gerade so, wie man sich vorstellt, daß die Leute in alten Zeiten ausgesehen haben.

Es belustigte den Jungen so sehr, den hölzernen Mann anzusehen, daß er den andern, vor dem er geflohen war, ganz darüber vergaß. Aber jetzt hörte er ihn. Er bog von der Straße ab und gelangte auf den Kirchhof. Auch dort kam er hinter ihm drein. Was sollte der Junge doch nur anfangen?

Im selben Augenblick sah er, wie der hölzerne Mann sich zu ihm hinabbeugte und seine große, breite Hand ausstreckte. Es war unmöglich, ihm etwas Böses zuzutrauen, und mit einem Satz stand der Junge auf der flachen Hand. Und der hölzerne Mann hob ihn an seinen Hut und steckte ihn darunter.

Kaum war der Junge versteckt, und kaum hatte der hölzerne Mann seinen Arm wieder an Ort und Stelle, als der Bronzemann vor ihm stehen blieb und seinen Stock hart auf die Erde stieß, so daß der

hölzerne Mann auf seinem Sockel erbebte. Und dann sagte der Bronzemann mit starker, gellender Stimme: »Was für einer ist Er?«
Der Arm des hölzernen Mannes fuhr in die Höhe, so daß es in dem alten Holzwerk krachte, und er griff an die Hutkrempe, als er antwortete: »Rosenbom, mit Ew. Majestät Erlaubnis. Seinerzeit Oberbootsmann auf dem Linienschiff Kühnheit, nach beendetem Kriegsdienst Kirchendiener an der Admiralitätskirche, jetzt, zuletzt, in Holz geschnitzet und als Armenbüchse auf dem Kirchhof aufgestellet.«
Es durchzuckte den Jungen, als er den hölzernen Mann Ew. Majestät sagen hörte. Denn jetzt, als er nachdachte, wußte er sehr wohl, daß die Statue auf dem Marktplatz den Gründer der Stadt vorstellte. Es war kein Geringerer als Karl der Elfte in höchsteigener Person, mit dem er aneinandergeraten war.
»Er gibt klaren Bescheid,« sagte der Bronzemann, »Kann Er mir nun auch sagen, ob Er einen kleinen Knirps gesehen hat, der zu nächtlicher Zeit in der Stadt herumläuft? Es ist eine naseweise Canaille, und wenn ich seiner nur habhaft werden kann, will ich ihn schon Mores lehren.« Und dann stieß er noch einmal mit dem Stock auf die Erde und sah fürchterlich zornig aus.
»Ich habe ihn gesehen, mit Ew. Majestät Erlaubnis,« sagte der hölzerne Mann, und der Junge wurde so bange, daß er in seinem Versteck unter dem Hut zitterte. Er konnte den Bronzemann durch einen Riß im Holz sehen. Aber er beruhigte sich wieder, als der hölzerne Mann fortfuhr: »Ew. Majestät sind auf falscher Spur. Der Junge hatte offenbar die Absicht, nach der Werft zu laufen und sich dort zu verstecken.«
»Sagt Er das, Rosenbom? Aber dann darf Er nicht länger ruhig auf seinem Sockel stehen. Komme Er lieber mit und helfe Er mir, ihn suchen. Vier Augen sehen mehr als zwei, Rosenbom.«
Aber der hölzerne Mann antwortete mit kläglicher Stimme: »Ich bitte untertänigst, daß ich stehenbleiben darf, wo ich stehe. Ich bin frisch angemalt, und daher sehe ich neu und glänzend aus, aber ich bin alt und gebrechlich und kann es nicht vertragen, mich zu rühren.«
Der Bronzemann gehörte nicht zu den Leuten, die Widerspruch dulden. »Was sind das für Ausflüchte? Will Er nicht sofort mitkommen, Rosenbom!« Und er erhob seinen langen Stock und versetzte dem andern einen Schlag auf den Rücken, so daß es dröhnte. »Sieht Er wohl, daß Er noch hält, Rosenbom?«

Damit machten sie sich auf den Weg und schritten groß und mächtig die Straßen von Karlskrona dahin, bis sie an ein hohes Tor gelangten, das zur Werft führte. Draußen ging ein Matrose von der Flotte Wache, aber der Bronzemann schritt nur an ihm vorüber und stieß das Tor mit dem Fuß auf, ohne daß der Matrose es zu sehen schien.
Sobald sie auf die Werft gekommen waren, sahen sie einen großen und breiten Hafen vor sich, der mit Bollwerken abgeteilt war. In den verschiedenen Hafenbassins lagen Kriegsschiffe und sahen hier aus der Nähe viel größer und schreckeinflößender aus als vorhin, da der Junge sie von oben herab gesehen hatte. »Es war gar nicht so dumm, zu glauben, daß es Seegeister seien,« dachte er.
»Wo, meint Er, ist es am vernünftigsten, mit dem Suchen zu beginnen, Rosenbom?« fragte der Bronzemann.
»So ein kleiner Wicht könnte sich wohl am ersten in dem Modellsaal verstecken,« antwortete der hölzerne Mann.
Auf einem schmalen Streifen Land, der sich rechts vom Torweg an dem ganzen Hafen entlang erstreckte, lagen einige altmodische Gebäude. Der Bronzemann ging auf ein Haus mit niedrigen Mauern, kleinen Fenstern und einem hohen Dach zu. Er stieß mit seinem Stock gegen die Tür, so daß sie aufsprang und trampelte eine Treppe mit ausgetretenen Stufen hinauf. Dann kamen sie in einen großen Saal, der mit aufgetakelten und vollgerickten kleinen Schiffen angefüllt war. Der Junge begriff, ohne daß es ihm jemand sagte, daß dies Modelle von den für die schwedische Flotte erbauten Schiffen waren.
Da waren Schiffe von mancherlei Art. Da waren alte Linienschiffe, die Seiten mit Kanonen gespickt, mit hohen Überbauten vorne und achtern und mit Masten, die beschwert waren von einem Wirrwarr aus Segeln und Tauwerk. Da waren kleine Schärenfahrzeuge mit Ruderbänken längs der Schiffsseiten, da waren Kanonenboote ohne Deck und reichvergoldete Fregatten, die Modelle zu denjenigen, die von den Königen auf ihren Reisen benutzt waren. Endlich waren da auch die schweren, breiten Panzerschiffe mit Türmen und Kanonen an Deck, wie sie heutzutage gebraucht werden, und schmale, blanke Torpedoboote, die langen, dünnen Fischen glichen.
Als der Junge zwischen all diesem herumgetragen wurde, war er sehr verwundert.
»Nein, daß wir hier in Schweden so schöne, große Schiffe gebaut haben!« dachte er bei sich.

Er hatte gute Zeit, sich alles anzusehen, was da drinnen war, denn als der Bronzemann die Modelle sah, vergaß er alles andere. Er betrachtete sie alle, vom ersten bis zum letzten, und stellte Fragen darüber. Und Rosenbom, der Oberbootsmann auf der Kühnheit, erzählte alles, was er von den Baumeistern der Schiffe wußte und von denen, die sie geführt hatten, und was ihr Los gewesen war. Er erzählte von Chapman und von Puke und Trolle, von Hogland und Svendsksund bis hinab zu 1809, denn nach jener Zeit war er nicht mehr mit dabei gewesen.
Sowohl er als auch der Bronzemann fanden am meisten Gefallen an den schönen, alten hölzernen Schiffen. Auf die neuen Panzerschiffe verstanden sie sich offenbar nicht so recht.
»Ich merke, Rosenbom weiß nichts von diesen neuen Dingern,« sagte der Bronzemann. »Sehen wir uns deswegen lieber etwas anderes an, denn dies interessiert mich, Rosenbom!«
Es schien, als habe er den Jungen ganz vergessen, und der saß sicher und ruhig oben in dem hölzernen Hut.
Darauf wanderten die beiden Männer durch die großen Werkstättenräume: die Segelmacherwerkstatt und die Ankerschmiede, die Maschinen- und Tischlerwerkstätten. Sie besahen die Mastenkräne und die Docks, die großen Speicher, den Artilleriehof, das Zeughaus, die lange Reiferbahn und das große, verlassene Dock, das in die Klippe gesprengt war. Sie gingen auf die Bollwerke hinaus, wo die Kriegsschiffe vertäut lagen, gingen an Bord derselben und besahen sie wie zwei alte Seebären, staunten und tadelten, und bewunderten und ärgerten sich.
Der Junge saß ganz ruhig unter dem hölzernen Hut und hörte darüber reden, wie man an diesem Ort gekämpft und gearbeitet hatte, um alle die Flotten auszurüsten, die von hier ausgegangen waren. Er hörte, wie man Blut und Leben gewagt, wie man sein letztes Scherflein geopfert hatte, um Kriegsschiffe zu bauen, wie kluge Männer alle ihre Kräfte eingesetzt hatten, um diese Schiffe, die der Schutz des Vaterlandes waren, zu verbessern und zu vervollkommnen. Ein paarmal fehlte nicht viel, daß dem Jungen Tränen in die Augen traten, wenn er von alledem reden hörte. Und er freute sich, daß er so gut Bescheid darüber erhielt.
Zu allerletzt gingen sie in einen offenen Hof hinaus, wo die Gallionsfiguren von den alten Linienschiffen aufgestellt waren. Und etwas Merkwürdigeres hatte der Junge noch nie gesehen, denn diese Figuren hatten mächtige, schreckeinflößende Gesichter. Sie waren

groß, dreist und wild, erfüllt von demselben stolzen Geist, der die großen Schiffe ausgerüstet hatte. Sie stammten aus einer andern Zeit als der seinen. Er fühlte sich so klein ihnen gegenüber.
Aber als sie da hinauskamen, sagte der Bronzemann zu dem hölzernen Mann: »Nehm' Er jetzt den Hut ab, Rosenbom, vor denen, die hier stehen! Sie sind alle für das Vaterland im Kampf gewesen.«
Und Rosenbom hatte ebenso wie der Bronzemann vergessen, weshalb sie hierhergekommen waren. Ohne sich zu besinnen, nahm er den Hut ab und rief:
»Ich nehme meinen Hut ab vor dem, der den Hafen auserwählte und die Werft gründete und die Flotte neu erschuf, vor dem König, der dies alles ins Leben rief!«
»Danke, Rosenbom! Das war gut gesagt. Rosenbom ist ein Ehrenmann. Aber was ist denn das, Rosenbom?«
Denn da stand Niels Holgersen mitten auf Rosenboms kahlem Scheitel. Aber jetzt war er nicht mehr bange; er nahm seine weiße Mütze ab und rief:
»Hurra! Du sollst leben, Langlippe!«
Der Bronzemann stieß den Stock hart auf die Erde, aber der Junge erfuhr nie, was er zu tun beabsichtigt hatte, denn jetzt ging die Sonne auf, und im selben Augenblick verschwand sowohl der Bronzemann als auch der hölzerne Mann, als seien sie aus Nebel geschaffen. Während er noch dastand und ihnen nachstarrte, flogen die wilden Gänse vom Kirchturm auf und schwebten hin und her über der Stadt. Plötzlich erblickten sie Niels Holgersen, und der große weiße Gänserich schoß aus den Wolken herab und holte ihn.

X. Die Reise nach Öland

Sonntag, den 3. April.

Am nächsten Morgen flogen die wilden Gänse auf eine Schäreninsel hinaus, um zu weiden. Dort trafen sie mit einigen grauen Gänsen zusammen, die erstaunt waren, sie zu sehen, denn sie wußten sehr wohl, daß ihre Verwandten, die wilden Gänse, es vorziehen, über das Innere des Landes dahinzufliegen. Als sie schwiegen, sagte eine graue Gans, die so aussah, als wenn sie ebenso alt und ebenso klug sei wie

Akka selber: »Es war ein großes Unglück für euch, daß der Fuchs in seinem eigenen Lande für friedlos erklärt wurde. Er hält sicher Wort und verfolgt euch bis ganz nach Lappland hinauf. Wäre ich an eurer Stelle, würde ich nicht nordwärts über Smaaland reisen, sondern lieber den Seeweg über Öland nehmen, damit er die Spur ganz verliert. Um ihn so recht auf falsche Fährte zu bringen, solltet ihr ein paar Tage auf der Südspitze von Öland bleiben. Da ist Weide genug und Gesellschaft genug. Ich glaube, ihr werdet es nicht bereuen, wenn ihr dahinüber reist.«

Das war nun wirklich ein kluger Rat, und die wilden Gänse beschlossen, ihn zu befolgen. Sobald sie sich gehörig satt gefressen hatten, machten sie sich auf den Weg nach Öland. Keine von ihnen war jemals dort gewesen, aber die graue Gans hatte ihnen Anweisung auf gute Wegweiser gegeben. Sie sollten nur in gerader südlicher Richtung weiter fliegen, bis sie dem großen Vogelzug begegneten, der an der Küste von Bleking entlang flog. Alle Vögel, die ihre Wohnung an der Nordsee hatten und sich nun auf dem Wege nach Finnland und Rußland befanden, flogen den Weg, und sie pflegten sich alle im Vorüberfahren auf Öland niederzulassen, um auszuruhen. Den wilden Gänsen würde es nicht an Wegweisern fehlen.

An diesem Tage war es ganz warm und still wie an einem Sommertage, das beste Wetter für eine Seereise, das man sich denken konnte. Das einzige Bedenkliche war, daß es nicht ganz klar war, denn der Himmel war grau und bedeckt. Hier und da standen mächtige Wolkenmassen, die ganz bis zur Meeresfläche herabhingen und die Aussicht verdeckten.

Als die Reisenden über die Schären hinausgekommen waren, lag das Meer so glatt und spiegelklar ausgebreitet da, daß der Junge, der zufällig hinabsah, glaubte, das Wasser sei verschwunden. Es war keine Erde mehr unter ihm. Er hatte nichts als Wolken und Himmel um sich. Es schwindelte ihn, und er klammerte sich ängstlicher an den Gänserücken an, als da er zum erstenmal dort saß. Es war, als könne er unmöglich dort sitzen bleiben, als müsse er nach der einen oder der andern Seite herunterfallen.

Noch schlimmer wurde es, als sie die großen Vogelzüge trafen, von denen die graue Gans geredet hatte. Es kam wirklich eine Schar nach der andern ganz in derselben Richtung. Sie folgten gleichsam einem abgesteckten Weg. Da waren wilde Enten und graue Gänse,

Sammetenten und Lummen, Eisenten, Fischenten und Krickenten, Haubentaucher und Strandläufer. Als sich nun aber der Junge vornüberbeugte und nach der Richtung hinsah, wo das Meer liegen sollte, sah er den ganzen Vogelzug sich im Wasser widerspiegeln. Aber er war so umnebelt, daß er nicht begreifen konnte, wie das zuging; es schien ihm, als fliege die ganze Vogelschar mit dem Bauch nach oben. Er wunderte sich jedoch nicht so sehr hierüber, denn er wußte selber nicht, was oben und was unten war.
Die Vögel waren ermattet und ungeduldig, über das Wasser zu gelangen. Keiner von ihnen schrie oder sagte ein vergnügliches Wort, und das bewirkte, daß alles gleichsam so sonderbar unwirklich war.
»Wenn wir nun von der Erde weggeflogen sind!« sagte er zu sich selbst. »Wenn wir uns nun auf dem Wege nach dem Himmel hinauf befinden!«
Er sah nichts als Wolken und Vögel nach allen Seiten und allmählich fand er es ganz natürlich, daß sie nach dem Himmel hinaufflogen. Er freute sich und beschäftigte sich mit dem Gedanken, was er wohl da oben zu sehen bekommen würde. Der Schwindel war auf einmal wie weggeblasen. Er war so froh bei dem Gedanken, daß er zum Himmel hinauffuhr und der Erde entrann.
Im selben Augenblick hörte er ein paar Schüsse knallen und sah ein paar kleine, weiße Rauchsäulen aufsteigen.
Bewegung und Angst breitete sich unter den Vögeln aus: »Jäger! Jäger! Jäger in Booten!« riefen sie. »Fliegt hoch! Fliegt fort von ihnen!«
Da sah denn der Junge endlich, daß sie noch immer über der Meeresfläche flogen und keineswegs im Himmel waren. Auf dem Wasser lag eine lange Reihe kleiner Boote voll von Jägern, die einen Schuß nach dem andern abfeuerten. Die ersten Vogelscharen hatten sie nicht rechtzeitig bemerkt. Sie waren zu niedrig geflogen. Mehrere dunkle Vogelkörper sanken auf das Meer hinab, und für jeden, der fiel, stießen die Überlebenden laute Klagerufe aus.
Es war wunderlich für jemand, der eben noch geglaubt hatte, daß er im Himmel sei, zu einer solchen Not und Angst zu erwachen. Akka schoß in die Höhe, so schnell sie konnte, und dann flog die Schar mit der größtmöglichen Geschwindigkeit dahin. Die wilden Gänse entkamen auch unbeschädigt, aber der Junge konnte sich nicht von seiner Verwunderung erholen. Daß die Menschen es übers Herz bringen

konnten, auf Wesen wie Akka und Yksi und Katsi und den Gänserich und die andern zu schießen! Die Menschen wußten wirklich nicht, was sie taten!
Und dann zogen sie wieder weiter in der stillen Luft und alles war stumm wie zuvor, nur daß einige ermattete Vögel hin und wieder riefen: »Sind wir noch nicht bald da? Seid ihr auch sicher, daß wir den richtigen Kurs innehalten?« Hierauf antworteten diejenigen, die an der Spitze flogen: »Wir steuern gerade auf Öland zu, gerade auf Öland zu!«
Die Stockenten waren müde, und die Lummen flogen an ihnen vorüber. »Beeilt euch nicht zu sehr!« riefen dann die Enten. »Ihr freßt uns alles Essen weg.« – »Da ist genug für euch und für uns,« antworteten die Lummen. Ehe sie noch so weit gekommen waren, daß sie Öland sehen konnten, bekamen sie ganz schwachen widrigen Wind. Der führte etwas mit sich, das gewaltigen Massen weißen Rauches glich, ganz so, als wenn irgendwo eine große Feuersbrunst sei.
Als die Vögel die ersten weißen Rauchwirbel angetrieben kommen sahen, wurden sie ängstlich und mäßigten ihre Eile. Aber das, was Rauch glich, wurde dichter und schließlich hüllte es sie ganz ein. Es war kein Geruch zu spüren, und der Rauch war nicht dunkel und trocken, sondern weiß und feucht. Bald wurde es dem Jungen klar, daß es nichts weiter war als Nebel.
Als der Nebel so dicht wurde, daß man nicht eine Gänselänge vor sich sehen konnte, benahmen sich die Vögel wie wilde, ausgelassene Buben. Sie, die bisher in der schönsten Ordnung geflogen waren, fingen an, Haschen zu spielen. Sie flogen die Kreuz und die Quer, um sich irre zu leiten. »Hütet euch!« riefen sie. »Ihr fliegt ja nur im Kreise! So kehrt doch um! Glaubt nicht, daß ihr auf diese Weise nach Öland kommt!«
Sie wußten alle recht gut, wo die Insel lag, aber sie taten ihr Bestes, um einander irre zu leiten. »Seht doch die Eisenten!« ertönte es aus dem Nebel. »Die fliegen nach der Nordsee zurück.« – »Nehmt euch in acht, ihr grauen Gänse!« wurde von einer andern Seite gerufen. »Wenn ihr so weiter fliegt, kommt ihr ganz nach Rügen hin!«
Es herrschte, wie gesagt, keine Gefahr, daß die Vögel, die gewohnt waren, diesen Weg zu ziehen, sich anderwärts hinlocken lassen sollten. Schwer aber war es für die wilden Gänse. Die Spektakelmacher

merkten, daß sie des Weges nicht sicher waren, und taten alles, was sie konnten, um sie zu verwirren.
»Wo wollt ihr hin, ihr guten Leute?« rief ein Schwan. Er flog dicht an Akka heran und sah ernsthaft und teilnehmend aus.
»Wir wollen nach Öland, aber wir sind nie zuvor da gewesen,« sagte Akka. Sie meinte, er sei ein Vogel, dem sie trauen dürfe.
»Das ist schlimm!« sagte der Schwan. »Sie haben euch ja irre geleitet. Ihr seid auf dem Wege nach Bleking. Kommt jetzt mit mir, ich will euch den Weg zeigen.«
Und dann fuhr er mit ihnen von dannen, und als er sie so weit von der großen Heerstraße weggelockt hatte, daß sie keinen Ruf mehr hörten, verschwand er im Nebel.
Jetzt flogen sie eine Weile aufs Geratewohl umher. Kaum war es ihnen geglückt, wieder zu den Vögeln zurückzufinden, als eine wilde Ente auf sie zu kam. »Ihr tut am besten, wenn ihr euch auf das Wasser niederlegt, bis sich der Nebel verzogen hat,« sagte die Ente. »Man kann gleich merken, daß ihr nicht daran gewöhnt seid, euch auf Reisen zu behelfen!«
Fast wäre es den Spaßmachern gelungen, Akka ganz verwirrt zu machen. Soweit der Junge es beurteilen konnte, flogen die wilden Gänse eine lange Zeit im Kreise herum.
»Nehmt euch in acht! Seht ihr denn nicht, daß ihr auf und nieder fliegt?« rief eine Lumme, indem sie vorüberbrauste. Der Junge umfaßte unwillkürlich den Hals des Gänserichs fester. Davor war er schon lange bange gewesen.
Es ist unmöglich, zu sagen, wann sie Öland erreicht haben würden, wenn nicht in weiter Ferne ein dumpfer, dröhnender Schuß ertönt wäre. Da streckte Akka den Hals aus, schlug hart mit den Flügeln und setzte sich in volle Fahrt, Jetzt hatte sie etwas, wonach sie sich richten konnte. Die graue Gans hatte ihr nämlich gesagt, sie solle sich nicht auf der äußersten Südspitze von Öland niederlassen, denn dort stünde eine Kanone, mit der die Menschen auf den Nebel zu schießen pflegten. Jetzt kannte sie die Richtung, und jetzt sollte niemand in der Welt sie mehr irreführen.

XI. Die Südspitze von Öland

Den 3. bis 6. April.

Auf dem südlichen Teil von Öland liegt ein altes Krongut, das Ottenby heißt. Es ist ein ziemlich großes Gut, das sich quer über die Insel erstreckt, von einer Küste zur andern, und es zeichnet sich dadurch aus, daß es immer der Aufenthaltsort von großen Tierscharen gewesen ist. Im siebzehnten Jahrhundert, als die Könige nach Öland zogen, um zu jagen, war das ganze Besitztum nur ein einziger großer Tiergarten. Im achtzehnten Jahrhundert war hier ein Gestüt, in dem edle Rassepferde gezüchtet wurden, und eine Schäferei von mehreren Hundert Schafen. Heutzutage gibt es weder Vollblutpferde noch Schafe bei Ottenby. Statt dessen sind dort große Scharen von jungen Pferden, die in den schwedischen Kavallerieregimentern benutzt werden.

Es gibt wohl kein Gut im ganzen Lande, das ein besserer Aufenthaltsort für Tiere wäre. An der Ostküste entlang liegt die alte Schäferwiese, die über eine Viertelmeile lang ist, die größte Wiese auf ganz Öland, wo die Tiere grasen und sich so frei tummeln können wie in der Wildnis. Und da ist der berühmte Ottenbyer Hain mit den hundertjährigen Eichen, die Schatten gegen die Sonne spenden und Schutz gegen den scharfen Ostwind. Und dann darf man nicht die lange Ottenbyer Mauer vergessen, die von einer Küste zur andern geht und Ottenby von dem übrigen Teil der Insel trennt, so daß die Tiere wissen können, wie weit das alte Königsbesitztum sich erstreckt, und sich hüten, andern Boden zu betreten, wo sie nicht so geschützt sind.

Aber nicht nur an zahmen Tieren herrscht Überfluß auf Ottenby. Man sollte fast glauben, daß auch die wilden Tiere ein Gefühl davon hätten, daß auf einem alten Krongut sowohl wilde als zahme Tiere Frieden und gute Tage gewärtigen dürfen, und daß sie sich deswegen in so großen Scharen dahin wagen. Nicht nur findet man dort noch Hirsche von dem alten Stamm, und nicht nur lieben Hasen und graue Enten und Rebhühner es, dort zu leben, sondern im Frühling und im Herbst ist es auch ein Ruheplatz für viele Tausende von Zugvögeln. Namentlich lassen sich die Zugvögel gern auf dem sumpfigen Oststrand unterhalb der Schäferwiese nieder, um dort zu weiden und zu ruhen.

Als die wilden Gänse und Niels Holgersen endlich den Weg nach Öland gefunden hatten, flogen sie wie alle die andern auf den Strand unterhalb der Schäferwiese nieder. Der Nebel lag dicht über der Insel wie vorher über dem Meere. Und doch staunte der Junge über alle die Vögel, die er nur auf dem kleinen Stück des Strandes, das er übersehen konnte, entdeckte.

Es war ein flaches Sandufer mit Steinen und Wasserlachen und einer Menge angespültem Tang. Hätte der Junge wählen können, wäre es ihm wohl kaum eingefallen, sich dort niederzulassen, aber die Vögel hielten es offenbar für ein wahres Paradies. Enten und graue Gänse gingen dort auf der Wiese und weideten, näher dem Wasser liefen Schnepfen und andere Strandvögel. Die Lummen lagen im Wasser und fischten, aber am meisten Leben und Bewegung herrschte auf den langen Tangbänken draußen im Wasser. Dort standen die Vögel dicht nebeneinander und pickten Würmer auf; deren gab es hier offenbar eine zahllose Menge, denn es schien nicht, als ertöne jemals Klage über Mangel an Nahrung.

Die allermeisten Vögel wollten weiter und hatten sich nur niedergelassen, um auszuruhen, und sobald der Anführer einer Schar der Ansicht war, daß er und seine Kameraden sich hinreichend erquickt hatten, sagte er: »Seid ihr jetzt fertig, so daß wir weiterkommen können?«

»Nein, warte, warte! Wir sind lange noch nicht satt!« sagten seine Begleiter.

»Bildet ihr euch ein, daß ich euch so viel fressen lassen will, bis ihr euch nicht mehr rühren könnt?« sagte der Anführer, schlug mit den Flügeln und machte sich davon. Aber es geschah mehr als einmal, daß er umkehren mußte, weil er die andern nicht mitbekommen konnte.

Vor den äußersten Tangbrücken lag eine Schar von Schwänen. Die machten sich nichts daraus, an Land zu gehen, sondern ruhten sich aus, indem sie auf dem Wasser lagen und sich wiegten. Hin und wieder tauchten sie mit dem Halse unter und holten sich Nahrung vom Meeresgrunde herauf. Wenn sie etwas richtig Gutes ergattert hatten, stießen sie einen lauten Ruf aus, der fast wie ein Trompetenstoß klang.

Als der Junge hörte, daß am Meeressaum Schwäne lagen, eilte er auf die Tangbrücke hinaus. Er hatte nie zuvor wilde Schwäne aus einer solchen Nähe gesehen. Das Glück war ihm hold, so daß er ganz zu ihnen herankam.

Der Junge war nicht der einzige, der die Schwäne gehört hatte. Sowohl die wilden Gänse als auch die grauen Gänse und die Enten und die

Lummen schwammen zwischen die Bänke hinaus, legten sich rund im Kreis um die Schwäne und starrten sie an. Die Schwäne brausten mit den Federn, schlugen die Flügel auseinander wie Segel und streckten die Hälse hoch in die Luft empor. Hin und wieder schwamm einer von ihnen zu einer Gans oder einer Lumme oder einer Tauchente hin und sagte ein paar Worte. Und da war es, als fühle sich die Angeredete so beehrt, daß sie kaum wagte, den Schnabel zu einer Antwort zu öffnen. Aber dann war da eine kleine Lumme, so ein richtiger kleiner, boshafter Galgenstrick, der alle diese Feierlichkeit nicht aushalten konnte. Sie tauchte plötzlich unter und verschwand unter der Meeresfläche, nach einer Weile stieß einer der Schwäne einen Schrei aus und schwamm so schnell von dannen, daß das Wasser schäumte. Dann hielt er inne und begann wieder majestätisch auszusehen. Aber gleich darauf schrie ein anderer und gebärdete sich genau auf dieselbe Weise, und dann schrie noch ein dritter ebenso.
Jetzt konnte die kleine Lumme sich nicht länger unter Wasser halten; sie tauchte auf und lag nun da auf den Wellen, klein und schwarz und boshaft. Die Schwäne stürzten sich auf sie, als sie aber sahen, was für ein kleines, jammervolles Ding es war, kehrten sie plötzlich um, als hielten sie sich zu gut, mit so einer zu zanken. Aber die kleine Lumme tauchte wieder nieder und schnappte nach ihren Füßen. Das tat ihnen schrecklich weh, aber das schlimmste war, daß es ihrer Würde Abbruch tat. Plötzlich aber machten sie dem Spiel ein Ende. Sie begannen, die Luft mit den Flügeln zu peitschen, so daß ein Getöse entstand, fuhren eine weite Strecke über das Wasser hin, gleichsam springend, bekamen endlich Luft unter die Flügel und schwangen sich hoch empor.
Es wurde so sonderbar leer, als sie weg waren, und diejenigen, die sich am allermeisten über den Einfall der kleinen Lumme belustigt hatten, schalten sie jetzt wegen ihrer Unverschämtheit aus.
Der Junge ging nun wieder an Land. Dort stellte er sich hin und sah dem Spiel der Schnepfen zu. Sie glichen winzig kleinen Kranichen, hatten wie diese einen kleinen Körper, hohe Beine, einen langen Hals und leichte, schwebende Bewegungen, nur waren sie nicht grau, sondern braun. Sie standen in einer langen Reihe am Strande, gerade da, wo die Wellen heraufspülten. Sobald eine Welle gerollt kam, lief die ganze Reihe rückwärts. Sobald sie wieder hinausgesogen wurde, folgten sie ihr. Und das setzten sie stundenlang fort.

Die hübschesten von allen Vögeln waren aber doch die Brandenten. Sie waren gewiß mit den zahmen Enten verwandt, denn sie hatten wie diese einen schwerfälligen, breiten Körper, einen flachen Schnabel und Schwimmfüße, aber sie waren viel prachtvoller ausgestattet. Das Federkleid selbst war weiß, aber um den Hals hatten sie ein breites, gelbes Band und an den Flügeln einen Spiegel, der in Grün, Rot und Schwarz schimmerte, die Flügelspitzen waren schwarz, und der Kopf war schwarzgrün und metallschimmernd.
Sobald einige von ihnen sich am Strande blicken ließen, sagten die andern Vögel: »Nein, seht die doch an! Die verstehen es weiß Gott, sich zu putzen!« – »Wären sie nicht so ausstaffiert, brauchten sie sich wohl nicht in die Erde hineinzugraben, sondern könnten unter offenem Himmel wohnen, wie unsereins,« sagte eine braune Grasente. – »Sie können sich anstrengen, so viel sie wollen, mit der Nase, die sie haben, werden sie doch niemals Staat machen,« sagte eine graue Gans. Und das verhielt sich wirklich so. Die Brandenten hatten einen großen Buckel auf der Nase, der ihr ganzes Gesicht entstellte.
Am Uferrande entlang fuhren Möwen und Seeschwalben über dem Wasser hin und her und fischten. – »Was für Fische fangt ihr denn da?« fragte eine wilde Gans. – »Das sind Stichlinge. Das sind öländische Stichlinge. Das ist der beste Fisch in der ganzen Welt!« sagte eine Möwe. »Willst du einmal kosten?« Und sie flog auf die Gans zu, den ganzen Mund voll von den kleinen Fischen und wollte sie ihr geben. – »Pfui! Huh! Glaubst du, daß ich solch Jux essen mag?« sagte die wilde Gans.
Am nächsten Morgen war es noch immer ebenso nebelig. Die wilden Gänse gingen auf der Wiese und weideten, aber der Junge war an den Strand hinab gegangen, um Muscheln zu sammeln. Es waren genug davon da, und da ihm einfiel, daß er vielleicht morgen irgendwo hinkommen würde, wo er gar kein Essen bekommen konnte, beschloß er, sich einen kleinen Beutel zu machen, den er mit Muscheln füllen konnte. Am Ufer stand eine ganze Menge welken Röhrichts, das steif und zäh war, und nun machte er sich daran, einen Ranzen daraus zu flechten. Die Arbeit nahm mehrere Stunden in Anspruch, aber er war auch sehr zufrieden damit, als sie beendet war.
Um die Mittagszeit kamen alle wilden Gänse zu ihm gelaufen und fragten, ob er nichts von dem weißen Gänserich gesehen habe. »Nein, er ist nicht hier bei mir gewesen,« sagte der Junge. – »Er ist noch ganz

kürzlich mit uns zusammen gewesen,« sagte Akka, »aber jetzt wissen wir nicht, wo er geblieben ist.«
Der Junge erschrak heftig. Er fragte, ob sich ein Fuchs oder ein Adler habe blicken lassen, oder ob irgendein Mensch in der Nähe gewesen sei. Aber niemand hatte etwas Gefährliches bemerkt. Der Gänserich hatte sich nur im Nebel verirrt.
Aber für den Jungen war das Unglück gleichgroß, auf welche Weise er auch weggekommen sein mochte, und er machte sich sofort auf den Weg, um nach ihm zu suchen. Der Nebel beschützte ihn, so daß er laufen konnte, wohin er wollte, ohne gesehen zu werden, aber er hinderte ihn auch, selbst zu sehen. Er lief in südlicher Richtung an der Küste entlang, ganz hinab bis an den Leuchtturm und die Nebelkanone auf der Südspitze der Insel. Überall war ein Gewimmel von Vögeln, aber kein Gänserich. Er wagte sich ganz hinab bis zum Ottenbyer Schloß, und er durchsuchte jede einzelne von den alten, hohlen Eichen, fand aber keine Spur von dem Gänserich.
Er suchte, bis es anfing dunkel zu werden. Da mußte er sich an den östlichen Strand zurückbegeben. Er ging mit schweren Schritten und fühlte sich sehr bedrückt. Er begriff nicht, was aus ihm werden sollte, wenn er den Gänserich nicht fand. Niemand in der Welt konnte er schlechter entbehren als ihn.
Aber als er über die Schäferwiese wanderte, was war wohl das große Weiße, was ihm da entgegen kam? Niemand anderes als der Gänserich. Er war ganz unbeschädigt und sehr froh, sich zu den anderen zurückgefunden zu haben. Der Nebel habe ihn so wirr im Kopf gemacht, sagte er, daß er den ganzen Tag auf der großen Wiese rund herumgegangen sei. Der Junge schlang in seiner Freude beide Arme um den Hals des Gänserichs und bat ihn so herzlich, acht zu geben, und sich nicht von den andern zu entfernen. Er versprach denn auch ganz fest, daß er das nie wieder tun wolle. Nein, nie wieder!
Aber am nächsten Morgen, als der Junge an den Strand hinabging, um Muscheln zu suchen, kamen die Gänse gelaufen und fragten, ob er den Gänserich nicht gesehen habe.
Nein, er habe ihn nicht gesehen. Ja, jetzt sei der Gänserich wieder weg. Er habe sich wohl wieder im Nebel verlaufen, wie am Tage vorher.
Der Junge lief in großer Angst davon und begann zu suchen. Er fand eine Stelle, wo die Ottenbyer Mauer eingestürzt war, so daß er hinüberklettern konnte. Dann ging er unten an den Strand hinab, der

sich allmählich erweiterte und so groß wurde, daß da Platz für Felder und Wiesen und Bauernhöfe war. Auch auf das flache Hochland oben auf der Insel ging er, wo keine anderen Gebäude waren als Windmühlen, und wo der Graswuchs so dünne war, daß der weiße Kalkfelsen hindurchschien.

Aber den Gänserich fand er nicht, und als es anfing, dunkel zu werden, so daß er ohne Ergebnis an den Strand zurückkehren mußte, war er fest überzeugt, daß sein Reisekamerad verschwunden sei. Er war so mutlos, daß er nicht wußte, wozu er greifen solle.

Er war eben über die Mauer geklettert, als er dicht neben sich einen Stein herunterrasseln hörte. Als er sich umwandte, um zu sehen, was es sei, war es ihm, als könne er etwas sehen, das sich in einem Steinhaufen hart an der Mauer bewegte. Er schlich sich näher heran und sah, wie der Weiße Gänserich mit großer Mühe den Steinhaufen hinaufkletterte; er hatte den Schnabel voller Wurzelfasern. Der Gänserich sah den Jungen nicht, und dieser rief ihn nicht an; er fand, daß es das vernünftigste war, sich erst klar darüber zu werden, warum der Gänserich so einmal über das andere verschwand.

Bald entdeckte er auch den Grund. Oben im Steinhaufen lag eine junge graue Gans, die vor Freude schrie, als der Gänserich kam. Der Junge schlich noch näher heran, um zu hören, was sie sagten, und so erfuhr er denn, daß die graue Gans ihren einen Flügel beschädigt hatte, so daß sie nicht fliegen konnte, und daß ihre Gefährten ihr weggeflogen waren, so daß sie einsam und verlassen dalag. Sie war dem Verhungern nahe gewesen, als der weiße Gänserich am vorhergehenden Tage ihr Schreien gehört und sie aufgesucht hatte. Seitdem hatte er ihr beständig Futter gebracht. Sie hatten beide gehofft, daß sie gesund werden könne, bis er die Insel verlassen mußte, aber noch konnte sie weder gehen noch fliegen. Sie war sehr betrübt darüber, aber er tröstete sie, daß er fürs erste nicht abreisen würde. Schließlich sagte er ihr Gutenacht und versprach, am nächsten Tage wiederzukommen.

Der Junge ließ den Gänserich gehen, aber kaum war er fort, als er auf den Steinhaufen hinaufschlich. Er war erzürnt darüber, daß der Gänserich ihn hinters Licht geführt hatte, und nun wollte er der grauen Gans wissen lassen, daß der Gänserich ihm gehörte. Er sollte ihn nach Lappland hinauftragen, und es sei keine Rede davon, daß er um ihretwillen zurückbleiben könne. Aber als er die junge Gans näher ansah, verstand er, warum der Gänserich ihr zwei Tage Futter gebracht hatte, und warum er nicht hatte erzählen wollen, daß er ihr behilflich war. Sie hatte das feinste kleine Köpfchen, das man sich denken konnte, das Federkleid war wie die weichste Seide, und die Augen waren sanft und flehend.

Als sie den Jungen erblickte, wollte sie davonlaufen. Aber der linke Flügel war aus dem Gelenk und schleppte an der Erde hin, so daß er sie in allen ihren Bewegungen hinderte.

»Du brauchst nicht bange vor mir zu sein,« sagte der Junge und sah gar nicht so böse aus, wie es seine Absicht gewesen war. »Ich bin Däumling, der Reisekamerad des Gänserichs Martin.« Und dann blieb er stehen und wußte nicht, was er weiter sagen sollte.

Es kann zuweilen in dem Ausdruck von Tieren etwas sein, das einen zu der Frage veranlaßt, was für Wesen sind sie eigentlich. Man hat ein Gefühl, daß sie verwandelte Menschen sein könnten. So etwas war da an der kleinen grauen Gans. Sobald Däumling sagte, wer er sei, verneigte sie sich mit dem Halse auf das niedlichste und sagte mit einer so schönen Stimme, daß der Junge unmöglich glauben konnte, daß es eine Gans war, die sprach: »Ich freue mich sehr, daß du hergekommen bist, um mir zu helfen. Der weiße Gänserich hat mir erzählt, daß niemand in der Welt so klug und gut ist wie du.«

Sie sagte das mit einer solchen Anmut und Würde, daß der Junge ganz verlegen wurde. »Das kann nie und nimmer eine richtige Gans sein,« dachte er. »Das ist sicher eine verzauberte Prinzessin.«

Er bekam große Lust, ihr zu helfen und schob die eine Hand unter die Federn und befühlte den Flügelknochen. Der war nicht gebrochen, aber er mußte aus dem Gelenk geraten sein, denn sein Finger geriet in eine leere Gelenkhöhle. »Gib jetzt acht!« sagte er, umfaßte den Knochen fest und preßte ihn da hinein, wo er sitzen sollte. Er machte das außerordentlich schnell und geschickt, wenn man bedenkt, daß es das erstemal war, daß er sich damit abgab, Doktor zu sein, aber es mußte sehr weh getan haben, denn die arme kleine Gans stieß einen einzigen wilden Schrei aus und sank zwischen den Steinen nieder, ohne ein Lebenszeichen von sich zu geben.

Der Junge erschrak sehr. Er hatte ihr helfen wollen, und nun war sie tot. Er eilte schleunigst von dem Steinhaufen herunter und machte sich, so schnell er konnte, aus dem Staube. Er hatte ein Gefühl, als habe er einen Menschen getötet.

Am nächsten Morgen hatte sich der Nebel verzogen, und Akka sagte, daß sie jetzt ihre Reise fortsetzen wollten. Alle die andern waren gleich bereit, nur der weiße Gänserich erhob Einwendungen. Der Junge verstand sehr wohl, daß er seine Freundin, die graue Gans, nicht verlassen wollte. Aber Akka wollte nicht auf ihn hören, und die Schar begab sich von dannen.

Der Junge sprang auf den Rücken des Gänserichs, und dieser folgte der Schar, wenn auch langsam und unwillig. Der Junge dahingegen war froh, von der Insel fortzukommen. Er hatte Gewissensbisse wegen der grauen Gans und hatte nicht gewagt, dem Gänserich zu erzählen, wie es zugegangen war, als er sie hatte kurieren wollen. Es war am besten, daß der Gänserich Martin nie etwas davon erfuhr, dachte er. Trotzdem wunderte er sich, daß der Gänserich es übers Herz bringen konnte, von ihr fortzureisen.

Aber plötzlich machte er kehrt. Er konnte seine kleine Freundin nicht vergessen. Mit der Reise nach Lappland mußte es gehen, wie es wollte, er aber konnte nicht von dannen fliegen, wenn er wußte, daß sie krank und verlassen dalag und verhungern mußte.

Mit ein paar Flügelschlägen war er bei dem Steinhaufen. Aber da lag keine graue Gans zwischen den Steinen. »Daunenfein! Daunenfein! Wo bist du?« schrie der Gänserich.

»Der Fuchs hat sie wohl gefunden und aufgefressen,« dachte der Junge. Im selben Augenblick aber hörte er eine weiche Stimme antworten: »Ich bin hier, Martin! ich bin hier! Ich war nur hinunter, um ein Morgenbad zu nehmen!« Und aus dem Wasser heraus kam die schöne, kleine Gans frisch und gesund und erzählte, wie Däumling ihren Flügel wieder eingerenkt habe, und daß sie nun ganz gesund sei und bereit, die Reise mit anzutreten.

Die Wassertropfen lagen gleich Perlen auf ihren seidenweichen Federn und Däumling dachte abermals, daß sie doch sicher eine richtige Prinzessin sei.

XII. Die kleine Karlsinsel

Der Sturm.

Freitag, den 8. April.

Die wilden Gänse hatten auf der Nordspitze von Öland übernachtet und waren nun auf dem Wege nach dem Festland. Über den Sund von Kalmar blies ein ziemlich starker Ostwind, so daß sie nach Norden zu getrieben waren. Trotzdem arbeiteten sie sich mit guter Geschwindigkeit nach dem Land hinüber. Als sie sich aber den ersten Schären näherten, hörten sie ein mächtiges Dröhnen, als wenn eine Menge flügelstarker Vögel dahergebraust käme, und das Wasser unter ihnen wurde auf einmal ganz schwarz. Akka hemmte ihren Flügelschlag so plötzlich, daß sie fast in der Luft still stehen blieb. Dann schwebte sie nieder, um auf die Meeresfläche hinabzukommen. Aber ehe die Gänse noch das Wasser erreicht hatten, holte der Weststurm sie ein. Schon jagte er Staubwolken, Salzschaum und kleine Vögel vor sich her; jetzt riß er auch die wilden Gänse mit fort, kehrte sie um und um und trieb sie nach dem Meer hinaus.

Es wurde ein unheimlicher Sturm. Wieder und wieder versuchten die wilden Gänse umzukehren, aber sie hatten keine Kraft dazu, sie wurden nach der Ostsee hinaus getrieben. Der Sturm hatte sie schon über Öland hingejagt, und nun lag das große, leere Meer vor ihnen. Da war nichts Weiteres zu tun als vor dem Wind zu lenzen, so gut sie konnten.

Als Akka merkte, daß sie nicht imstande waren, umzukehren, hielt sie es für notwendig, sich von dem Sturm über die ganze Ostsee treiben zu lassen. Sie schwebte deswegen auf das Wasser hinab. Der Seegang war schon sehr heftig, und er nahm mit jedem Augenblick zu. Dunkelgrün, mit siedendem Schaum auf dem Kamm kamen die Wellen dahergerollt. Eine erhob sich noch höher als die andere, es war, als wetteiferten sie, wer am höchsten komme, wer am wildesten schäumen konnte. Aber vor dem Wellengang waren die wilden Gänse nicht bange. Der war ihnen im Gegenteil ein großes Vergnügen. Sie strengten sich nicht mit Schwimmen an, sondern ließen sich auf den Wellenrücken hinauf und in das Wellental hinabspülen und belustigten sich dabei so gut wie Kinder in einer Schaukel. Ihre einzige Furcht war, daß die Schar zersplittert werden könne. Die armen Landvögel, die

oben im Sturm vorbeitrieben, riefen neidisch: »Ja, ihr könnt wohl lachen, ihr könnt ja schwimmen!«
Aber deswegen waren die wilden Gänse wahrlich nicht aller Gefahr überhoben. Erstens machte dies Schaukeln sie so unwiderstehlich schläfrig. Jeden Augenblick überkam sie das Verlangen, den Kopf nach hinten zu legen und den Schnabel unter den Flügel zu stecken und zu schlafen. Es ist aber nichts so gefährlich, als unter solchen Umständen einzuschlafen, und Akka rief unaufhörlich: »Schlaft nicht ein, ihr wilden Gänse! Wer einschläft, wird von der Schar getrennt. Wer von der Schar getrennt wird, ist verloren!«
Trotz allen Bemühens zu widerstehen, schlief eine nach der andern ein, und selbst Mutter Akka war nicht weit davon entfernt, zu entschlummern, als sie plötzlich einen dunklen, runden Gegenstand sich aus dem Wasser emporheben sah. »Seehunde! Seehunde! Seehunde!« rief Mutter Akka mit starker und gellender Stimme und schwang sich mit klatschendem Flügelschlag in die Luft empor. Es war die höchste Zeit. Ehe die letzte wilde Gans dem Wasser entflohen war, hatten die Seehunde sich so weit genähert, daß sie nach ihren Füßen schnappten.
Dann waren die wilden Gänse wieder oben im Sturm, der sie vor sich her auf das Meer hinaustrieb. Er gönnte weder sich noch ihnen Ruhe. Und kein Land sahen sie, nur, nur Meer.
Sobald sie es wagen durften, ließen sie sich wieder auf das Wasser nieder. Aber als sie eine Weile auf den Wellen geschaukelt hatten, wurden sie wieder schläfrig. Und sobald sie einschliefen, kamen die Seehunde geschwommen. Wäre nicht die alte Akka so wachsam gewesen, so würde wohl kaum eine einzige von ihnen entkommen sein.
Der Sturm tobte den ganzen Tag, und er hauste entsetzlich zwischen den Scharen von Möwen und Zugvögeln, die um diese Zeit des Jahres auf der Wanderschaft begriffen sind. Einige wurden aus ihrem Kurs nach fernen Ländern verschlagen, wo sie verhungern mußten, andere waren schließlich so ermattet, daß sie ins Meer sanken und ertranken. Viele zerschellten an den Felswänden, und viele wurden ein Raub der Seehunde.
Den ganzen Tag währte der Sturm, und schließlich befiel Akka ein Zweifel, ob sie und ihre Schar wohl lebendig davonkommen würden. Sie waren todmüde, und nirgends erblickte sie einen Fleck, wo sie ruhen konnten. Gegen Abend wagte sie nicht mehr, sich auf dem Meer

niederzulegen, weil dies jetzt auf einmal mit Eisschollen angefüllt war, die gegeneinander anprallten, und sie fürchtete, daß sie zwischen ihnen erdrückt werden könnten. Ein paarmal versuchten die wilden Gänse, sich auf die Eisschollen zu stellen. Aber einmal fegte der wilde Sturm sie in das Wasser hinein. Ein anderes Mal kamen die unbarmherzigen Seehunde auf das Eis gekrochen.

Bei Sonnenuntergang waren die Gänse noch einmal oben in der Luft. Sie flogen vorwärts, ängstlich vor der Nacht. Es war ihnen, als komme die Dunkelheit an diesem Abend, der so voller Gefahren war, allzu schnell über sie.

Es war entsetzlich, daß sie noch kein Land sahen. Wie sollte es ihnen ergehen, wenn sie gezwungen waren, die ganze Nacht draußen auf dem Meer zu verbringen. Entweder würden sie von den Eisschollen zermalmt, oder von den Seehunden gefressen, oder vom Sturm zerstreut werden.

Der Himmel war von Wolken verhüllt, der Mond versteckte sich dahinter, und die Dunkelheit brach früh herein. Als sie eintrat, war die ganze Natur von einem Grauen und einer Unheimlichkeit erfüllt, die selbst die mutigsten Herzen erbeben machten. Den ganzen Tag hatte man Schreie von Zugvögeln in Not über das Meer hinschallen hören, aber jetzt, wo man nicht mehr sehen konnte, woher die Schreie kamen, klangen sie unheimlich und furchteinflößend. Unten auf dem Meer stießen die Eisschollen mit mächtigem Krachen zusammen. Die Seehunde stimmten ihre wilden Jagdgesänge an. Es war, als sollten Himmel und Erde zusammenstürzen.

Die Schafe.

Der Junge hatte eine Weile dagesessen und in das Meer hinabgesehen. Plötzlich war es ihm, als werde das Brausen stärker als bisher. Er sah auf. Gerade vor ihm, nur drei oder vier Ellen entfernt, ragte eine kahle und rauhe Bergwand auf. An ihrem Fuß zerschellten die Wellen zu dem wildesten Schaumgischt. Die wilden Gänse flogen gerade auf die Klippe zu und der Junge konnte es sich nicht anders denken, als daß sie dagegen zerschmettert werden müßten.

Aber als er sich eben noch verwunderte, daß Akka diese Gefahr nicht beizeiten gesehen hatte, erreichten sie den Berg. Da entdeckte er auch gerade vor ihnen die halbrunde Öffnung zu einer Grotte. Dort hinein steuerten die Gänse, und im nächsten Augenblick befanden sie sich in Sicherheit.

Das erste, woran die Reisenden dachten, ehe sie sich Zeit ließen, sich ihrer Rettung zu freuen, war, daß sie nachsahen, ob auch alle ihre Kameraden in Sicherheit waren. Da waren Akka, Yksi, Kolme, Neljä, Biisi, Kuusi und alle sechs Gössel, der Gänserich, Daunenfein und Däumling, aber Kaksi aus Nuolja, die erste Gans auf dem linken Flügel, war verschwunden, und niemand wußte etwas über ihr Schicksal.

Als die Wildgänse entdeckten, daß keine andere als Kaksi von der Schar getrennt war, beruhigten sie sich. Kaksi war alt und klug. Sie kannte alle ihre Wege und Gewohnheiten, und sie würde schon zu ihnen zurückfinden.

Dann begannen die wilden Gänse, sich in der Höhle umzusehen. Es kam noch so viel Licht in die Öffnung hinein, daß sie sehen konnten, wie tief und breit die Grotte war. Sie freuten sich, ein so prächtiges Nachtquartier gefunden zu haben, als eine von ihnen plötzlich ein paar schimmernde, grüne Punkte entdeckte, die ihnen aus einem dunklen Winkel entgegenleuchteten. »Das sind Augen!« rief Akka; »hier drinnen sind große Tiere!« Sie stürzten auf den Ausgang zu, aber Däumling, der in der Dunkelheit besser sah als die wilden Gänse, rief ihnen zu: »Da ist kein Grund, bange zu sein. Es sind nur einige Schafe, die dort an der Wand der Grotte entlang liegen.«

Als sich die wilden Gänse an das Halbdunkel der Grotte gewöhnt hatten, konnten auch sie die Schafe deutlich erkennen. Die ausgewachsenen Schafe mochten ihnen wohl an Zahl gleich sein, aber außerdem waren noch einige kleine Lämmer da. Ein großer Widder mit langen, gewundenen Hörnern schien der vornehmste in der Schar zu sein. Die wilden Gänse traten vor ihn hin und verneigten sich tief. »Willkommen in der Wildnis!« grüßten sie, der Widder aber lag still und sagte kein Wort zur Bewillkommnung.

Die wilden Gänse glaubten nun, daß die Schafe ungehalten darüber seien, daß sie in ihre Grotte eingekehrt waren. »Es ist vielleicht nicht ganz angebracht, daß wir hier in der Grotte Unterkunft genommen haben?« fragte Akka. »Aber wir können nichts dazu tun, der Wind ist schuld daran. Der Sturm hat uns den ganzen Tag herumgepeitscht, und wir würden sehr dankbar sein, wenn wir die Nacht hierbleiben dürften.« Es währte sehr lange, bis eins der Schafe ein Wort erwiderte, aber man konnte deutlich hören, daß einige von ihnen tief seufzten. Akka wußte sehr wohl, daß Schafe immer sonderbare, scheue Tiere sind, aber es schien wirklich, als wenn diese nicht den geringsten Begriff von einem gebildeten Benehmen hätten. Endlich antwortete ein altes Mutterschaf mit langem und betrübtem Gesicht in klagendem Ton: Von uns wird euch niemand verbieten, hier zu bleiben, aber das Haus, in das ihr hineingekommen seid, ist ein Haus der Trauer, und wir können Gäste nicht wie in alten Zeiten empfangen.« – »Deswegen sollt ihr euch nicht grämen,« erwiderte Akka. »Wüßtet ihr, was wir im Laufe des Tages haben durchmachen müssen, so würdet ihr verstehen, daß wir zufrieden sind, wenn wir nur einen sicheren Fleck haben, wo wir schlafen können.«

Als Akka das gesagt hatte, erhob sich das alte Schaf. »Ich glaube, es würde besser für euch sein, in dem ärgsten Sturm zu fliegen, als hier zu bleiben. Aber jetzt sollt ihr doch nicht von hier fortgehen, ehe wir euch die Bewirtung geboten haben, die das Haus zu geben vermag.«

Dann führte sie sie an ein Loch in der Erde, das voll Wasser war. Daneben lag ein Haufen Streu und altes Stroh, und damit bat sie sie, fürlieb zu nehmen. »Wir haben in diesem Jahr einen strengen Schneewinter hier auf der Insel gehabt,« sagte sie. »Die Bauern, denen wir gehören, kamen mit Heu und Stroh hier hinaus zu uns, damit wir nicht tothungern sollten. Und das ist alles, was wir noch übrig haben.«

Die Gänse stürzten sich sofort über das Fressen. Sie fanden, daß sie großes Glück gehabt hatten und gerieten in beste Laune. Sie bemerkten wohl, daß die Schafe bedrückt waren, aber sie wußten ja, daß Schafe gar leicht bange werden, und sie glaubten nicht, daß irgendwelche Gefahr vorliege. Sobald sie gegessen hatten, wollten sie sich wie gewöhnlich zum Schlafen hinsetzen. Aber da erhob sich der große Widder und kam zu ihnen hin. Die Gänse meinten, sie hätten nie im Leben einen Widder mit so langen und dicken Hörnern gesehen. Auch in anderer Beziehung war er merkwürdig. Er hatte eine große, knorrige Stirn, kluge Augen und hielt sich so aufrecht, als sei er ein stolzes und mutiges Tier.

»Ich kann es nicht verantworten, euch hier schlafen zu lassen, ohne euch zu erzählen, wie unsicher es hier ist,« sagte er. »Wir können in jetziger Zeit keine Nachtgäste aufnehmen.« Erst jetzt wurde es Akka klar, daß es Ernst war. »Wir werden schon wieder abreisen, wenn ihr es so bestimmt wünschet,« sagte sie. »Wollt ihr uns nicht aber erst erzählen, was euch quält? Wir wissen nichts, und wir wissen nicht einmal, wie dieser Ort heißt.« – »Er heißt die kleine Karlsinsel,« entgegnete der Widder. »Die Insel liegt in der Nähe von Gulland, und hier wohnen nur Schafe und Wasservögel.« – »Ihr seid vielleicht wilde Schafe?« fragte Akka. – »Davon sind wir gar nicht weit entfernt,« erwiderte der Widder. »Wir haben nicht viel mit Menschen zu schaffen. Es ist eine alte Übereinkunft zwischen uns und den Bauern auf einem Gehöft drüben auf Gulland, daß sie uns mit Futter versorgen sollen, wenn ein Schneewinter eintritt, und dafür haben sie die Erlaubnis, diejenigen von uns zu nehmen, die überzählig sind. Die Insel ist klein, so daß sie nicht viele Schafe ernähren kann. Im übrigen aber sorgen wir das ganze Jahr allein für uns, und wir wohnen nicht in Häusern mit Türen und Schlössern, sondern wir haben unsern Unterschlupf in Grotten wie diese hier.«

»Bleibt ihr auch im Winter hier draußen?« fragte Akka erstaunt. – »Freilich tun wir das,« antwortete der Widder. »Wir haben das ganze Jahr hindurch gute Weide hier oben auf dem Berge.« – »Ich sollte meinen, ihr habt es besser als andere Schafe,« sagte Akka. »Aber was für ein Unglück ist denn nur über euch gekommen?« – »In diesem Winter herrschte eine schreckliche Kälte. Das Meer fror zu, und da kamen drei Füchse hierher über das Eis gewandert, und die sind seither hier geblieben. Sonst gibt es auf der ganzen Insel kein lebensgefährliches Tier.« – »Ach, macht sich denn der Fuchs auch an so jemand wie ihr heran?« – »Nein, nicht am Tage, da kann ich mich und die Meinen schon verteidigen,« sagte der Widder und schüttelte die Hörner. »Aber sie schleichen sich des Nachts, wenn wir drinnen in der Grotte schlafen, an uns heran. Wir tun, was wir können, um uns wach zu halten, aber hin und wieder muß man ja schlafen, und dann überfallen sie uns. Sie haben schon die sämtlichen Schafe in den anderen Grotten getötet, und da waren Herden, die ebenso groß waren wie die meine.«

»Es ist nicht angenehm zu erzählen, wie hilflos wir sind,« sagte das alte Mutterschaf. »Wir sind nicht besser gestellt, als wenn wir zahme Schafe wären.« – »Glaubt ihr, daß die Füchse auch über Nacht kommen werden?« fragte Akka. – »Es ist wohl anzunehmen,« erwiderte das alte Schaf. »Vorige Nacht waren sie hier und stahlen uns ein Lamm. Sie kommen sicher wieder, so lange noch eins von uns am Leben ist. Das haben sie in den andern Grotten getan.« – »Aber wenn es so weiter geht, werdet ihr ja ganz vernichtet,« sagte Akka. – »Ja, es währt wohl nicht mehr lange, bis es mit allen Schafen auf der kleinen Karlsinsel vorbei ist,« sagte das Schaf.

Akka ging sehr mit sich zu Rat. Es war nicht erfreulich, wieder in den Sturm hinaus zu müssen, aber es war auch nicht gut, in einem Haus zu bleiben, wo solche Gäste zu erwarten waren. Als sie eine Weile über die Sache nachgedacht hatte, wandte sie sich an Däumling. »Ob du, der du uns schon so oft geholfen hast, uns nicht auch jetzt helfen willst?« fragte sie. Ja, das wollte der Junge gern. »Es tut mir ja sehr leid für dich, daß du nicht schlafen kannst,« sagte die wilde Gans. »Glaubst du aber nicht, daß du dich wach halten könntest, bis der Fuchs kommt, um uns dann zu wecken, so daß wir fortfliegen können?« Der Knabe war ja nicht sonderlich erfreut über diesen Vorschlag, aber alles war noch besser als wieder in den Sturm hinaus zu müssen, so versprach er denn, sich wach zu halten.

Als er eine Weile dort gesessen hatte, war es, als flaue der Sturm ab. Der Himmel wurde klar, und der Mondschein spielte auf den Wellen. Der Junge ging dicht an die Öffnung, um hinauszusehen. Die Grotte lag hoch oben auf dem Berge. Ein schmaler, steiler Pfad führte da hinauf, auf dem würde er die Füchse wohl erwarten können.

Lange sah er nichts weiter als das Meer und die Klippen, die Kobolden und Wassermännern glichen, so daß man bange vor ihnen werden mußte. Aber plötzlich hörte er eine Kralle gegen einen Stein kratzen, und da vergaß er die Furcht vor den Kobolden. Es fiel ihm ein, daß es unrecht sei, die Gänse zu wecken und die Schafe ihrem Schicksal zu überlassen; ob er nicht etwas Besseres ersinnen konnte?

Schnell lief er in die Grotte hinein, packte den Widder bei den Hörnern und rüttelte ihn wach, und dann setzte er sich auf seinen Rücken. »Steht auf, Vater!« sagte der Junge, »dann wollen wir versuchen, ob wir den Füchsen nicht einen kleinen Schrecken einjagen können.«

Er hatte sich Mühe gegeben, so still wie möglich zu sein, aber die Füchse mußten doch etwas gehört haben. Als sie an den Eingang der Grotte kamen, blieben sie stehen und besannen sich. »Da hat sich ganz gewiß einer von ihnen da drinnen gerührt,« sagte der eine. »Ob sie wach sein sollten?« – »Ach, geh du nur hinein!« sagte der andere; »sie können uns ja doch nichts tun.«

Als sie weiter in die Grotte hineingekommen waren, blieben sie stehen und schnüffelten. »Wen sollen wir heute abend nehmen?« flüsterte der

Fuchs, der voranging. – »Heut abend wollen wir den großen Widder nehmen,« sagte der hinterste, »dann haben wir leichtes Spiel mit den anderen.«

Der Junge saß auf dem Rücken des alten Widders und sah sie heranschleichen. »Stoß jetzt nur zu, geradeaus!« flüsterte der Junge. Der Widder stieß zu, und der vorderste von den Füchsen bekam einen Stoß, daß er einen Purzelbaum hintenüber schlug und auf den Ausgang zu rollte. »Stoß jetzt nach links zu!« sagte der Junge und drehte den Kopf des Widders in der Richtung herum. Der Widder stieß aus Leibeskräften und traf den zweiten Fuchs in die Seite. Der rollte mehrmals rund herum, ehe er wieder auf die Beine kam und entfliehen konnte. Der Junge wünschte nur, daß auch der dritte Fuchs einen Stoß bekommen hätte, aber der hatte sich schon aus dem Staube gemacht.

»Jetzt, denke ich, haben sie genug für über Nacht bekommen,« sagte der Junge. – »Das denke ich auch,« sagte der große Widder. »Leg dich jetzt auf meinen Rücken und krieche in die Wolle hinein! Du hast es wohl verdient, gut und warm zu liegen nach all dem Sturm, in dem du draußen warst.«

Das Höllenloch.

Sonnabend, den 9. April.

Am nächsten Tage ging der alte Widder mit dem Jungen auf dem Rücken umher und zeigte ihm die Insel. Sie bestand aus einem einzigen mächtigen Klippenblock. Sie war wie ein schwarzes Haus mit lotrechten Wänden und flachem Dach. Der Widder ging erst auf das flache Dach hinauf und zeigte dem Jungen die guten Grasweiden dort, und der Junge mußte einräumen, daß die Insel wie für Schafe geschaffen war. Dort oben wuchs nicht viel weiter als Schafschwingel und solche kleine, trockene, würzige Kräuter, wie sie die Schafe lieben. Aber da war wahrlich anderes zu sehen als Schaffutter für den, der ein klein wenig höher hinauf gekommen war. Da sah man erstens das ganze Meer, das jetzt blau und sonnenbeschienen dalag und in blanken Dünungen rollte; nur hier und da an einer Klippenspitze spritzte der Schaum in die Luft hinauf. Gerade gegenüber lag Gulland mit seiner langen und geraden Küste, und im Südwesten lag die große Karlsinsel, die ganz so gebaut war wie die kleine Karlsinsel. Als der Widder hart an den Rand des Klippendaches ging, so daß der Junge an den

Felswänden herabsehen konnte, entdeckte er, daß sie ganz voll von Vogelnestern waren, und in dem blauen Meer unter ihm lagen Krickenten und Sammetenten und Eidervögel und Lummen und Alken still und friedlich und belustigten sich damit, Heringe zu fischen.
»Das ist doch ein herrliches Land hier,« sagte der Junge. »Ihr wohnt wirklich hübsch, ihr Schafe.« – »Ja, schön ist es hier,« sagte der alte Widder. Es war, als hätte er noch mehr sagen wollen, aber er seufzte nur. »Wenn du hier aber alleine gehst, mußt du dich vor allen den Spalten in acht nehmen, die durch den Berg gehen,« fügte er nach einer Weile hinzu. Die Warnung kam gerade zur rechten Zeit, denn da waren an mehreren Stellen tiefe und breite Spalte. Der größte davon hieß das Höllenloch. Es war viele Klafter tief und fast einen Klafter breit. »Fällt man da hinab, so ist es gleich mit einem aus,« sagte der Widder. Dem Jungen wollte es scheinen, als bezwecke er etwas mit den Worten.
Dann führte er den Jungen an den Strand hinab. Nun bekam er die Kobolde, vor denen er in der Nacht so bange gewesen war, aus nächster Nähe zu sehen; sie waren nichts weiter als große Klippenblöcke. Der Junge konnte sich nicht satt daran sehen; er dachte, wenn es jemals Kobolde gegeben hatte, die in Stein verwandelt worden waren, so müßten sie so ausgesehen haben.
Aber da unten am Strande war noch etwas anderes, was noch unheimlicher war. Überall lagen dort tote Schafe. Es schien so, als wenn die Füchse hier ihre Mahlzeit abgehalten hätten. Er sah Skelette, die ganz abgeschält waren, aber auch Schafleiber, die nur halb verzehrt waren und andere, von denen sie kaum gekostet, und die sie dann hatten liegen lassen. Es war geradezu herzzerreißend, zu sehen, wie sich die Raubtiere nur der Belustigung halber, nur um zu jagen und zu zerreißen, über die Lämmer gestürzt hatten.
Der Widder ging still an toten Schafen vorüber, der Junge aber konnte nicht umhin, all das Traurige zu sehen.
Jetzt klomm der Widder wieder die Felsenhöhe hinan, als er aber ganz hinaufgekommen war, blieb er stehen und sagte: »Wenn jemand, der klug und tapfer ist, all das Elend sehen könnte, das hier herrscht, würde er sicher keine Ruhe finden, bis die Füchse ihre verdiente Strafe erhalten hatten.« – »Die Füchse müssen wohl auch leben,« sagte der Junge. – »Ja,« erwiderte der Widder, »alle, die nicht mehr Tiere töten, als sie zu ihrem Unterhalt gebrauchen, dürften am Leben bleiben. Aber solche Missetäter!« – »Könnten die Bauern, denen die Insel gehört,

denn nicht herüberkommen und euch helfen?« fragte der Junge. – »Sie sind mehrmals hier gewesen,« antwortete der Widder, »aber die Füchse verstecken sich in Höhlen und Spalten, so daß sie nicht dazu kommen können, sie zu erschießen.« – »Du denkst doch wohl nicht, daß so ein armer kleiner Wicht wie ich, den Tieren den Garaus machen kann, mit denen weder ihr noch die Bauern fertig werden könnt?« – »Ein kleiner und verwegener Kerl ist besser als ein großer und träger,« sagte der alte Widder.

Dann sprachen sie nicht mehr über die Sache, aber der Junge lief hin und setzte sich zu den wilden Gänsen, die dort weideten. Obwohl er es den Widder nicht sehen lassen wollte, war er doch sehr betrübt um der armen Schafe willen und wünschte von Herzen, daß er ihnen helfen könne. »Ich will mit Akka und dem Gänserich Martin darüber reden,« dachte er, »vielleicht können die einen guten Rat ersinnen.«

Nach einer Weile nahm der weiße Gänserich den Jungen auf den Rücken und ging über die Ebene auf das Höllenloch zu.

Er ging ganz sorglos über die offene Hochebene dahin, und es schien gar nicht, als denke er daran, wie weit und wie groß sie war. Er versteckte sich nicht hinter Erdhügeln oder Steinen, sondern ging geradeaus. Es war merkwürdig, daß er nicht vorsichtiger war. denn offenbar war er doch in dem Sturm am Tage zuvor zu Schaden gekommen; er hinkte auf dem rechten Bein und schleppte den linken Flügel hinter sich her, als sei er geknickt.

Er ging, als herrsche Friede und keine Gefahr, biß hier einen Grashalm ab und dort einen andern, und sah weder nach rechts noch nach links. Der Junge lag bequem hingegossen auf seinem Rücken und sah in den blauen Himmel hinauf. Er war nun so daran gewöhnt, zu reiten, daß er auf dem Gänserücken sowohl stehen als auch liegen konnte.

Da der Junge und der Gänserich beide so unbekümmert waren, merkten sie gar nicht, daß die drei Füchse aus dem Felsenspalt hervorgekommen waren.

Und die Füchse, die wußten, daß es fast unmöglich war, einer Gans auf offenem Felde zu Leibe zu kommen, dachten im Anfang gar nicht daran, hinter dem Gänserich drein zu jagen. Da sie aber nichts weiter zu tun hatten, versteckten sie sich doch schließlich bald in den einen, bald in den anderen Felsenspalt, um dem Gänserich aufzulauern, der sie offenbar gar nicht bemerkt hatte.

Als der Gänserich ziemlich nahe an den Spalt herangekommen war, in dem sie saßen, machte er einen Versuch, sich in die Luft emporzuschwingen. Er schlug mit den Flügeln, aber er konnte nicht in die Höhe gelangen. Nun konnten die Füchse sehen, daß er nicht imstande war, zu fliegen und deswegen schlichen sie jetzt mit noch größerem Eifer an ihn heran. Sie hielten sich nicht länger in den Felsspalten versteckt, sondern kamen auf die offene Hochebene hinaus. Sie verbargen sich, so gut sie konnten, hinter Erderhöhungen und Steinen und kamen dem Gänserich immer näher, ohne daß der jedoch zu bemerken schien, daß jemand hinter ihm drein war. Schließlich waren die Füchse so nahe gekommen, daß sie den Sprung wagen konnten. Sie warfen sich alle auf einmal mit einem mächtigen Satz über den Gänserich.

Im letzten Augenblick mußte der jedoch bemerkt haben, daß da irgend etwas vor sich ging, denn er sprang zur Seite, so daß die Füchse ihren Sprung verfehlten. Dem Gänserich half das nun freilich nicht viel, denn er hatte ja nur einen kleinen Vorsprung vor ihnen, und außerdem hinkte er ja auch. Der Ärmste stürzte davon, so gut er konnte. Und Gänse können ja schrecklich schnell laufen, so daß es sogar einem Fuchs schwer werden kann, sie einzuholen.

Der Junge ritt rücklings auf dem Gänserücken und schrie den Füchsen zu: »Ihr habt euch viel zu dick am Hammelfleisch gefressen! Ihr könnt nicht einmal eine Gans mehr einholen!« Er neckte sie, so daß sie ganz rasend vor Wut wurden und an nichts weiter dachten, als ihm nachzustürzen.

Der weiße Gänserich lief gerade auf die große Schlucht zu. Als er dahin gelangt war, machte er einen Schlag mit den Flügeln, so daß er auf die andere Seite hinübergelangte. Da waren ihm die Füchse dicht auf den Fersen.

Der Gänserich rannte in unverminderter Hast weiter, auch nachdem er auf der anderen Seite der Höllenschlucht angelangt war. Als er aber ungefähr zehn Ellen gelaufen war, klopfte der Junge ihn auf den Hals und sagte: »Jetzt kannst du gern stehen bleiben, Martin.«

Im selben Augenblick hörten sie hinter sich ein wildes Geheul, ein heftiges Kratzen von Krallen und einige schwere, aufklatschende Laute. Von den Füchsen aber sahen sie nichts.

Am nächsten Morgen fand der Leuchtturmwärter auf der großen Karlsinsel ein Stück Baumrinde, das unter die Tür geschoben und

worauf mit schiefen, unbeholfenen Buchstaben gekratzt war: »Die Füchse auf der kleinen Karlsinsel sind in das Teufelsloch gefallen. Sieh dich nach ihnen um!«
Und das tat der Leuchtturmwärter.

XIII. Zwei Städte

Auf Meeresgrund.

Sonnabend, den 9. April.

Es wurde eine stille, klare Nacht. Die wilden Gänse machten sich nichts daraus, Unterschlupf in einer der Grotten zu suchen, sie standen und schliefen oben auf der Klippenfläche, und der Junge hatte sich in das kurze, trockene Gras neben die Gänse gelegt.
Es war heller Mondschein in jener Nacht, so hell, daß es dem Jungen schwer wurde, einzuschlafen. Er lag da und dachte darüber nach, wie lange er von Hause fort gewesen war, und er rechnete aus, daß drei Wochen verflossen waren, seit die Reise begann. Gleichzeitig fiel ihm ein, daß heute der Abend vor Ostern war.
»Über Nacht kommen also die Hexen von Blaakulla heim,« dachte er und lachte im stillen. Denn vor Kobolden und Nixen war er ein wenig bange, aber an Hexen und Zauberer glaubte er gar nicht.
Wären an jenem Abend Hexen in der Luft gewesen, hätte er sie sicher sehen müssen. Der Himmel war so hell und klar, daß auch nicht der kleinste schwarze Punkt sich in der Luft bewegen konnte, ohne daß er ihn entdeckte.
Während er so dalag, die Nase in die Luft, und über das alles nachdachte, gewahrte er etwas Hübsches. Die Mondscheibe stand ganz und rund hoch oben, und davor kam ein großer Vogel geflogen. Er flog nicht an dem Mond vorbei, aber es sah so aus, als ob er aus ihm herausgeflogen käme. Gegen den hellen Himmel nahm sich der Vogel kohlschwarz aus, und die Flügel reichten von dem einen Rande der Mondscheibe bis zu der andern. Er hielt die Richtung so genau inne, daß es für den Jungen so aussah, als sei er auf die Mondscheibe gezeichnet. Der Körper war klein, der Hals lang und dünn, und ein Paar lange, dünne Beine hatte er nach hinten ausgestreckt. Der Junge sah sofort, daß es ein Storch sein müsse.

Einen Augenblick später ließ sich Herr Langbein, der Storch, neben ihm nieder. Er beugte sich über den Jungen und stieß ihn mit dem Schnabel, um ihn wach zu bekommen.
Der Junge richtete sich sofort auf. »Ich schlafe nicht, Herr Langbein,« sagte er. »Wie kommt es, daß Sie mitten in der Nacht ausgeflogen sind? Und wie sieht es auf Glimminghaus aus? Wollen Sie mit Mutter Akka sprechen?«
»Es ist zu hell, um über Nacht zu schlafen,« antwortete Herr Langbein, »Deswegen beschloß ich, hierher nach der Karlsinsel hinüber zu reisen und dich, mein Freund Däumling, aufzusuchen. Von einer Fischmöwe erfuhr ich, daß du über Nacht hier seiest. Ich bin noch nicht nach Glimminghaus gezogen; ich wohne noch in Pommern.«
Der Junge freute sich ungeheuer, daß Herr Langbein gekommen war, um ihn zu sehen. Sie redeten über alles mögliche miteinander wie alte Freunde. Schließlich fragte der Storch, ob der Junge nicht Lust habe, einen kleinen Ritt in dem schönen Mondschein zu machen.
Ja, das wollte der Junge für sein Leben gern, wenn der Storch nur dafür sorgen wollte, daß er vor Sonnenaufgang zu den wilden Gänsen zurückkam. Das versprach der Storch, und dann ging es von dannen.
Herr Langbein flog wieder gerade nach dem Mond hinauf. Sie stiegen und stiegen, das Meer sank tief hinab, aber der Flug ging so wunderbar leicht, es war fast, als lägen sie still in der Luft.
Der Junge fand, die Reise habe eine unnatürlich kurze Zeit gewährt, als sie sich wieder zu der Erde hinabsenkten.
Sie landeten an einem einsamen Strande, der mit feinem, weißem Sand bedeckt war. An der Küste entlang lief eine Reihe von Flugsanddünen mit Riedgras auf dem Gipfel. Sonderlich hoch waren sie nicht, aber sie hinderten doch den Jungen, das Land zu übersehen.
Herr Langbein stellte sich auf eine Sandbank, zog das eine Bein unter sich in die Höhe und bog den Hals zurück, um den Kopf unter den Schnabel zu stecken. »Jetzt kannst du hier am Strande ein wenig umherspazieren,« sagte er zu Däumling, »während ich mich ausruhe. Gehe aber nicht weiter weg, als daß du dich zu mir zurückfinden kannst.«
Der Junge wollte nun erst auf eine der Dünen hinaufklettern, um zu sehen, wie es dahinter aussah. Als er aber ein paar Schritte gegangen war, hörte er etwas gegen seinen Holzschuh klirren. Er beugte sich hinab und sah, daß im Sande eine kleine Kupfermünze lag, die so von

Grünspan verzehrt war, daß sie fast durchsichtig erschien. Sie war so klein und schlecht, daß er nicht einmal Lust hatte, sie aufzunehmen, sondern sie mit dem Fuße wegstieß.
Als er sich aber wieder aufrichtete, erschrak er, denn kaum zwei Schritt von ihm ragte eine hohe Mauer mit einem Torweg mit Türmen darüber auf.
Eben noch, als sich der Junge niederbeugte, hatte das Meer dortgelegen, blank und glitzernd, und jetzt war es durch eine lange Mauer mit Zinnen und Türmen seinen Blicken entzogen. Und gerade vor ihm, wo eben noch ein Haufen Tang gelegen, gähnte nun das große Tor.
Der Junge begriff, daß dies eine Art Spuk sein müsse. Aber davor brauchte er ja nicht bange zu werden, fand er. Da waren keine Kobolde oder anderer Teufelskram von der Art, dem in der Nacht zu begegnen er sich immer scheute. Die Mauern wie auch der Torweg waren so prächtig, daß er große Lust empfand, zu sehen, was dahinter sein könne. »Ich muß wirklich untersuchen, wie dies hier zusammenhängt,« dachte er und begab sich in das Tor hinein.
In der tiefen Torwölbung saß die Wachtmannschaft in bunten Gewändern mit großen Puffärmeln und mit langschaftigen Hellebarden an der Seite; sie spielten Würfel und dachten nur an das Spiel und beachteten den Jungen nicht, der an ihnen vorübereilte.
Jenseits des Tors kam er auf einen freien, mit großen, glatten steinernen Fliesen belegten Platz. Ringsum standen hohe, prächtige Häuser, und lange, schmale Straßen gingen von dort aus.
Auf diesem Platz wimmelte es von Menschen. Die Männer trugen lange, pelzgefütterte Mäntel über kostbaren Unterkleidern aus Seide, Baretts mit Straußenfedern saßen ihnen schief auf dem Kopf und über der Brust hingen breite goldene Ketten. Sie waren alle so prachtvoll gekleidet, als könnten sie Könige sein.
Die Frauen hatten hohe, spitze Hauben auf dem Kopfe und lange Kleider mit engen Ärmeln. Auch sie waren prächtig gekleidet, jedoch längst nicht so kostbar wie die Männer.
Es war ja ganz so wie in dem alten Märchenbuch, das seine Mutter zuweilen aus der Truhe nahm und ihm zeigte. Der Junge wollte seinen Augen nicht trauen.
Aber noch merkwürdiger als die Männer und die Frauen, war die Stadt selber. Jedes einzelne Haus war so gebaut, daß es den Giebel nach der

Straße kehrte, und diese Giebel waren so verziert, daß man glauben sollte, sie wollten miteinander wetteifern, welcher von ihnen der feinste sei.
Wer auf einmal so viel Neues zu sehen hat, kann es nicht alles in seinem Gedächtnis bewahren. Aber der Junge konnte sich trotzdem später erinnern, daß er zackige Giebel gesehen hatte, wo auf jedem Absatz Bilder von Christus und seinen Aposteln standen, Giebel, wo eine Nische neben der andern lag, bis zur Spitze hinauf, alle mit geschnitzten Figuren darin, Giebel, die mit bunten Glasstücken eingelegt waren, und Giebel aus weißem und schwarzem Marmor, gestreift und gewürfelt.
Während der Junge umherging und dies alles bewunderte, befiel ihn auf einmal eine fürchterliche Eile. »So was hab' ich mein Lebtag nicht gesehen, und so was bekomme ich auch nie wieder zu sehen,« sagte er zu sich selber. Und dann begann er, die ganze Stadt zu durchlaufen, Straße auf und Straße ab.
Die Straßen waren eng, aber nicht dunkel und leer wie in den Städten, durch die er auf seiner Reise gekommen war. Überall wimmelte es von Menschen. Alte Frauen saßen vor ihren Türen und spannen, ohne Spinnrocken, nur mit einer Spindel. Die Läden der Kaufleute waren wie Marktbuden nach der Straße zu offen. Alle Handwerker standen mit ihrer Arbeit unter offenem Himmel. An einer Stelle wurde Tran gekocht, an einer andern Stelle wurden Häute gegerbt, an einer dritten Stelle befand sich eine lange Reiferbahn.
Hätte der Junge nur Zeit gehabt, so hätte er alle möglichen Handwerke erlernen können. Hier sah er, wie der Maschinenschmied es machte, wenn er einen Brustharnisch aushämmerte, wie der Goldschmied edle Steine in Ringe und Armbänder faßte, wie der Drechsler seine Eisen führte, wie der Schuhmacher seine feinen, roten Schuhe versohlte, wie der Goldzieher güldene Fäden zwirnte, wie die Weber Einschläge von Gold und Silber in ihr Gewebe webten.
Aber der Junge hatte keine Zeit, stillzustehen. Er stürzte dahin, um soviel wie möglich zu sehen, ehe es alles wieder verschwand.
Die hohe Mauer lief rings um die ganze Stadt und schloß sie ab, wie ein Zaun ein Feld abschließt. Am Ende jeder Straße sah er sie mit ihren Türmen und Zinnen. Oben auf der Mauer gingen Kriegsknechte mit blitzenden Helmen und Harnischen.

Als er quer durch die ganze Stadt gelaufen war, kam er an ein anderes Tor in der Mauer. Davor lagen das Meer und der Hafen. Der Junge sah altmodische Schiffe mit Ruderbänken quer darüber und mit hohen Überbauten vorne und achtern. Einige lagen da und nahmen Lasten ein, andere warfen gerade die Anker aus. Lastträger und Kaufleute bewegten sich durcheinander. Überall herrschte Leben und Geschäftigkeit.

Aber auch hier, fand er, habe er keine Zeit zum Verweilen. Er eilte wieder in die Stadt zurück und kam nun zu dem großen Marktplatz. Da lag der Dom mit drei hohen Türmen und einem tiefen, gewölbten Toreingang. Die Wände waren so mit Bildhauerarbeit geschmückt, daß da auch nicht ein Stein war, der nicht seinen Zierat gehabt hätte. Und welche Pracht sah man nicht durch das offene Portal schimmern: goldene Kreuze und goldbeschlagene Altäre und Priester in goldenem Ornat! Der Kirche gerade gegenüber lag ein Haus mit Zinnen und einem einzigen wolkenragenden Turm. Das war wohl das Rathaus.

Und zwischen der Kirche und dem Rathaus, um den ganzen Marktplatz herum, standen die schönen Giebelhäuser mit den mannigfaltigsten Ausschmückungen.

Der Junge hatte sich warm und müde gelaufen. Er meinte, daß er nun das Bemerkenswerteste gesehen hatte, und begann deswegen, langsamer zu gehen. Die Straße, in die er jetzt eingebogen war, mußte wohl die sein, in der die Stadtbewohner ihre prächtigen Kleider kauften. Überall vor den kleinen Buden wimmelte es von Leuten, während die Verkäufer steife, geblümte Seidenstoffe, dicken Goldbrokat, bunten Sammet, leichte Florschals und Spitzen wie Spinnengewebe über den Ladentisch ausbreiteten.

Vorhin, während der Junge durch die Straßen lief, hatte ihn niemand beachtet. Die Menschen hatten gewiß geglaubt, daß es nur eine kleine, graue Maus sei, die an ihnen vorüberhuschte. Aber jetzt, wo er langsam die Straße hinaufging, erblickte ihn einer der Kaufleute und winkte ihm zu.

Der Junge wurde anfänglich bange und wollte vorüberlaufen, aber der Kaufmann winkte und lächelte und breitete ein herrliches Stück Seidendamast auf dem Ladentisch aus, um ihn zu locken.

Der Junge schüttelte den Kopf: »Ich werde nie so reich, daß ich auch nur eine Elle von dem Stoff kaufen kann,« dachte er.

Aber nun hatten sie ihn in jeder einzelnen Bude die ganze Straße entlang erblickt. Wohin er auch den Kopf wendete, stand da ein Krämer und winkte ihm zu. Sie ließen ihre reichen Kunden stehen und dachten nur an ihn. Er sah, wie sie in die fernsten Winkel der Läden liefen, um das Beste hervorzuholen, was sie zu verkaufen hatten, und daß ihre Hände förmlich vor Eifer zitterten, während sie es auf dem Ladentisch auslegten.
Als der Junge immer weiter ging, sprang einer von den Kaufleuten über den Ladentisch, lief ihm nach und breitete ein Stück Silberbrokat und eine gewebte Tapete, die von Farben strahlte, vor ihm aus. Der Junge konnte es nicht lassen, über ihn zu lachen; der Krämer mußte doch begreifen, daß so ein armer Wicht wie er nicht solche Sachen kaufen konnte. Er stand still und streckte seine beiden leeren Hände aus, damit sie sehen sollten, daß er nichts besaß, und ihn dann in Ruhe ließen.
Aber der Kaufmann hob einen Finger in die Höhe, nickte und schob ihm den ganzen Haufen von schönen Waren hin.
»Ob es wohl seine Absicht ist, das alles für *ein* Goldstück zu verkaufen?« dachte der Junge.
Der Kaufmann holte eine kleine, abgegriffene und schlechte Münze hervor, die elendeste, die man sehen konnte, und zeigte sie ihm. Und er war so darauf erpicht, zu verkaufen, daß er noch ein paar schwere silberne Becher auf den Haufen legte.
Da fing der Junge an, in seinen Taschen zu wühlen. Er wußte ja freilich, daß er nicht einen roten Heller besaß, aber er konnte es doch nicht lassen, nachzufühlen.
Alle die anderen Kaufleute standen rings um ihn her, um zu sehen, was aus dem Handel wurde, und als sie sahen, daß der Junge in seinen Taschen wühlte, liefen sie sämtlich an ihre Ladentische, nahmen die Hände voll von silbernen und goldenen Geschmeiden und boten sie ihm an. Und alle machten sie ihm begreiflich, daß sie keine andere Bezahlung verlangten, als einen einzigen kleinen Schilling.
Aber der Junge wendete sowohl seine Jackentaschen wie auch seine Hosentaschen um, damit sie sehen sollten, daß er nichts besaß. Da füllten sich die Augen aller dieser vornehmen Kaufleute, die so viel reicher waren als er, mit Tränen. Er war schließlich ganz gerührt, als er sie so bekümmert sah, und er grübelte darüber nach, ob er ihnen nicht auf irgendeine Weise helfen könne. Da fiel ihm die kleine grünspanige Münze ein, die er vorhin am Strande hatte liegen sehen.

Er kehrte um und lief aus Leibeskräften die Straße hinab, und das Glück war ihm hold, denn er kam zu demselben Tor hinaus, in das er hineingekommen war. Er stürzte hindurch und machte sich daran, nach der kleinen grünspanigen Kupfermünze zu suchen, die vor einer halben Stunde am Strande gelegen hatte.
Er fand sie auch wirklich, aber als er sie aufgenommen hatte und nach der Stadt zurücklaufen wollte, sah er nichts als das Meer vor sich. Keine Mauer, keinen Torweg, keine Wächter, keine Straßen, keine Häuser, nichts weiter als das bloße Meer.
Die Augen des Jungen füllten sich mit Tränen. Zuerst hatte er geglaubt, daß das, was er sah, nichts als Augenverblendung sei, aber das hatte er wieder vergessen. Er hatte nur daran gedacht, wie schön das alles war. Er trauerte förmlich darüber, daß die Stadt verschwunden war.
Im selben Augenblick erwachte Herr Langbein und kam zu ihm hin. Aber er hörte ihn nicht. Der Storch mußte ihn mit dem Schnabel puffen, um sich bemerkbar zu machen. »Du stehst hier auch wohl und schläfst,« sagte Herr Langbein.
»Lieber Herr Langbein!« sagte der Junge. »Was für eine Stadt war denn das, die eben noch hier lag?«
»Hast du eine Stadt gesehen?« sagte der Storch. »Du hast geschlafen und geträumt, glaub' mir nur!«
»Nein, ich habe nicht geträumt,« sagte Däumling, und er erzählte dem Storch alles, was er erlebt hatte.
Da sagte Herr Langbein: »Ich glaube nun doch, daß du hier am Strande eingeschlafen bist, Däumling. und das alles geträumt hast. Aber ich will dir doch nicht verhehlen, daß Bataki, der Rabe, der der gelehrteste Vogel der Welt ist, mir einmal erzählt hat, daß hier an der Küste in alten Zeiten eine Stadt gelegen hat, die Vineta hieß. Sie war so reich und glücklich, daß es niemals eine prächtigere Stadt gegeben hat, aber ihre Einwohner frönten leider dem Stolz und der Prunksucht. Zur Strafe dafür, sagt Bataki, wurde die Stadt Vineta von einer Sturmflut überschwemmt und versank ins Meer. Aber die Einwohner können nicht sterben, und ihre Stadt geht auch nicht zugrunde. Und in einer Nacht alle hundert Jahre steigt sie in aller ihrer Herrlichkeit aus dem Meere auf und liegt genau eine Stunde auf der Oberfläche der Erde.«
»Ja, das muß richtig sein,« sagte Däumling, »denn das hab' ich gesehen.«

»Ist aber die Stunde vergangen, so versinkt sie wieder ins Meer, wenn nicht ein Kaufmann in Vineta während dieser Zeit etwas an ein lebendes Wesen verkauft hat. Hättest du, Däumling, nur die allergeringste Kupfermünze gehabt, um sie dem Kaufmann zu geben, so läge Vineta noch hier an der Küste, und die Menschen könnten dort leben und sterben wie andere Menschen.«

»Herr Langbein,« sagte der Junge, »jetzt kann ich verstehen, warum Sie in der Nacht kamen und mich holten. Das taten Sie, weil Sie glaubten, daß ich die alte Stadt erlösen könnte. Ich bin so betrübt, daß es nicht so ging, wie Sie wollten, Herr Langbein!«

Er hielt sich die Hände vor die Augen und weinte.

Es war nicht leicht zu entscheiden, wer trauriger aussah, der Junge oder Herr Langbein.

Die lebende Stadt.

Montag, den 11. April.

Den zweiten Ostertag am Nachmittag waren die wilden Gänse und Däumling wieder auf der Reise. Sie flogen über Gulland hin.

Die große Insel lag eben und flach unter ihnen. Die Erde war gewürfelt, genau so wie in Schonen, überall lagen Kirchen und Gehöfte. Der Unterschied aber war, daß zwischen den Feldern hier mehrere Haine standen, und dann waren die Gehöfte nicht zusammengebaut. Und da waren keine großen Schlösser mit Türmen und mit weitgedehnten Parks.

Die wilden Gänse hatten Däumlings wegen den Weg über Gulland eingeschlagen. Zwei Tage war er jetzt ganz wie verwandelt gewesen und hatte kaum den Mund aufgetan. Das kam daher, weil er an nichts weiter denken konnte als an die Stadt, die sich ihm auf eine so wunderbare Weise gezeigt hatte. Er hatte nie etwas so Schönes und Prächtiges gesehen, und er konnte sich nicht darüber beruhigen, daß es ihm nicht vergönnt gewesen war, sie zu erretten. Er war sonst gar nicht sentimental veranlagt, aber er trauerte geradezu über die schönen Gebäude und die großen, stolzen Menschen.

Sowohl Akka wie auch der Gänserich hatten Däumling zu überzeugen gesucht, daß es ein Traum oder Augenverblendung gewesen war, der Junge wollte aber nicht mit sich reden lassen. Er war überzeugt, was er gesehen hatte, das hatte er gesehen, und diese Überzeugung konnte niemand erschüttern. Er ging so betrübt umher, daß seine Reisekameraden seinetwegen besorgt wurden.

Gerade als der Junge am allerniedergeschlagensten war, kehrte die alte Kaksi zu der Schar zurück. Der Sturm hatte sie nach Gulland verschlagen, und sie war um die ganze Insel rund herum gewesen, ehe sie von einigen Krähen gehört hatte, daß sich ihre Reisegefährten auf der kleinen Karlsinsel befanden. Als Kaksi hörte, was sich mit Däumling zugetragen hatte, sagte sie plötzlich:

»Wenn es eine alte Stadt ist, über die Däumling trauert, so wollen wir ihn gar bald trösten. Kommt nur mit, dann will ich euch an einen Ort führen, den ich gestern gesehen habe! Er soll bald wieder ganz fröhlich werden!«

Dann nahmen die Gänse Abschied von den Schafen, und nun befanden sie sich auf dem Wege nach dem Ort, den Kaksi Däumling zeigen wollte. So betrübt er auch war, konnte er es doch nicht lassen, wie gewöhnlich auf das Land hinabzusehen, über das er dahinflog.

Vor seinen Augen sah es so aus, als wenn die ganze Insel von Anfang an eine hohe, steile Klippe gewesen war, so wie die Karlsinsel, nur natürlich viel größer. Aber dann war sie auf irgendeine Weise flach gemacht. Jemand hatte eine große Kuchenrolle genommen und damit darüber hingerollt, als sei sie ein Stück Teig. Nicht so zu verstehen, daß sie eben geworden wäre wie ein Stück Flachbrot, das war sie nicht. Als sie an der Küste entlang flogen, hatte er an mehreren Stellen hohe, weiße Kalkwände mit Grotten und Felssäulen gesehen, aber an den meisten Stellen waren sie mit der Erde gleich gemacht, und die Küste fiel leise abschrägend nach dem Meere zu ab.

Auf Gulland hatten sie einen schönen und friedlichen Sonntagnachmittag. Es war mildes Frühlingswetter, die Bäume hatten große Knospen, Frühlingsblumen bedeckten die Wiesen, die langen, dünnen, herabhängenden Zweige der Pappeln wehten, und in den kleinen Gärten, die vor jedem einzelnen Hause lagen, standen die Stachelbeerbüsche ganz grün.

Die Wärme und das fruchtbare Wetter hatten die Leute auf die Wege und die Hofplätze hinausgelockt, und wo mehrere versammelt waren, wurde gespielt. Und nicht nur die Kinder spielten, sondern auch die Erwachsenen. Sie warfen mit Steinen nach einem Ziel und schickten ihre Bälle mit einem gewaltigen Schwung in die Luft hinauf, daß sie nahe daran waren, die wilden Gänse zu treffen. Es sah lustig und

munter aus, daß die Erwachsenen also spielten, und der Junge würde sich auch darüber gefreut haben, wenn er seinen Kummer darüber, daß er die Stadt nicht hatte erretten können, hätte vergessen können.
Aber er mußte ja zugeben, daß es eine schöne Fahrt war. Es lag so ein Sang und Klang in der Luft. Die kleinen Kinder spielten Ringelreihen und sangen dazu. Und die Heilsarmee war auch unterwegs. Er sah eine Menge Menschen in schwarzen und roten Anzügen auf einem Waldhügel sitzen und Gitarre und Messinginstrumente spielen. Auf einem der Wege kam eine große Schar Menschen daher. Es waren Good-Templer, die einen Ausflug gemacht hatten. Er konnte sie an den großen Fahnen mit den goldenen Inschriften erkennen, die über ihnen wehten. Und sie sangen ein Lied nach dem andern, so lange er sie hören konnte.
Der Junge konnte später niemals den Namen Gulland hören, ohne sofort an Spiel und Gesang zu denken.
Lange hatte er so gesessen und hinabgesehen, aber nun erhob er zufällig die Augen. Es ist nicht zu sagen, wie sehr er staunte. Ohne daß er es bemerkt, hatten die Gänse das Innere der Insel verlassen und waren westwärts nach der Küste zugeflogen. Jetzt lag das offene, blaue Meer vor ihm. Doch nicht das Meer war so merkwürdig, sondern eine Stadt, die an der Küste aufragte.
Der Junge kam von Osten, und die Sonne stand schon niedrig im Westen. Als er sich der Stadt näherte, hoben sich ihre Mauern und Türme und die hohen Giebelhäuser und Kirchen ganz schwarz von dem hellen Abendhimmel ab. Daher konnte er nicht sehen, wie es eigentlich mit ihnen zusammenhing, und einige Augenblicke glaubte er, daß die Stadt ebenso prächtig sei wie die, die er in der Osternacht gesehen hatte.
Als er ganz nahe herankam, sah er, daß sie der Stadt auf dem Grunde des Meeres glich und doch wieder nicht glich. Es war derselbe Unterschied, als wenn man den einen Tag einen Mann in Purpur und köstlichem Leinen gekleidet sieht, und den andern Tag in Lumpen.
Aber die Stadt hatte wohl einmal so ausgesehen wie die, an die er denken mußte. Sie war ebenfalls von einer Mauer mit Türmen und Toren umgeben. Aber die Türme in dieser Stadt, die über der Erde stehen geblieben war, standen ohne Dach, hohl und leer da. Die Tore waren ohne Türflügel, Wächter und Kriegsknechte waren

verschwunden. All die strahlende Pracht war dahin. Nur das nackte, graue Steinskelett war übrig geblieben.
Als der Junge weiter über die Stadt hinflog, sah er, daß sie zum größten Teil aus kleinen, niedrigen Häusern bestand, aber hier und da waren einige hohe Giebelhäuser und einige Kirchen aus der alten Zeit erhalten. Die Mauern der Giebelhäuser waren weiß getüncht und ohne den geringsten Schmuck, da aber der Junge erst so kürzlich die versunkene Stadt gesehen hatte, konnte er sich denken, wie sie ausgeschmückt gewesen waren: einige mit Bildsäulen und andere mit schwarzem und weißem Marmor. Und ebenso war es mit den alten Kirchen. Die meisten von ihnen waren ohne Dach, und ihr Inneres war kahl und leer. Die Fensteröffnungen waren ohne Scheiben, die Fußböden waren mit Gras bewachsen, und an den Wänden kletterte der Efeu hinauf. Aber nun wußte er, wie sie einstmals ausgesehen hatten, daß sie mit Bildsäulen und Gemälden bedeckt gewesen waren, daß sich im Chor ein reichgeschmückter Altar und goldene Kreuze erhoben hatten, und daß Priester in goldenem Ornat darin umhergewandelt waren.
Der Junge sah auch die schmalen Gassen, die an so einem Sonntagnachmittag fast leer waren. Aber er wußte, was für ein Strom von schönen, stolzen Menschen dort einstmals hin und her gewogt war. Er wußte, daß die Straßen wie große Werkstätten mit allerhand Arbeitern ganz angefüllt gewesen waren.
Niels Holgersen sah aber nicht, daß die Stadt noch heutigen Tages sowohl merkwürdig als auch schön war. Er sah weder die traulichen Häuschen in den Hinterstraßen mit den schwarzen Mauern, weißgemalten Balkenenden und roten Pelargonien hinter den blanken Fensterscheiben, noch die vielen schönen Gärten und Alleen oder die Schönheit der efeubekleideten Ruinen. Seine Augen waren so voll von der Herrlichkeit des Entschwundenen, daß er nichts Gutes in dem erblicken konnte, was war.
Die wilden Gänse flogen ein paarmal über der Stadt hin und her, damit Däumling alles richtig sehen sollte. Schließlich ließen sie sich auf dem grasüberwucherten Boden einer Ruinenkirche nieder, um dort die Nacht zu bleiben.
Sie hatten sich schon zum Schlafen gesetzt, aber Däumling war noch wach und sah durch die zertrümmerten Gewölbe zu dem blaßroten Abendhimmel empor. Als er eine Weile so gesessen hatte, dachte er,

nun wollte er ein Ende machen mit seiner Trauer darüber, daß er die versunkene Stadt nicht hatte erretten können.
Ja, das wollte er tun, seit er nun diese Stadt gesehen hatte. Wäre die Stadt, die er gesehen hatte, nicht auf den Grund des Meeres gesunken, so wäre sie vielleicht binnen kurzem ebenso verfallen wie diese. Sie hätte am Ende der Zeit und der Vergänglichkeit nicht widerstehen können, sondern hätte bald mit Kirchen ohne Dach und Häusern ohne Schmuck und öden, leeren Straßen dagestanden, so wie diese. Dann war es doch besser, daß sie in all ihrer Herrlichkeit unten im Verborgenen bewahrt worden war.
»Es ist gut, daß es kam, wie es kam,« dachte er. »Hätte ich die Macht, die Stadt zu erlösen, ich glaube, ich würde es nicht tun.« Und dann trauerte er nicht mehr darüber.
Und da sind gewiß viele unter den jungen Leuten, die so denken. Aber wenn man alt wird und sich hat gewöhnen müssen, mit wenigem zufrieden zu sein, da freut man sich mehr über das Visby, das da ist, als über ein schönes Vineta auf dem Grunde des Meeres.

XIV. Die Sage von Samlaand

Dienstag, den 12. April.

Die wilden Gänse hatten eine gute Reise übers Meer gehabt und sich in der Tjuster Harde im nördlichen Smaaland niedergelassen. Diese Harde sah so aus, als könne sie sich nicht entschließen, ob sie Land sein wolle oder Meer. Überall drangen die Meerbusen ein und zerschnitten das Land in Inseln und Halbinseln, in Landzungen und Vorgebirge. Das Meer war so aufdringlich, daß das einzige, was sich aufrecht halten konnte, Hügel und Felsklippen waren. Alles niedrige Land war unter der Meeresfläche verborgen.
Es war Abend, als die wilden Gänse von dem Meer hereinkamen, und das hügelige Land lag hübsch zwischen den blinkenden Fjorden. Hier und da auf den Inseln sah der Junge Häuser und Hütten, und je weiter er auf das Land zu kam, um so größer und besser wurden die Häuser. Schließlich wuchsen sie zu großen, weißen Schlössern heran. An der Küste entlang stand in der Regel ein Kranz von Bäumen, dahinter lagen Felder und oben auf dem Gipfel der kleinen Hügel begannen die

Bäume von neuem. Er konnte nicht umhin, an Bleking zu denken. Hier war wieder ein Ort, wo sich Land und Meer in einer stillen, schönen Weise begegneten und gleichsam bestrebt waren, einander das Schönste und Beste zu zeigen, was sie besaßen.

Die wilden Gänse ließen sich auf einem kahlen Werder tief drinnen im Gänsefjord nieder. Beim ersten Blick auf die Küste sahen sie, daß der Frühling große Fortschritte gemacht hatte, während sie draußen auf den Inseln waren. Die großen, prächtigen Bäume waren noch nicht belaubt, aber die Erde unter ihnen war bunt von gelben Ranunkeln und blauen und weißen Anemonen.

Als die wilden Gänse den Blumenteppich sahen, erschraken sie und glaubten, sie seien zu lange in dem südlichen Teil des Landes gewesen. Akka sagte sofort, es sei keine Zeit, einen ihrer Ruheplätze in Smaaland aufzusuchen. Schon am nächsten Morgen müßten sie nordwärts über Ostgotland ziehen.

Der Junge würde also nichts von Smaaland zu sehen bekommen, und darüber mußte er sich ärgern. Von keinem der andern Landesteile hatte er soviel reden hören wie von Smaaland, und er hätte es so gern mit eigenen Augen gesehen.

Im letzten Sommer hatte er als Gänsejunge bei einem Bauer in der Nähe von Jordberga gedient und war fast jeden Tag mit ein paar armen Smaaländer Kindern zusammengekommen, die ebenfalls Gänse hüteten. Die Kinder hatten ihn geradezu entsetzlich mit ihrem Smaaland geneckt.

Es wäre nun übrigens unrecht, zu sagen, daß ihn das Gänsemädchen Aase geneckt hätte. Dazu war sie viel zu klug. Wer aber necken konnte, das war ihr Bruder, der kleine Mads.

»Hast du gehört, wie es zuging, als Smaaland und Schonen erschaffen wurden, Gänsejunge Niels?« fragte er zum Beispiel, und als Niels Holgersen nein sagte, begann er sogleich die alte Scherzsage zu erzählen.

»Ja, siehst du, das war damals, als der liebe Gott dabei war, die Welt zu erschaffen. Wie er so recht mitten in der Arbeit war, kam Sankt Petrus vorbei. Der blieb stehen und sah zu, und dann sagte er, ob das ein schweres Stück Arbeit sei. ›Ach ja, so ganz leicht ist es nicht,‹ sagte der liebe Gott. Sankt Petrus blieb noch eine Weile stehen, und als er sah, wie leicht es ging, ein Land nach dem andern fertig zu machen, bekam er auch Lust, es einmal zu probieren. ›Hast du nicht das

Bedürfnis, dich ein wenig auszuruhen?‹ sagte Sankt Petrus, ›dann könnte ich ja inzwischen die Arbeit für dich tun.‹ Aber das wollte der liebe Gott nicht. ›Ich weiß nicht, ob du so erfahren in der Kunst bist, daß ich dir anvertrauen kann, da fortzufahren, wo ich aufhalte,‹ erwiderte er. Da war Sankt Petrus beleidigt und sagte: ›Er glaube wohl, daß er ebenso gute Länder erschaffen könne wie der liebe Gott selber.‹ Nun traf es sich so, daß der liebe Gott gerade dabei war, Smaaland zu erschaffen. Es war noch nicht einmal halb fertig, aber es sah so aus, als wenn es ein ganz herrliches und fruchtbares Land werden würde. Dem lieben Gott wurde es schwer, nein zu Sankt Petrus zu sagen, und er dachte im übrigen wohl, daß, was gut begonnen war, von niemand ruiniert werden könne. Deshalb sagte er: ›Wenn du so willst wie ich, dann wollen wir einmal sehen, wer sich am besten auf diese Art Arbeit versteht. Du, der du nur ein Anfänger bist, sollst das fertig machen, was ich begonnen habe, und ich will ein neues Land schaffen.‹ Darauf ging Sankt Petrus sofort ein, und sie begannen ein jeder auf seinem Fleck zu arbeiten.

Der liebe Gott zog ein wenig weiter nach Süden, und dort machte er sich daran, Schonen zu schaffen. Es währte nicht lange, bis er fertig war, und dann fragte er Sankt Petrus, ob er fertig sei und sich seine Arbeit einmal ansehen wolle. ›Ich habe meine längst in Ordnung,‹ sagte Sankt Petrus, und man konnte es seiner Stimme anhören, wie zufrieden er mit dem war, was er ausgerichtet hatte.

Als Sankt Petrus Schonen sah, mußte er zugeben, daß von dem Lande nichts anderes als Gutes zu sagen war. Es war ein fruchtbares Land, leicht zu bestellen, mit großen Ebenen, wohin er sah, und kaum einen Ansatz zu Bergen. Man konnte sehen, der liebe Gott hatte die Absicht gehabt, es so zu machen, daß da gut sein war. ›Ja, das ist wirklich ein gutes Land,‹ sagte Sankt Petrus, ›aber ich glaube doch, daß meins noch besser ist.‹ – ›Laß uns einmal hingehen und es besehen,‹ sagte der liebe Gott.

Als Sankt Petrus mit der Arbeit begann, war das Land nach Norden und Osten schon fertig, aber der südliche und westliche Teil und das ganze Innere des Landes durfte er auf eigene Hand erschaffen. Als nun der liebe Gott da hinaufkam, wo Sankt Petrus gearbeitet hatte, erschrak er so, daß er plötzlich still stand und sagte: ›Was in aller Welt hast du mit diesem Lande gemacht, Sankt Petrus?‹

Sankt Petrus stand auch da und sah sich verwundert um. Er hatte den Gedanken gehabt, daß es nichts gäbe, was so gut für ein Land wäre wie Wärme. Darum hatte er eine unendliche Menge von Steinen und Felsblöcken zusammengesammelt und ein Hochland ausgemauert, und das hatte er getan, damit es bis dicht an die Sonne hinaufkommen und reichlich Sonnenwärme haben sollte. Oben auf die Steinmassen hatte er eine dünne Schicht fruchtbare Erde ausgebreitet, und dann hatte er geglaubt, daß das Ganze klipp und klar sei. Aber während er unten in Schonen war, fielen ein paar heftige Regenschauer, und mehr war nicht nötig, um zu zeigen, wozu seine Arbeit taugte. Als der liebe Gott kam, um das Land in Augenschein zu nehmen, war alle die fruchtbare Erde weggespült, und der kahle Felsboden guckte überall hervor. Wo er am besten war, lagen Lehm und schwerer Kies auf dem Felsen, aber das sah so mager aus, daß jedes Kind begreifen konnte, hier würde kaum etwas anderes wachsen als Tanne und Wacholder und ein wenig Moos und Heidekraut. Wasser allein war reichlich da. Das füllte alle Schluchten in den Felsen, und überall sah man Seen und Flüsse und Bäche, gar nicht zu reden von Mooren und Sümpfen, die sich über große Strecken ausbreiteten. Und das ärgerlichste war, daß, während einige Gegenden Überfluß an Wasser hatten, es an anderen Stellen so kärglich damit bestellt war, daß große Strecken Erde als unfruchtbare Heideflächen dalagen, auf denen Erde und Sand bei dem leisesten Windhauch in die Höhe wirbelten.
›Was hast du dir doch nur dabei gedacht, als du ein solches Land schufst?‹ sagte der liebe Gott, und Sankt Petrus entschuldigte sich und sagte, er habe das Land so hoch aufgebaut, damit es Nutzen von der Sonnenwärme haben sollte. ›Aber dann bekommt es ja auch um so mehr von den Nachtfrösten,‹ sagte der liebe Gott, ›denn die kommen auch vom Himmel. Ich fürchte, daß das bißchen, das hier wachsen kann, erfrieren wird.‹
Daran hatte Sankt Petrus natürlich nicht gedacht.
›Ja, es wird ein armes Land werden, wo der Frost die Erde in Banden hält,‹ sagte der liebe Gott. ›Dabei ist nichts zu machen.‹«
Als der kleine Mads soweit mit der Geschichte gekommen war, unterbrach ihn das kleine Gänsemädchen Aase. »Ich kann es nicht leiden, daß du sagst, es ist so erbärmlich in Smaaland, lieber Mads,« sagte sie. »Du vergißt ganz, wie viel gute Erde da ist. Denk doch nur an die Mörer Harde drüben am Sund von Kalmar. Ich möchte wohl

wissen, wo es eine bessere Korngegend gibt. Da liegt ein Acker neben dem andern, ganz so wie hier in Schonen. Da ist die Erde so gut, daß ich nicht weiß, was da nicht wachsen könnte.«
»Dabei kann ich nichts machen,« sagte der kleine Mads. »Ich erzähle es nur so, wie ich es gehört habe.«
»Und ich habe viele sagen hören, daß es ein schöneres Küstenland wie Tjust nicht gibt. Denk doch nur an alle die Buchten und Inseln und an alle die Schlösser und die kleinen Wälder!« sagte Aase. »Ja, das ist wohl wahr,« räumte der kleine Mads ein. – »Und weißt du wohl noch,« fuhr Aase fort, »daß die Lehrerin sagte, eine so schöne und abwechslungsreiche Gegend wie das Stück von Smaaland, das südlich vom Wettersee liegt, gäbe es in ganz Schweden nicht? Denk doch nur an den herrlichen See und an die gelben Strandberge und an Grenna und Jönköping mit der Streichholzfabrik und an Munksjö, und denke an Husquarna und an alle die großen Anlagen dort.« – »Ja, das ist wohl wahr,« sagte der kleine Mads noch einmal. – »Und denke an Visingsö, lieber Mads, mit den Ruinen und dem Eichenwald und allen den Sagen! Denke an das Tal, durch das die Em rinnt, mit all seinen Städten und Mühlen und Holzstoffabriken und den Sägewerken und Tischlereien.« – »Das ist ja alles sehr wahr!« sagte der kleine Mads und sah ganz bedenklich aus.
Aber plötzlich blickte er auf. »Sind wir aber dumm,« sagte er. »Alles, was du da nennst, liegt ja in des lieben Gottes Smaaland, in dem Teil des Landes, der schon fertig war, ehe Sankt Petrus hinzukam. Das sollte ja doch auch gut und schön sein! Aber in Sankt Petrus' Smaaland sieht es wirklich so aus, wie es in der Geschichte heißt. Und es war kein Wunder, daß der liebe Gott betrübt wurde, als er das sah,« fuhr der kleine Mads fort, indem er seine Geschichte weiter erzählte: Sankt Petrus verlor aber doch den Mut nicht, und versuchte, den lieben Gott zu trösten. »Du mußt es dir nicht zu Herzen nehmen,« sagte er. »Warte nur, bis ich Menschen erschaffen habe, die das Moor urbar machen und sich Äcker auf den Felsabhängen anlegen können.«
Da aber riß dem lieben Gott die Geduld, und er sagte: »Nein, du kannst nach Schonen hinuntergehen, das ist ein gutes Land und leicht zu bebauen, da kannst du den Bewohner schaffen, den Smaaländer aber will ich selber schaffen.« Und dann schuf er den Smaaländer und machte ihn aufgeweckt und genügsam und froh und fleißig und

unternehmend und tüchtig, so daß er sich in seinem armen Lande Nahrung schaffen konnte.
Da schwieg der kleine Mads, und hätte nun Niels Holgersen auch geschwiegen, so wäre alles gut gegangen, aber es war ihm nicht möglich, sich der Frage zu enthalten, wie denn Sankt Petrus mit der Erschaffung der Bewohner von Schonen fertig geworden sei.
»Ja, wie denkst du selbst darüber?« fragte der kleine Mads und sah so spöttisch aus, daß Niels Holgersen auf ihn losfuhr, um ihn zu prügeln. Aber Mads war nur ein kleiner Bursche, und das Gänsemädchen Aase, das ein Jahr älter war, kam ihm gleich zu Hilfe. So gutmütig sie auch sonst war, fuhr sie auf wie eine Löwin, sobald jemand den Bruder nur anrührte. Und Niels Holgersen hielt sich zu gut, um sich mit einem Mädel zu prügeln; er kehrte ihnen den Rücken und ging seiner Wege, und den ganzen Tag sah er nicht nach der Seite hinüber, wo die kleinen Smaaländer waren.

XV. Die Krähen

Die tönerne Brücke.

In der südwestlichen Ecke von Smaaland liegt eine Harde, die Sunnerbo heißt. Es ist ein ganz flaches und ebenes Land, und wer es im Winter sieht, wenn es mit Schnee bedeckt ist, kann nicht anders denken, als daß unter dem Schnee gepflügte Brachäcker, grüne Roggenfelder und gemähte Kleewiesen liegen, so wie sonst in einer Ebene. Wenn aber allmählich der Schnee in Sunnerbo zu Anfang April wegtaut, zeigt es sich, daß das, was darunter verborgen liegt, nichts ist als unfruchtbare Sandheiden, kahle Felsen und große, flache Moore. Äcker gibt es wohl hier und da, aber sie sind so klein, daß man sie kaum bemerkt, und kleine graue oder rote Bauerhäuser sind da auch, aber sie liegen in der Regel in einem Birkenhain verborgen, fast als seien sie bange, sich zu zeigen.
Wo die Sunnerboer Harde an die Grenze von Halland stößt, liegt eine so ausgedehnte Sandheide, daß wer an dem einen Ende steht, nicht nach der gegenüberliegenden Seite hinübersehen kann. Auf der ganzen Heide wächst nichts weiter als Heidekraut, und es würde auch nicht leicht sein, andere Pflanzen dort zum Wachstum zu bringen. Zu

allererst müßte man dann wenigstens das Heidekraut ausroden, denn mit dem ist es so bestellt, daß es, obwohl es nur einen kleinen, verkrüppelten Stamm, kleine, verkrüppelte Zweige und trockene, verkrüppelte Blätter hat, sich dennoch einbildet, ein Baum zu sein. Deswegen benimmt es sich so wie die richtigen Bäume, breitet sich wie Wälder über große Strecken aus, hält getreulich zusammen und bringt alle fremden Pflanzen, die auf seinem Gebiet eindringen wollen, zum Aussterben.

Die einzige Stelle auf der Heide, wo das Heidekraut nicht Alleinherrscher ist, bildet ein niedriger, steiniger Bergrücken, der mitten darüber hingeht. Dort wachsen Wacholderbüsche, Ebereschen und einige große, schöne Birken. Zu der Zeit, als Niels Holgersen mit den wilden Gänsen umherreiste, lag dort auch ein Haus mit einem kleinen, urbar gemachten Fleckchen Erde rings herum, aber die Leute, die einstmals dort gewohnt hatten, waren aus irgendeinem Grunde weggezogen. Das kleine Haus stand leer, und der Acker lag unbestellt da.

Als die Leute das Haus verließen, hatten sie die Ofenklappe zugemacht, die Fensterhaken befestigt und die Tür verschlossen. Aber sie hatten nicht daran gedacht, daß eine Fensterscheibe zerschlagen und ein alter Lappen in die Öffnung gestopft war. Der Regen von ein paar Sommern hatte den alten Lappen mürbe gemacht, bis er auseinander fiel, und schließlich war es einer Krähe gelungen, ihn herauszuzupfen.

Der Bergrücken auf der Heide war nämlich nicht so verlassen, wie man glauben sollte; er war von einem großen Krähenvolk bewohnt. Die Krähen wohnten natürlich nicht das ganze Jahr hindurch dort. Sie reisten im Winter ins Ausland, im Herbst flogen sie in ganz Götaland von einem Acker zum andern, und pickten Körner auf, im Sommer zerstreuten sie sich über die Gehöfte in der Sunnerboer Harde und lebten von Eiern, Beeren und jungen Vögeln, in jedem Frühling aber, wenn sie Nester bauen und Eier legen wollten, kehrten sie nach der Heide zurück.

Die Krähe, die den alten Lappen aus dem Fenster zupfte, hieß Garm Weißfeder, wurde aber in der Familie nie anders genannt als Drumle oder gar Fumle-Drumle, weil sie zu nichts weiter taugte, als daß man sich lustig über sie machte. Fumle-Drumle war größer und stärker als irgendeine von den andern Krähen, aber das half ihr nicht im

geringsten; sie war und blieb nur zum Gespött für die andern. Es nützte ihr auch nicht, daß sie aus ausgezeichneter Familie war. Wäre es mit rechten Dingen zugegangen, so hätte sie eigentlich der Anführer der ganzen Schar sein müssen, denn diese Würde war von alters her der Ältesten aus dem Geschlecht der Weißfeders zuerteilt gewesen. Lange jedoch ehe Fumle-Drumle geboren, war die Macht ihrer Familie entrissen und in die Hände einer wilden und grausamen Krähe namens Wind-Eile übergegangen.
Dieser Herrscherwechsel kam daher, daß die Krähen auf dem Krähenbergrücken Lust bekommen hatten, ihre Lebensweise zu verändern. Es gibt sicher Leute, die glauben, daß alles, was Krähe heißt, auf gleiche Weise lebt, aber das ist ganz verkehrt. Es gibt ganze Krähenvölker, die ein rechtschaffenes Leben führen, das heißt, sie essen nur Frösche, Würmer und Larven und tote Tiere, aber dann gibt es auch andere, die ein vollständiges Räuberleben führen, junge Hasen und kleine Vögel überfallen und jedes Nest ausrauben, das sie nur erblicken.
Die alten Weißfeders waren strenge und einfach gewesen, und solange sie die Schar anführten, hatten sie die Krähen gezwungen, sich so zu benehmen, daß andere Vögel ihnen nichts nachsagen konnten. Aber der Krähen waren viele, und die Armut unter ihnen war groß. Auf die Dauer konnten sie eine so strenge Lebensweise nicht ertragen, sondern empörten sich gegen die Weißfeders und ließen Wind-Eile zur Macht gelangen. Er war der schlimmste Nestplünderer und Räuber, den man sich nur denken konnte, es sei denn, daß seine Frau, Wind-Kaara, noch ärger war. Unter ihrem Regiment hatten die Krähen begonnen, ein solches Leben zu führen, daß sie jetzt gefürchteter waren als Habichte und Bergeulen.
Fumle-Drumle hatte natürlich nichts in der Schar zu sagen. Alle waren sich darin einig, daß er nicht im geringsten nach seinen Vorfahren geartet sei und nicht als Anführer tauge. Niemand würde ihn beachtet haben, falls er nicht beständig neue Dummheiten gemacht hätte. Einige, die sehr klug waren, sagten zuweilen, es sei gewiß ein Glück für Fumle-Drumle, daß er so ein armer Narr war, denn sonst würden Wind-Eile und Wind-Kaara ihn, der dem alten Häuptlingsgeschlecht entstammte, wohl nicht bei der Schar geduldet haben.

Jetzt waren sie dahingegen sehr freundlich gegen ihn und nahmen ihn gern mit auf ihre Jagden. Denn dann konnten alle sehen, wie viel tüchtiger und mutiger sie waren als er.
Keine von den Krähen wußte, daß Fumle-Drumle den alten Lappen aus dem Fenster gezupft hatte, und hätten sie es gewußt, so würden sie grenzenlos erstaunt gewesen sein. Sie hätten ihm einen so großen Mut, sich einer Menschenwohnung zu nähern, nicht zugetraut. Er selbst würde sich schon hüten, die Sache zu verraten; dazu hatte er seine guten Gründe. Eile und Kaara behandelten ihn stets gut am Tage und wenn die andern zugegen waren, aber in einer sehr dunklen Nacht, als ihre Kameraden schon auf der Schlafstange saßen, wurde er von ein paar Krähen überfallen und fast zu Tode gehackt. Seit jener Zeit entfernte er sich jeden Abend, wenn es dunkel geworden war, von seinem gewöhnlichen Schlafplatz und nahm Zuflucht in dem leeren Hause.
Nun geschah es eines Nachmittags, als die Krähen schon ihre Nester auf dem Krähenberge instand gesetzt hatten, daß sie einen merkwürdigen Fund machten. Wind-Eile, Fumle-Drumle und ein paar andere waren in eine große Vertiefung hinabgeflogen, die sich in einer Ecke der Heide befand. Die Vertiefung war nichts weiter als eine Kiesgrube, aber die Krähen konnten sich nicht bei einer so einfachen Erklärung beruhigen. Sie flogen wieder und wieder da hinunter und drehten und wendeten jedes Sandkörnchen um, denn sie wollten erforschen, warum die Menschen diese Vertiefung gegraben hatten. Während nun die Krähen hiermit beschäftigt waren, stürzte eine ganze Menge Kies von der einen Seite herab. Sie eilten dorthin und hatten das Glück, zwischen herabgestürzten Steinen und Erdhügeln eine ziemlich große Tonkruke zu finden, die mit einem hölzernen Deckel verschlossen war. Sie waren natürlich begierig zu sehen, ob etwas darin sei, und sie versuchten, sowohl ein Loch in die Kruke zu hacken, wie auch den Deckel aufzubrechen. Aber keins von beiden wollte ihnen gelingen.
Ganz ratlos standen sie da und betrachteten die Brücke, als sie jemand sagen hörten: »Soll ich herunterkommen und euch helfen, ihr Krähen?« Sie sahen auf. Am Rande der Kiesgrube saß ein Fuchs und guckte zu ihnen hinab. Er war der schönste Fuchs, den sie jemals gesehen hatten, sowohl was die Farbe als auch den Bau betraf. Der einzige Fehler an ihm daß er nur ein Ohr hatte.

»Hast du Lust, uns einen Dienst zu leisten,« sagte Wind-Eile, »so sagen wir nicht nein.« Und im selben Augenblick flogen er und die anderen aus der Grube heraus. Statt dessen sprang der Fuchs hinein, biß in die Kruke und zerrte an dem Deckel, aber auch er konnte sie nicht aufbekommen.

»Kannst du begreifen, was da drin ist?« sagte Wind-Eile. Der Fuchs rollte die Kruke hin und her und horchte. »Es kann nichts anderes sein als Silbergeld,« sagte er.

Das war mehr, als die Krähen sich hatten träumen lassen. »Glaubst du, daß es Silber sein kann?« fragten sie, und ihre Augen waren nahe daran, ihnen aus dem Kopf zu springen vor lauter Gier, denn so sonderbar es klingen mag, es gibt nichts auf der Welt, was die Krähen so lieben wie Silbergeld.

»Hört doch, wie es rasselt!« sagte der Fuchs und rollte die Kruke noch einmal hin und her. »Ich weiß nur nicht, wie wir dazu gelangen sollen.« – »Nein, das ist wohl unmöglich,« meinten die Krähen. Der Fuchs stand da und kraute sich mit dem linken Bein hinters Ohr und überlegte. Vielleicht konnte er jetzt mit Hilfe der Krähen des Jungen habhaft werden, der ihm immer entkam. »Ich wüßte wohl jemand, der euch die Kruke aufmachen könnte,« sagte der Fuchs. – »Ach sag uns, wer es ist, sag uns, wer es ist!« riefen die Krähen und waren so eifrig, daß sie in den Graben hinabflatterten. – »Ja, das will ich tun, vorher müßt ihr mir aber versprechen, daß ihr auf meine Bedingungen eingehen wollt,« sagte er.

Der Fuchs erzählte den Krähen nun von Däumling und sagte ihnen, wenn sie es fertig brächten, ihn auf die Heide hinauszulocken, würde er ihnen sicher die Kruke aufmachen können. Als Belohnung für diesen Rat verlangte er aber, daß sie ihm Däumling ausliefern sollten, sobald er ihnen das Silbergeld verschafft hatte. Die Krähen hatten keinen Grund, Däumling zu schonen, und so schlugen sie denn sofort ein.

Über dies alles wurde man schnell einig, schwerer aber war es, zu ergründen, wo sich Däumling und die wilden Gänse aufhielten.

Wind-Eile flog mit fünfzig Krähen davon und sagte, er würde bald wieder zurück sein. Aber ein Tag nach dem andern verging, ohne daß die Krähen auf dem Krähenberg auch nur eine Feder von ihm gesehen hätten.

Der Krähenraub.

Mittwoch, den 13. April.

Die wilden Gänse waren bei Tagesgrauen auf, um Zeit zum Einsammeln von etwas Nahrung zu haben, ehe sie die Reise durch Ostgotland antraten. Der Werder im Gänsefjord, wo sie geschlafen hatten, war klein und kahl, aber im Wasser rings umher wuchsen Pflanzen, an denen sie sich satt essen konnten. Schlimmer war es für den Jungen. Er konnte gar nichts Eßbares finden.

Wie er dort bei Tagesanbruch hungrig und verfroren stand und sich nach allen Seiten umsah, fiel sein Blick auf einige Eichhörnchen, die auf einer waldbewachsenen Landzunge, dem Felsenwerder gerade gegenüber, spielten. Da dachte er, daß diese Eichhörnchen vielleicht noch etwas von ihren Wintervorräten übrig haben möchten, und er bat den weißen Gänserich, ihn zu der Landzunge hinüberzutragen, damit er ein paar Nüsse von ihnen erbetteln könne.

Der große Weiße schwamm sofort mit ihm über den Fjord, aber das Unglück wollte, daß die beiden Eichhörnchen ein so lustiges Spiel miteinander spielten, indem sie sich von Baum zu Baum jagten, daß sie keinen Gedanken für den Jungen hatten. Er lief hinter ihnen drein, und der Gänserich, der am Strande liegen blieb, verlor ihn bald aus den Augen.

Der Junge watete zwischen weißen Anemonen, die so hoch waren, daß sie ihm ganz bis an das Kinn reichten, als er gewahrte, daß jemand ihn von hinten packte und versuchte, ihn in die Höhe zu heben. Er wandte sich um und sah, daß eine Krähe ihre Krallen in seinen Hemdbund geschlagen hatte. Er suchte sich loszureißen, ehe ihm das aber gelungen war, kam noch eine Krähe hinzu, biß sich in einen seiner Strümpfe fest und riß ihn um.

Hätte Niels Holgersen nun gleich um Hilfe gerufen, so würde der weiße Gänserich ihn sicher haben retten können, aber der Junge meinte wohl, daß er mit ein paar Krähen auf eigene Faust fertig werden könne. Er stieß mit den Füßen und schlug, aber die Krähen ließen ihn nicht los, und es gelang ihnen, sich mit ihm in die Luft emporzuschwingen. Sie waren aber so unvorsichtig dabei, daß sein Kopf gegen einen Zweig stieß. Er bekam einen harten Schlag gerade über den Schädel, es wurde ihm schwarz vor Augen, und er verlor das Bewußtsein.

Als er die Augen wieder aufschlug, war er hoch oben über der Erde. Sein Bewußtsein kehrte langsam zurück, und anfangs wußte er weder, wo er war, noch was er sah. Wenn er den Blick hinabwandte, sah es so aus, als breite sich da tief unter ihm ein ungeheurer, wollener Teppich aus, der aus Grün und Braun in großen, unregelmäßigen Mustern gewebt war. Der Teppich war dick und schön, aber er fand, es war ein Jammer, daß man damit so schlecht hausgehalten hatte. Er war geradezu zerfetzt, lange Risse liefen quer darüber hin, und an einigen Stellen waren große Stücke davon abgerissen. Das Merkwürdigste aber war, daß es so aussah, als sei er über einen Spiegelfußboden gebreitet, denn durch die Löcher und die Risse im Teppich schimmerte blankes, glitzerndes Glas.

Das Nächste, was dem Jungen auffiel, war, daß die Sonne nach dem Himmel hinaufgerollt kam. Sofort begann das Spiegelglas unter den Löchern und Rissen im Teppich in Rot und Gold zu schimmern. Es sah wunderschön aus, und der Junge freute sich über die schönen Farbentöne, obwohl er nicht recht verstehen konnte, was er eigentlich sah. Aber jetzt schwebten die Krähen hinab, und plötzlich wurde es ihm klar, daß der große Teppich unter ihm die Erde war, die mit grünem Nadelwald und braunem, kahlem Laubwald bedeckt war, und daß die Löcher und Risse blitzende Fjorde und kleine Seen waren.

Er mußte daran denken, daß er das erstemal, als er durch die Luft flog, gefunden hatte, das schonensche Land sähe aus wie ein gewürfeltes Tuch. Aber dies, das einem zerlumpten Teppich glich, was für ein Land konnte dies nur sein?

Er fragte sich selbst nach einer Menge von Dingen. Warum saß er nicht auf dem Rücken des weißen Gänserichs? Warum umflatterte ihn ein großer Krähenschwarm? Und warum wurde an ihm gezerrt und gerissen, so daß seine Glieder fast aus den Gelenken gerieten?

Plötzlich wurde ihm alles klar. Er war von ein paar Krähen entführt worden. Der weiße Gänserich lag noch am Strande und wartete, und die wilden Gänse wollten heute durch Ostgotland gen Norden ziehen. Er selbst wurde nach Südwesten getragen, das konnte er daran erkennen, daß er die Sonnenscheibe hinter sich hatte. Und der große Waldteppich, der unter ihm lag, das war sicher Smaaland.

»Wie wird es nun dem weißen Gänserich ergehen, wenn ich nicht für ihn sorgen kann?« dachte der Junge und rief im selben Augenblick den Krähen zu, sie sollten ihn sofort zu den wilden Gänsen zurückbringen.

Für seine eigene Person war er gar nicht bange. Er glaubte, sie hätten ihn aus reinem Übermut entführt.

Die Krähen kehrten sich nicht im geringsten an sein Verlangen, sondern flogen weiter, so schnell sie nur konnten. Als sie eine Weile geflogen waren, klatschte eine von ihnen mit den Flügeln auf eine Weise, die bedeutete: »Gebt acht! Gefahr!« Gleich darauf tauchten sie in einen Tannenwald unter, drangen durch die dichten Zweige bis auf den Waldboden hinab und setzten den Jungen unter eine große Tanne, wo er so gut verborgen war, daß nicht einmal ein Falk ihn hätte erspähen können.

Fünfzig Krähen bildeten einen Kreis um den Jungen, die Schnäbel auf ihn gerichtet, um ihn zu bewachen. »Nun, ihr Krähen, jetzt kann ich am Ende erfahren, was ihr mit meiner Entführung beabsichtigt?« sagte er. Aber kaum hatte er ausgeredet, als eine Krähe ihn anfauchte: »Schweig still, sage ich dir! Sonst hacke ich dir die Augen aus!«

Die Krähe meinte offenbar, was sie sagte, und es blieb dem Jungen nichts anderes übrig, als zu gehorchen. So saß er denn da und starrte die Krähen an, und die Krähen starrten ihn an.

Je länger er sie ansah, je weniger gefielen sie ihm. Es war schrecklich, wie staubig und übel zugerichtet ihre Federkleider waren, ganz als kennten sie weder Bäder noch Einreibungen. Die Zehen und Krallen waren schmutzig von steifgetrocknetem Ton und ihre Mundwinkel saßen voll von Speiseresten. Das ist wirklich eine andere Art von Vögeln als die wilden Gänse, dachte er. Er fand, daß sie einen grausamen, gierigen, spähenden und frechen Ausdruck hatten, ganz wie Schurken und Landstreicher.

»Es ist scheinbar ein richtiges Räubergesindel, in das ich hineingeraten bin,« dachte er. Im selben Augenblick hörte er den Lockruf der wilden Gänse über sich: »Wo bist du? Hier bin ich. Wo bist du? Hier bin ich.« Er begriff, daß Akka und die anderen ausgeflogen waren, um nach ihm zu suchen, aber ehe er noch antworten konnte, fauchte die große Krähe, die so aussah, als sei sie der Anführer der Bande: »Denk an deine Augen!« Und es blieb ihm nichts anderes übrig, als zu schweigen.

Die wilden Gänse wußten offenbar nicht, daß er ihnen so nahe war, sie waren wohl nur durch einen Zufall über den Wald hin geflogen. Er hörte ihren Ruf noch ein paarmal, dann erstarb er. »Ja, nun mußt du sehen, wie du auf eigene Hand fertig wirst, Niels Holgersen,« sagte er zu sich selbst. »Jetzt wird es sich zeigen, ob du in diesen Wochen in der Wildnis etwas gelernt hast.«

Nach einer Weile machten die Krähen Miene aufzubrechen, und da sie scheinbar die Absicht hatten, ihn auch jetzt auf die Weise mit sich fortzuführen, daß ihn eine am Hemdbund, eine andere aber am Strumpf hielt, sagte der Junge: »Ist denn keine von euch Krähen so stark, daß sie mich auf ihrem Rücken tragen kann? Ihr habt mich schon so übel zugerichtet, daß mir zumute ist, als sei ich inwendig zerbrochen. Laßt mich doch reiten! Ich werde nicht von eurem Krähenrücken herunterstürzen, das will ich euch wohl versprechen!«

»Du glaubst doch nicht etwa, daß wir uns daran kehren, wie du dich befindest?« sagte der Anführer, aber nun trat die größte der Krähen, eine zerzauste, schwerfällige, mit einer weißen Feder im Flügel, vor und sagte: »Uns allen ist doch am besten damit gedient, wenn wir einen ganzen Däumling mit nach Hause bringen statt eines halben; ich will gern versuchen, ihn auf dem Rücken zu tragen.« – »Ja, wenn du das kannst, Fumle-Drumle, so habe ich nichts dagegen,« sagte Wind-Eile. »Laß ihn aber nicht fallen.«

Hiermit war schon viel gewonnen, und dem Jungen war wieder wohl zumute. »Es kann nicht nützen, daß ich mir die Laune verderben lasse, weil mich die Krähen gestohlen haben,« dachte er. »Mit den Tröpfen kann ich doch wohl fertig werden!«

Die Krähen flogen über Smaaland dahin, in südwestlicher Richtung. Es war ein schöner Morgen, sonnenwarm und still, und die Vögel unten auf der Erde waren eifrig damit beschäftigt, ihre Freiermelodien zu singen. In einem dunklen, hochstämmigen Walde saß ein Drosselmännchen mit hängenden Flügeln und schwellender Kehle oben in einem Tannenwipfel und schlug einen hellen Triller: »Wie bist du schön! Wie bist du schön! Wie bist du schön!« sang es. »Keine ist so schön! Keine ist so schön! Keine ist so schön!« Und sobald der Vogel das Lied zu Ende gesungen hatte, begann er wieder von vorne.

Der Junge aber flog gerade über den Wald hin, und als er die Melodie ein paarmal gehört hatte und merkte, daß die Drossel keine andere singen konnte, hielt er die Hände wie ein Horn vor den Mund und rief hinab: »Das haben wir schon oft gehört! Das haben wir schon oft gehört!« – »Wer ist das? Wer ist das? Wer ist das? Wer macht sich lustig über mich?« fragte die Drossel und versuchte den zu entdecken, der da rief. – »Das ist der Krähenraub, der sich lustig über dein Lied

macht,« erwiderte der Junge. Im selben Augenblick wandte der Krähenhäuptling den Kopf herum und sagte: »Gib acht auf deine Augen, Däumling!« Der Junge aber dachte: »Ach, daraus mache ich mir nichts. Ich will dir wohl zeigen, daß ich nicht bange vor dir bin!«
Sie flogen tiefer und tiefer ins Land hinein, und überall waren da Wälder und Seen. In einem Birkenwäldchen saß die Waldtaube auf einem kahlen Zweig und vor ihr stand der Täuberich. Er plusterte seine Federn auf, krümmte den Nacken, hob und senkte den Körper, so daß die Brustfedern gegen den Zweig brausten. Und fortwährend gurrte er: »Du, du, du bist die Schönste im Walde. Keine im Walde ist so schön wie du, du, du!«
Aber oben in der Luft flog der Junge vorüber, und als er den Täuberich hörte, konnte er nicht an sich halten: »Glaub' ihm nicht! Glaub' ihm nicht!« rief er.
»Wer, wer, wer ist das, der mich verleumdet?« gurrte der Täuberich und strengte sich an, um den zu entdecken, der ihm etwas zurief. – »Das ist der Krähenraub, der dich belügt,« antwortete der Junge. Wieder wandte Wind-Eile den Kopf nach dem Jungen um und befahl ihm zu schweigen, Fumle-Drumle aber, der ihn trug, sagte: »Laß ihn nur reden, dann glauben die kleinen Vögel, daß wir kluge und witzige Vögel geworden sind!« – »So dumm werden sie wohl nicht sein,« sagte Wind-Eile, aber es war zu merken, daß ihm der Gedanke wohl gefiel, denn von nun an ließ er den Jungen reden, soviel er wollte.
Es war fast alles Wald oder Gesträuch, über das sie hinflogen, aber da waren natürlich auch Kirchen und Dörfer und kleine Hütten am Waldesrand. An einer Stelle sahen sie einen traulichen alten Herrenhof. Der lag da mit einem Wald hinter sich und einem See vor sich, hatte rote Mauern und zackige Giebel, mächtige Ahornbäume umstanden den Hofplatz, und große, dichte Stachelbeerbüsche wuchsen im Garten. Ganz oben auf der Wetterfahne saß der Star und sang, so daß jeder einzelne Ton zu dem Weibchen hinunterschallte, das im Starenkasten im Birnbaum auf den Eiern saß. »Wir haben vier kleine, schöne Eier,« sang der Star. »Wir haben vier kleine, schöne, runde Eier! Wir haben das ganze Nest voll schöner Eier!«
Als der Star dies Lied zum tausendstenmal sang, flog der Junge über den Hof hin. Er hielt die Hände wie ein Rohr vor den Mund und rief: »Die Elstern holen sie! Die Elstern holen sie!«

»Wer will mich da bange machen?« fragte der Star und flatterte unruhig mit den Flügeln. – »Der Krähengefangene macht dich bange!« sagte der Junge. Diesmal hieß der Krähenhäuptling den Jungen nicht schweigen. Im Gegenteil, er wie die ganze Schar fanden es so belustigend, daß sie vor Vergnügen laut krächzten.

Je weiter sie ins Land hineinkamen, um so größer wurden die Seen und um so reicher wurden sie an Inseln und Werdern. Und am Ufer eines Sees stand der Wildenterich und machte der Wildente Komplimente: »Ich will dir mein ganzes Leben treu sein! Ich will dir mein ganzes Leben treu sein!« sagte der Enterich. »Währt nicht, bis der Sommer zu Ende ist!« rief der Junge, der vorüberflog. – »Was für einer bist denn du?« rief der Enterich. – »Ich heiße Krähengestohlen,« schrie der Junge.

Zur Mittagszeit ließen sich die Krähen auf einer Wiese nieder. Sie flogen umher und suchten sich Futter, keine von ihnen dachte aber daran, dem Jungen etwas zu geben. Da kam Fumle-Drumle mit einem wilden Rosenzweig, an dem einige Hagebutten saßen, zum Häuptling geflogen. »Hier ist etwas für dich, Wind-Eile,« sagte er. »Das ist ein köstliches Essen, das dir gut tun wird.« Wind-Eile schnob verächtlich. »Glaubst du, daß ich alte, trockene Hagebutten esse?« sagte er. – »Und ich hatte geglaubt, du würdest dich so darüber freuen!« sagte Fumle-Drumle und warf den Hagebuttenzweig weg wie im Ärger. Aber er fiel gerade vor die Füße des Jungen, und der war nicht faul, er fing ihn auf und aß sich satt daran.

Als die Krähen gegessen hatten, begannen sie miteinander zu plaudern. »Woran denkst du, Wind-Eile? Du bist heute so still,« sagte eine von ihnen zum Anführer. – »Ach, ich denke daran, daß hier in der Gegend einstmals ein Huhn war, das seine Herrin so sehr liebte, und um ihr ein rechtes Vergnügen zu machen, ging es hin und legte ein Nest voll Eier und versteckte sie unter dem Fußboden des Stalles. Während der ganzen Zeit, daß die Glucke brütete, lag sie da und freute sich bei dem Gedanken, wie froh ihre Herrin über alle die Küchlein sein würde. Die Frau konnte gar nicht begreifen, wo das Huhn die ganze Zeit nur sein mochte. Sie suchte nach ihm, konnte es aber nicht finden. Kannst du raten, Langschnabel, wer das Huhn und die Eier fand?«

»Es ist nicht unmöglich, daß ich es erraten kann, Wind-Eile, aber wenn du es erzählst, will ich auch etwas erzählen. Erinnert ihr euch noch der großen, schwarzen Katze im Hinneryder Pfarrhaus? Sie war böse auf die Familie, weil sie ihr immer die neugeborenen Kätzchen wegnahmen und sie ertränkten. Nur ein einziges Mal gelang es ihr, sie zu verstecken, nämlich als sie sie in eine Strohmiete draußen auf dem Felde gelegt hatte. Sie war so glücklich über ihre Kätzchen, aber ich glaube, ich bekam mehr Freude von ihnen als sie.«

Nun wurden sie alle so eifrig, daß sie bunt durcheinander schwatzten. »Soll das eine Kunst sein, Eier und junge Kätzchen zu stehlen?« sagte eine von ihnen. »Ich habe einmal einen jungen Hasen gejagt, der beinahe ausgewachsen war. Ich mußte von einem Busch zum andern hinter ihm drein fliegen.« Weiter kam sie nicht, denn eine andere fiel ihr in die Rede: »Das mag ja ganz gut sein, Hühner und Katzen zu foppen, aber ich finde es doch noch merkwürdiger, daß eine Krähe einem Menschen Schaden zufügen kann. Ich habe einmal einen silbernen Löffel gestohlen.«

Der Junge fand aber nachgerade, daß er doch zu gut sei, um solch ein Gewäsch mit anzuhören. »Nein, hört einmal, ihr Krähen,« sagte er, »schämen solltet ihr euch, statt alle eure dummen Streiche zu erzählen. Ich habe nun drei Wochen unter den wilden Gänsen gelebt, und von denen habe ich nichts als Gutes gehört und gesehen. Ihr müßt einen schlechten Häuptling haben, daß er euch erlaubt, so zu rauben und zu morden. Ihr solltet euch vornehmen, auf andere Weise zu leben, denn ich kann euch erzählen, die Menschen haben eure Bosheit so satt, daß sie sich mit allen Kräften bemühen, euch auszurotten. Und es wird noch ein Ende mit Schrecken nehmen.«

Als Wind-Eile und die anderen Krähen das hörten, wurden sie so erzürnt, daß sie sich über den Jungen stürzen und ihn zerreißen wollten. Fumle-Drumle aber lachte und krächzte und stellte sich vor ihn hin. »Nein, nein, nein!« sagte er und tat so, als erschrecke er sehr. »Was meint ihr, wird Wind-Kaara sagen, wenn wir Däumling zerreißen, ehe er uns das Silbergeld geschafft hat?« – »Also du bist bange vor Weibsleuten, Fumle-Drumle?« sagte Eile, aber er und die andern lachten und ließen Däumling in Ruhe.

Bald darauf zogen die Krähen weiter. Bisher hatte der Junge im stillen gedacht, Smaaland sei doch kein so armseliges Land, wie er immer gehört hatte. Es war freilich sehr bewaldet und voll von Bergabhängen, aber an den Flüssen und Seen entlang lagen bestellte Felder und wirkliche Einöden hatte er noch nicht angetroffen. Aber je tiefer sie ins Land hineinkamen, um so spärlicher wurden die Dörfer und Häuser.

Schließlich erschien es ihm wie ein ganzes Wüstenland, über das er hinflog, wo er nichts weiter sah als Moore und Heiden und Wacholderhügel.
Die Sonne war untergegangen, aber es war noch heller Tag, als die Krähen die große Heide erreichten. Wind-Eile sandte eine Krähe voraus, um zu melden, daß er siegreich heimkehre, und als dies verlautete, zog Wind-Kaara mit vielen Hunderten von Krähen vom Krähenhügel den Heimkehrenden entgegen. Mitten unter dem ohrenbetäubenden Krächzen, das die Krähen anstimmten, als sie sich wiedersahen, sagte Fumle-Drumle zu dem Jungen: »Du bist während der ganzen Reise so munter und fröhlich gewesen, daß ich dich gern leiden mag. Sobald wir uns niederlassen, werden sie dich bitten, eine Arbeit zu verrichten, die dir vielleicht sehr leicht erscheinen wird. Hüte dich aber, sie auszuführen!«
Gleich darauf setzte Fumle-Drumle Niels Holgersen auf den Boden einer Sandgrube nieder. Der Junge warf sich hin und blieb liegen, als käme er um vor Müdigkeit. Es flatterten so viele Krähen um ihn herum, daß es in der Luft brauste wie ein Sturm, aber er sah nicht in die Höhe. »Däumling,« sagte Wind-Eile, »steh jetzt auf! Du sollst uns bei etwas behilflich sein, was sehr leicht für dich ist.«
Aber der Junge rührte sich nicht, er tat so, als schliefe er. Da packte Wind-Eile ihn beim Arm und schleppte ihn durch den Sand zu einer Tonkruke von altmodischer Form, die mitten in der Grube stand. »Steh auf, Däumling!« sagte er, »und mach' uns diese Kruke auf!« – »Warum wollt ihr mich nicht schlafen lassen?« sagte der Junge. »Ich bin zu müde, um es heute abend noch zu tun. Wartet doch bis morgen!«
»Du machst sofort die Kruke auf!« befahl Wind-Eile und rüttelte ihn. Da erhob sich der Junge und musterte die Kruke. »Wie glaubt ihr nur, daß ich armes Kind eine solche Kruke öffnen kann? Die ist ja ebenso groß wie ich.« – »Mach' sie auf!« kommandierte Wind-Eile noch einmal. »Sonst ergeht es dir schlecht.« Der Junge erhob sich, schwankte nach der Kruke, befühlte den Deckel und ließ die Arme sinken. »Ich habe sonst keine schwachen Kräfte,« sagte er. »Wenn ihr mich nur bis morgen schlafen lassen wollt, glaube ich wohl, daß ich mit dem Deckel fertig werden kann.«
Aber Wind-Eile war ungeduldig und flog hin und zwickte den Jungen ins Bein. Das wollte sich der Junge jedoch nicht von einer Krähe gefallen lassen. Er riß sich schnell los, trat ein paar Schritte zurück, zog

sein Messer aus der Scheide und hielt es ausgestreckt vor sich hin. »Nimm dich in acht!« rief er Wind-Eile zu.
Der aber war so empört, daß er sich nicht von der Gefahr zurückschrecken ließ. Blind vor Wut stürzte er auf den Jungen los und fuhr gerade gegen das Messer, so daß es ihm durch das Auge ins Gehirn eindrang. Der Junge zog schnell das Messer zurück, Wind-Eile schlug aber nur noch mit den Flügeln, dann sank er um und war tot.
»Wind-Eile ist tot! Der Fremde hat unsern Häuptling, Wind-Eile, getötet!« riefen die Krähen, die zunächst standen, und dann entstand ein entsetzlicher Spektakel. Einige jammerten, andere riefen nach Rache. Alle liefen oder flatterten sie auf den Jungen zu, mit Fumle-Drumle an der Spitze. Aber der tat wieder, als sei er ganz töricht. Er flatterte nur mit ausgebreiteten Flügeln über dem Jungen und hinderte die anderen, ihre Schnäbel in ihn zu bohren.
Der Knabe hatte ein Gefühl, als befinde er sich in einer schlimmen Lage. Er konnte den Krähen nicht entkommen, und da war kein Ort, wo er sich hatte verbergen können. Aber dann fiel ihm die tönerne Kruke ein. Er zog kräftig an dem Deckel und riß ihn herunter. Dann sprang er in die Kruke hinein, um sich darin zu verstecken. Aber es war ein schlechtes Versteck, denn die Kruke war fast bis an den Rand mit dünnen Silbermünzen angefüllt. Der Junge konnte nicht tief genug hineinkommen. Da bückte er sich herab und fing an, die Silbermünzen herauszuwerfen.
Während der ganzen Zeit hatten die Krähen ihn in einem dichten Schwarm umflattert und nach ihm gehackt, sobald er aber anfing, das Silbergeld herauszuwerfen, vergaßen sie augenblicklich ihre Rachsucht und beeilten sich, es aufzufangen. Der Junge schleuderte das Geld mit vollen Händen heraus, und alle Krähen, ja, selbst Wind-Kaara, liefen danach. Und sobald eine so glücklich war, eine Münze zu ergattern, flog sie so schnell wie möglich nach ihrem Nest, um sie dort zu verstecken.
Als der Junge alles Silbergeld aus der Kruke herausgeworfen hatte, sah er auf. Da war nur noch eine einzige Krähe im Sandgraben zurückgeblieben, nämlich sein Freund Fumle-Drumle mit der weißen Feder im Flügel, die ihn getragen hatte. »Du hast mir einen größeren Dienst erwiesen, als du selber ahnst, Däumling,« sagte die Krähe mit einer ganz anderen Stimme und einem ganz andern Tonfall als bisher. »Ich will dir das Leben retten.

Setze dich auf meinen Rücken, dann will ich dich nach einem Versteck bringen, wo du die Nacht in Sicherheit zubringen kannst. Morgen werde ich schon dafür sorgen, daß du zu den wilden Gänsen zurückkommst.«

Die Hütte.

Donnerstag, den 14. April.

Als der Junge am nächsten Morgen erwachte, lag er auf einem Bett. Sobald er sah, daß er sich zwischen Türen, mit vier Wänden um sich her und mit einem Dach über dem Kopf befand, glaubte er, daß er zu Hause sei. »Nun kommt Mutter wohl bald mit Kaffee,« murmelte er noch halb im Schlaf. Aber dann entsann er sich, daß er in einer leeren Hütte auf dem Krähenhügel war, und daß Fumle-Drumle mit der weißen Feder ihn am vorhergehenden Abend dahin gebracht hatte.

Der ganze Körper schmerzte dem Jungen nach der gestern zurückgelegten Reise, und er fand, es war angenehm, so still da zu liegen, während er auf Fumle-Drumle wartete, der versprochen hatte, zu kommen und ihn zu holen.

Vor dem Bett waren Gardinen von gewürfeltem Baumwollstoff, und er schob sie zur Seite, um sich in der Stube umzusehen. Er war sich gleich klar darüber, daß er ein Haus wie dieses noch nie im Leben gesehen hatte. Die Wände bestanden nur aus ein paar Reihen Balken, dann begann schon das Dach. Da war keine Decke, und er konnte ganz bis zum Dachrücken hinaufsehen. Das ganze Haus war so klein, daß es eigentlich aussah, als wenn es eher für Wesen seiner Art gebaut sei, als für richtige Menschen, und doch waren der Feuerherd und die Mauer da herum so groß gemacht, daß er fand, er habe sie nie größer gesehen. Die Eingangstür lag an der einen Giebelwand neben dem Feuerherd und war so schmal, daß sie fast einer Luke ähnelte. An der andern Giebelwand sah er ein niedriges, breites Fenster mit vielen kleinen Fensterscheiben. Da waren fast keine beweglichen Möbel in der Stube. Die Bank an der einen Längsseite und der Tisch unter dem Fenster waren an den Wänden befestigt, ebenso das große Bett, in dem er lag, und der Wandschrank mit den bunten Blumen.

Der Knabe konnte es nicht lassen, darüber nachzusinnen, wem wohl dies Haus gehörte, und warum es leer stand. Es sah eigentlich so aus, als wenn die Leute, die da gewohnt hatten, beabsichtigt hätten, zurückzukehren. Der Kaffeekessel und der Grütztopf standen noch auf dem Herd, und im Ofenwinkel lag ein wenig Brennholz. Der Feuerhaken und die Backschaufel standen in einer Ecke, der Spinnrocken war auf eine Bank gestellt, auf dem Wandbrett über dem Fenster lagen Hede und Flachs, ein paar Fitzen Garn, ein Talglicht und ein Bund Streichhölzer.

Ja, es sah wirklich so aus, als wenn die, denen das Haus gehörte, die Absicht gehabt hätten, wieder zurückzukehren. In der Bettstelle lagen Betten, und an der Wand saßen noch lange Zeugstreifen, auf die drei Männer zu Pferd gemalt waren, die Kaspar, Melchior und Balthasar hießen. Dieselben Pferde und dieselben Reiter waren viele Male abgebildet. Sie ritten die ganze Stube herum und setzten ihren Ritt ganz bis zu den Dachbalken fort.

Plötzlich aber erblickte der Junge etwas oben an der Decke, das ihn mit einem Satz auf die Beine brachte. Es waren zwei trockene Flachbrote, die an einer Stange hingen. Sie sahen ja freilich ein wenig alt und schimmelig aus, aber Brot war es doch. Er schlug mit der Backschaufel danach, so daß ein Stück herabfiel. Er aß und stopfte seinen Sack voll. Es war doch erstaunlich, wie gut Brot schmeckte!

Er sah sich noch einmal in der Hütte um, denn er wollte sehen, ob da nicht noch etwas anderes war, was sich des Mitnehmens verlohnte. »Ich darf doch nehmen, was ich nötig habe, wenn sonst niemand sich etwas daraus macht,« dachte er. Aber das meiste war zu schwer und zu groß. Das einzige, was er mitnehmen konnte, waren vielleicht ein paar Streichhölzer.

Er kletterte auf den Tisch hinauf und schwang sich mit Hilfe der Gardinen auf das Brett über dem Fenster hinauf. Während er da stand und die Streichhölzer in seinen Sack stopfte, kam die Krähe mit der weißen Feder zum Fenster herein.

»Ja, hier bin ich,« sagte Fumle-Drumle und ließ sich auf dem Tisch nieder. »Ich konnte nicht früher kommen, weil die Krähen heute einen neuen Häuptling an Wind-Eiles Stelle gewählt haben.« – »Wen habt ihr denn gewählt?« fragte der Junge. – »Ach, wir haben einen gewählt, der keine Räuberei und Ungerechtigkeit dulden will. Wir haben Garm Weißfeder gewählt, der ehemals Fumle-Drumle genannt wurde,« erwiderte er und richtete sich stolz auf, so daß er ganz majestätisch aussah. – »Das war eine gute Wahl!« sagte der Junge und

beglückwünschte ihn. – »Ja, du kannst mir wohl Glück wünschen,« sagte Garm und erzählte dem Jungen von allem, was er von Wind-Eile und Kaara hatte erdulden müssen.
Mitten während dieser Unterhaltung hörte der Junge draußen vor dem Fenster eine Stimme, die ihm bekannt vorkam. »Ist er hier?« fragte Reineke Fuchs. – »Ja, hier ist er versteckt,« antwortete eine Krähenstimme. – »Nimm dich in acht, Däumling!« rief Garm. »Wind-Kaara steht draußen mit dem Fuchs, der dich fressen will.« Weiter kam er nicht, als Reineke schon gegen das Fenster sprang. Die alten, morschen Fenstersprossen gaben nach, und im nächsten Augenblick stand Reineke auf dem Tisch unter dem Fenster. Garm Weißfeder, der keine Zeit hatte zu entfliehen, wurde auf der Stelle totgebissen. Dann sprang Reineke auf den Fußboden und sah sich nach dem Jungen um. Der versuchte, sich hinter einem großen Büschel Hede zu verstecken, Reineke hatte ihn aber schon gesehen und krümmte sich bereits zum Sprung. Und die Stube war so klein und so niedrig, daß sich der Junge klar darüber war, der Fuchs könne seiner ohne jegliche Schwierigkeit habhaft werden. Aber in diesem Augenblick war der Junge nicht ohne Verteidigungswaffe. Schnell strich er ein Streichholz an, hielt es an die Hede und warf die auf Reineke herab. Als der Fuchs das Feuer über sich bekam, ergriff ihn eine wahnsinnige Angst. Er vergaß den Jungen und stürzte ganz von Sinnen aus der Hütte heraus.
Aber es sah fast so aus, als sei der Junge nur einer Gefahr entronnen, um sich in eine noch größere zu stürzen. Von dem Büschel Hede, das er Reineke auf den Kopf geworfen hatte, griff das Feuer nach dem Bettvorhang hinüber. Er sprang hinunter und versuchte, es zu ersticken, aber es hatte schon zu weit um sich gegriffen. Die Stube füllte sich schnell mit Rauch, und Reineke Fuchs, der draußen vor dem Fenster stand, merkte bald, wie es da drinnen aussah. »Nun Däumling,« rief er, »was ziehst du jetzt vor, – dich braten zu lassen oder zu mir herauszukommen? Ich hätte ja am meisten Lust, dich zu fressen, aber ich will mich freuen, auf welche Weise auch der Tod deiner habhaft werden mag.«
Der Junge konnte nicht anders glauben, als daß der Fuchs Recht bekommen würde, denn das Feuer griff mit schrecklicher Geschwindigkeit um sich. Das ganze Bett stand schon in Flammen, der Rauch stieg aus dem Fußboden auf, und an den bemalten Zeugstreifen kroch das Feuer von einem Reiter zum andern. Der Junge war auf den

Herd herausgekrochen und bemühte sich, die Tür zum Backofen zu öffnen, als er hörte, wie ein Schlüssel in das Schloß gesteckt und langsam herumgedreht wurde. Das mußten Menschen sein, die kamen, und in seiner großen Not wurde er nicht bange, sondern freute sich nur. Er stand schon auf der Türschwelle, als die Tür sich schließlich auftat. Vor ihm standen ein paar Kinder, aber was für Gesichter sie machten, als sie die ganze Stube in hellen Flammen sahen, das zu beachten ließ er sich keine Zeit, sondern stürzte an ihnen vorüber, ins Freie hinaus.
Er wagte nicht weit zu laufen. Er war überzeugt, daß Reineke Fuchs auf der Lauer lag, und er sah ein, daß er sich in der Nähe der Kinder halten müsse. Er wandte sich um, denn er wollte sehen, was für Leute es waren, aber er hatte sie noch keine Sekunde angesehen, als er auf sie zustürzte und rief: »Ei, guten Tag, Gänsemädchen Aase! Guten Tag, kleiner Mads!«
Als der Junge die Kinder sah, vergaß er ganz, wo er war. Die Krähen und das brennende Haus und die Tiere, die sprechen konnten, schwanden aus seinem Bewußtsein. Er ging auf einem Stoppelfeld in West-Bemmenhög und hütete eine Schar Gänse, und auf dem danebenliegenden Felde gingen die beiden Kinder aus Smaaland mit ihren Gänsen. Und sobald er sie sah, sprang er auf die steinerne Umzäunung und rief: »Ei, guten Tag Gänsemädchen Aase, guten Tag, kleiner Mads!«
Aber als die beiden Kinder den kleinen Wicht mit ausgestreckter Hand auf sich zukommen sahen, faßten sie sich bei den Händen, gingen ein paar Schritt rückwärts und sahen so aus, als seien sie in Todesangst.
Der Junge sah ihren Schrecken, kam zu sich und entsann sich, wer er war. Und da meinte er, es sei das Ärgste, was ihm widerfahren könne, daß gerade diese Kinder sehen sollten, daß er verhext war. Er war ganz überwältigt vor Kummer und Schrecken, weil er kein Mensch mehr war. Er wandte sich ab und entfloh. Wohin, das wußte er selbst nicht.
Aber als der Junge auf die Heide hinauskam, hatte er eine glückliche Begegnung. Denn mitten im Heidekraut sah er etwas Weißes, und niemand anderes als der weiße Gänserich in Gesellschaft von Daunenfein kam auf ihn zu. Als der Weiße den Jungen in einer solchen Eile laufen sah, glaubte er, daß ihm Feinde auf den Fersen seien. Er warf ihn schnell auf seinen Rücken und flog mit ihm davon.

XVI. Die alte Bauerfrau

Donnerstag, den 14. April.

Drei müde Wanderer waren in der späten Abendstunde ausgezogen, um ein Nachtlager zu suchen. Sie zogen durch einen ärmlichen und schwachbebauten Teil des nördlichen Smaaland, aber daß sie einen Ruheplatz, wie sie ihn sich wünschten, finden könnten, hätte man doch meinen sollen, denn sie waren keine verwöhnten Leute, die weiche Betten und feine Stuben verlangten. »Hätte nur einer dieser langen Bergrücken einen Gipfel, so steil und hoch, daß kein Fuchs an einer der Seiten hinaufklettern kann, so hätten wir einen guten Schlafplatz,« sagte einer von ihnen. – »Wäre da nur kein Eis auf einem der großen Moore, und wäre es nur so sumpfig und naß, daß sich kein Fuchs da hinauf wagte, so wäre das auch ein gutes Nachtquartier,« sagte der zweite. – »Hätte sich nur das Eis auf einem der großen Seen, an denen wir vorüberreisen, vom Lande losgelöst, so daß ein Fuchs nicht da hinauf könnte, so hätten wir gefunden, was wir suchen,« sagte der dritte.

Das schlimmste war, daß, sobald die Sonne erst untergegangen war, zwei von den Wanderern so müde wurden, daß sie jeden Augenblick nahe daran waren, umzustürzen. Der dritte, der sich wohl noch halten konnte, wurde immer unruhiger, je näher die Nacht heranrückte. »Es ist doch ein Unglück,« dachte er, »daß wir in ein Land gekommen sind, wo die Seen und Sümpfe zugefroren sind, so daß der Fuchs überall hinkommen kann. An andern Stellen ist das Eis ja schon aufgetaut, aber jetzt sind wir scheinbar oben in dem allerkältesten Smaaland, wohin der Frühling noch nicht gekommen ist. Ich weiß wirklich nicht, was ich tun soll, um einen guten Schlafplatz zu entdecken. Wenn ich keine Stelle finde, die gut beschützt ist, so haben wir Reineke Fuchs morgen hier.«

Er sah sich nach allen Seiten um, aber er sah keinen Ort, wo sie einkehren konnten. Und es war ein dunkler, naßkalter Abend mit Wind und Sprühregen. Mit jedem Augenblick, der verging, wurde es unheimlicher und scheußlicher um ihn her.

Es mag wunderlich erscheinen, aber die Reisenden hatten gar keine Lust, auf einem Gehöft um Unterkunft zu bitten. Sie waren schon an vielen Dörfern vorübergekommen, ohne an eine einzige Tür

anzuklopfen. Nicht einmal mit den kleinen Hütten am Waldesrande, die arme Wanderer so gern antreffen mögen, wollten sie etwas zu schaffen haben.
Man könnte sich fast versucht fühlen, zu sagen, es schadete ihnen gar nicht, daß es ihnen so schlecht erging, wenn sie nicht um Hilfe bitten wollten, wo Hilfe zu erlangen war.
Aber schließlich, als es so dunkel geworden war, daß der helle Streif am Horizont fast verschwand, und die beiden, die des Schlafes bedurften, sich wie im Halbschlaf bewegten, kamen sie an einen Bauernhof, der ganz allein, weit entfernt von allen Nachbarn lag. Und nicht genug damit, daß er so einsam lag, er sah auch so aus, als sei er ganz unbewohnt. Kein Rauch stieg aus dem Schornstein auf, kein Licht drang durch die Fenster hinaus, kein Mensch war auf dem Hofplatz zu sehen. Als derjenige von den dreien, der sich noch halten konnte, das Haus sah, dachte er: »Jetzt muß es gehen, wie es will, wir müssen versuchen, hier auf dem Gehöft unter Dach zu kommen. Etwas Besseres finden wir gewiß nicht.«
Gleich darauf standen sie alle drei auf dem Hof. Die beiden fielen im selben Augenblick, als sie standen, in Schlaf, der dritte aber sah eifrig um sich, um zu entdecken, wo er unter Dach kommen konnte. Es war keineswegs ein kleines Gehöft. Außer Wohnhaus, Pferdestall und Kuhhaus waren da lange Seitenflügel mit Scheuern und Tennen und Vorratskammern und Geräteschuppen. Aber es sah alles schrecklich heruntergekommen und verfallen aus. Die Mauern waren grau und moosbewachsen und machten den Eindruck, als wenn sie einstürzen wollten. In dem Dach waren klaffende Löcher, und die Türen hingen schief auf zerbrochenen Hängen. Es war offenbar lange her, seit jemand dort auf dem Hofe dran gedacht hatte, auch nur einen Nagel in eine Wand zu schlagen.
Indessen hatte der, der wach war, ausfindig gemacht, welches von den Häusern der Kuhstall war. Er rüttelte seine Reisekameraden auf und führte sie an die Stalltür. Die war glücklicherweise nur mit einer Krampe geschlossen, die er mit einem Stock leicht in die Höhe heben konnte. Er atmete schon erleichtert auf bei dem Gedanken, daß sie bald in Sicherheit sein würden. Aber als die Stalltür mit einem lauten Kreischen aufsprang, hörte er eine Kuh brüllen. »Kommt meine Herrin endlich?« sagte die Kuh. »Ich glaubte nicht, daß ihr noch die Absicht hättet, mir heute abend Futter zu geben!«

Der Wache blieb erschreckt an der Tür stehen, als er merkte, daß der Kuhstall nicht leer war. Aber er sah bald, daß da nur eine einzige Kuh war und drei, vier Hühner, und da faßte er wieder Mut. »Wir sind drei arme Reisende, die gern über Nacht eine Unterkunft finden wollen, wo uns kein Fuchs überfallen und keine Menschen uns fangen können,« sagte er. »Wir möchten gern wissen, ob sich dieser Ort für uns eignen könnte.«– »Ich kann es mir nicht anders denken,« antwortete die Kuh. »Die Wände sind ja freilich schadhaft, aber noch kann der Fuchs nicht da hindurch, und hier wohnt niemand als eine alte Frau, die wahrhaftig keine Kräfte hat, um jemand gefangen zu nehmen. Aber wer seid ihr denn?« fuhr sie fort, indem sie sich in ihrem Stand umdrehte, um die Neuangekommenen zu sehen. – »Ich bin Niels Holgersen aus West-Bemmenhög; ich bin in einen Kobold verwandelt,« erwiderte der erste der Eintretenden. »Und ich habe eine zahme Gans bei mir, auf der ich zu reiten pflege, und eine Graugans.« – »So seltener Besuch ist noch nie über meine Schwelle gekommen,« sagte die Kuh, »und ihr sollt willkommen sein, wenn ich auch lieber gesehen hätte, daß es meine Herrin gewesen wäre, die käme, um mir mein Abendbrot zu geben.«
Der Junge half nun den Gänsen in den Kuhstall hinein, der ziemlich groß war und stellte sie in einen leeren Stand, wo sie augenblicklich einschliefen. Sich selbst machte er ein kleines Bett aus Stroh und hoffte, daß er bald ihrem Beispiel folgen würde.
Aber daraus wurde nun nichts, denn die arme Kuh, die ihr Abendbrot nicht bekommen hatte, konnte keinen Augenblick ruhig sein. Sie rüttelte an der Halskette, bewegte sich in dem Stand hin und her und klagte, daß sie so hungrig sei. Der Junge vermochte kein Auge zu schließen, er lag da und nahm in Gedanken alles durch, was ihm in den letzten Tagen begegnet war.
Er dachte an das Gänsemädchen Aase und an den kleinen Mads, denen er so unverhofft begegnet war, und er ward sich klar darüber, daß das kleine Haus, das er unversehens in Brand gesteckt hatte, ihr altes Heim in Smaaland sein müßte.
Er konnte sich ja auch entsinnen, daß sie ihm von genau so einem Hause und von der großen Heide rings umher erzählt hatten. Nun waren sie daher gewandert, um ihr Heim wiederzusehen, und als sie es erreicht hatten, stand es in hellen Flammen! Es war ja ein großer Kummer, den er ihnen bereitet hatte, und es tat ihm sehr leid. Wenn er

jemals wieder ein Mensch wurde, mußte er versuchen, ihnen das Leid und den Schmerz zu vergüten.
Dann wanderten seine Gedanken zu den Krähen, und als er an Fumle-Drumle dachte, der ihm das Leben gerettet hatte und der so bald, nachdem er zum Häuptling gewählt war, den Tod erleiden mußte, wurde er so traurig, daß ihm Tränen in die Augen traten.
Die letzten Tage waren hart für ihn gewesen, aber ein großes Glück war es doch, daß der Gänserich und Daunenfein ihn aufgespürt hatten. Der Gänserich erzählte, daß, sobald die wilden Gänse sein Verschwinden bemerkt hatten, sie alle die kleinen Tiere im Walde nach ihm ausfragten. So erfuhren sie denn bald, daß er von einer Schar wilder Krähen aus Smaaland entführt worden war. Aber die Krähen waren schon außer Sicht, und niemand konnte sagen, welchen Kurs sie genommen hatten. Um den Jungen so schnell wie möglich zu finden, hatte Akka alsdann den wilden Gänsen befohlen, immer zu zweien nach verschiedenen Seiten auszufliegen, um nach ihm zu suchen. Aber, sie mochten ihn nun gefunden haben oder nicht, nachdem sie zwei Tage gesucht, sollten sie alle im nordwestlichen Smaaland auf einem hohen Berggipfel zusammentreffen, der einem stumpfen Turm glich, und der Taberg hieß. Und nachdem Akka sie die besten Wegezeichen gelehrt und ihnen genau beschrieben hatte, wie sie den Taberg finden würden, trennten sie sich.
Der weiße Gänserich hatte Daunenfein zur Reisegefährtin erwählt, und sie flogen in großer Angst um Däumling von einem Ort zum andern. Wählend sie so umherstreiften, hörten sie eine Drossel, die in einem Baumwipfel saß, schelten und schmähen, daß einer, der *Krähenraub* hieß, sich über sie lustig gemacht hatte. Sie hatten sich mit der Drossel in eine Unterhaltung eingelassen, und sie hatte ihnen gezeigt, nach welcher Seite dieser Krähenraub geflogen war. Nach einer Weile trafen sie einen Täuberich, einen Star und eine Stockente, die sich alle über einen boshaften Wicht beklagten, der sie in ihrem Gesang gestört hatte, und der Krähenraub, Krähengestohlen und Krähendiebstahl hieß. Auf die Weise konnten sie Däumlings Spur bis hinab nach der Heide in der Sunnerboer Harde verfolgen.
Sobald der Gänserich und Daunenfein Däumling gefunden hatten, zogen sie gen Norden weiter, um nach dem Taberge zu kommen. Aber es war ein langer Weg, und die Dunkelheit überraschte sie, ehe der Berggipfel in Sicht kam. »Wenn wir nur morgen dahingelangen, hat

alle Sorge ein Ende,« dachte der Junge und bohrte sich tief ins Stroh hinein, um wärmer zu liegen.

Die Kuh hatte während der ganzen Zeit in ihrem Stand rumort. Jetzt begann sie plötzlich mit dem Jungen zu reden: »Ich meine, einer von denen, die hier hereinkamen, sagte, er sei ein Kobold. Verhält sich das so, dann muß er sich wohl darauf verstehen, eine Kuh zu besorgen.« – »Was fehlt dir denn?« fragte der Junge. – »Mir fehlt alles mögliche,« sagte die Kuh. »Ich bin weder gemolken noch ordentlich besorgt. Ich habe kein Nachtfutter in meine Krippe bekommen, und es ist nicht unter mir ausgemistet worden. In der Dämmerstunde kam die Hausfrau hier herein wie gewöhnlich, um alles bei mir in Ordnung zu bringen, aber sie war so krank, daß sie gleich wieder gehen mußte, und sie ist nicht wiedergekommen.« – »Es ist traurig, daß ich so klein bin und keine Kräfte habe,« sagte der Junge. »Ich glaube nicht, daß ich imstande bin, dir zu helfen.« – »Du brauchst mir nicht einzubilden, daß du keine Kräfte hast, weil du klein bist,« sagte die Kuh. »Alle Kobolde, von denen ich habe erzählen hören, sind so stark gewesen, daß sie ein ganzes Fuder Heu ziehen und eine Kuh mit einem Schlag ihrer geballten Faust töten konnten.« Der Junge konnte es nicht lassen, darüber zu lachen. »Das waren wohl Kobolde anderer Art als ich,« sagte er. »Aber ich will deine Halskette losmachen und dir die Tür öffnen, dann kannst du hinausgehen und aus einer der Wasserpfützen draußen auf dem Hof trinken, und dann will ich versuchen, auf den Heuboden hinaufzuklettern und dir etwas Heu in die Krippe hinabzuwerfen.« – »Hm, das ist ja immer eine Hilfe,« meinte die Kuh. Der Junge tat, wie er gesagt hatte, und als die Kuh mit der vollen Krippe vor sich dastand, dachte er, daß er nun wohl endlich schlafen dürfe. Aber kaum war er wieder ins Bett gekrochen, als sie von neuem mit ihm zu reden begann:

»Du wirst gewiß ganz ärgerlich auf mich, wenn ich dich nun noch um etwas bitte,« sagte die Kuh. – »Nein, wenn es nur etwas ist, was ich kann,« erwiderte der Junge. – »Dann möchte ich dich bitten, ob du nicht in das Haus hier gerade gegenüber hineingehen und dich danach umsehen wolltest, wie es meiner Herrin geht. Ich fürchte, daß ihr ein Unglück zugestoßen ist.« – »Nein, das kann ich nicht,« sagte der Junge. »Ich kann keinem Menschen vor Augen kommen.« – »Du wirst dich doch nicht vor einer alten kranken Frau fürchten?« sagte die Kuh. »Du brauchst auch gar nicht ins Haus hineinzugehen. Stelle dich nur draußen vor die Tür und guck durch den Türspalt!« – »Wenn du nichts weiter von mir verlangst, so muß ich es wohl tun,« sagte der Junge. Damit öffnete er die Stalltür und ging auf den Hof hinaus. Es war eine schreckliche Nacht, in die er hinauskam. Da waren weder Mond noch Sterne am Himmel. Der Sturm heulte und der Regen strömte hernieder, Das schlimmste aber war, daß da sieben große Eulen in einer Reihe auf dem Dachrücken des Wohnhauses saßen. Es war schrecklich, sie nur anzuhören, wie sie da so saßen und über das Wetter heulten, noch schlimmer aber war es, daran zu denken, daß, wenn nur eine einzige ihn erblickte, es mit ihm aus war.

»Der Ärmste, der so klein ist!« dachte der Junge, als er auf den Hofplatz hinauslief. Und er hatte wohl Grund, das zu sagen. Zweimal wurde er umgeweht, ehe er nach dem Wohnhause hinüberkam, und einmal fegte ihn der Wind in eine Wasserpfütze hinein, die so tief war, daß er fast ertrunken wäre. Aber er kam doch hinüber.

Er kletterte ein paar Stufen hinauf, kroch über eine Türschwelle und gelangte auf eine Diele. Die Stubentür war geschlossen, aber unten in der einen Ecke war ein großes Stück herausgenommen, damit die Katze aus und ein gehen konnte. Es war also leicht genug für den Jungen, nachzusehen, wie es da drinnen stand.

Kaum hatte er einen Blick in die Stube geworfen, als er zusammenzuckte und den Kopf zurückzog. Auf dem Fußboden lag eine alte, grauhaarige Frau lang ausgestreckt. Sie rührte sich nicht und stöhnte auch nicht, und ihr Gesicht schimmerte wunderlich weiß. Es sah so aus, als wenn ein unsichtbarer Mond sein Licht darauf werfe.

Der Junge mußte daran denken, daß, als sein Großvater gestorben war, dessen Gesicht auch so wunderlich weiß gewesen war. Und er begriff, daß die alte Frau, die da in der Stube auf dem Fußboden lag, tot war. Der Tod hatte sie offenbar überrascht, so daß sie sich nicht einmal auf ihr Bett hatte legen können.

Er wurde so schrecklich bange, als es ihm klar geworden war, daß er sich mitten in der Nacht allein mit einer Leiche befand. Über Hals und Kopf stürzte er die Treppe hinab und wieder in den Kuhstall hinein.

Als er der Kuh erzählte, was er in der Stube gesehen hatte, hielt sie mit dem Fressen inne. »Ja, dann ist meine Herrin tot,« sagte sie. »Dann ist es wohl auch mit mir bald vorbei.« – »Es wird sich wohl jemand finden, der sich deiner annimmt,« sagte der Junge tröstend. – »Ach, du weißt ja nicht,« sagte die Kuh, »daß ich schon doppelt so alt bin, wie eine Kuh zu sein pflegt, ehe sie auf die Schlachtbank kommt. Aber ich mache mir auch nichts mehr daraus zu leben, wenn die da drinnen nicht mehr kommen und für mich sorgen kann.«

Dann schwieg sie eine Weile, aber der Junge konnte wohl merken, daß sie weder schlief noch aß. Es währte denn auch nicht lange, bis sie wieder zu sprechen begann: »Liegt sie an der Erde?« fragte sie. – »Ja, das tut sie,« antwortete der Junge. – »Sie hatte die Gewohnheit, hierher in den Kuhstall zu kommen und mit mir über alles zu reden, was sie bekümmerte. Ich verstand, was sie sagte, wenn ich ihr auch nicht antworten konnte. In den letzten Tagen ging sie umher und sprach davon, daß sie befürchte, es würde niemand bei ihr sein, wenn sie stürbe. Sie ängstigte sich, daß niemand ihr die Augen zudrücken und ihr die Hände kreuzweise über die Brust legen würde, wenn sie tot sei. Du würdest wohl nicht hineingehen und das tun?« Der Junge besann sich. Er erinnerte sich noch sehr wohl, wie sein Großvater gestorben war; da hatte seine Mutter ihn mit großer Sorgfalt zur Ruhe gebettet. Er wußte, daß dies etwas war, was geschehen mußte. Aber auf der andern Seite wußte er auch, daß er nicht den Mut hatte, in dieser schrecklichen Nacht zu der Toten hineinzugehen. Er sagte nicht nein, rührte sich aber auch nicht vom Fleck.

Die alte Kuh schwieg eine Weile, als warte sie auf Antwort. Als der Knabe aber nichts sagte, wiederholte sie ihre Bitte nicht. Sie begann im Gegenteil, mit ihm von ihrer Herrin zu sprechen.

Darüber war viel zu sagen. Zuerst erzählte sie ihm von allen den Kindern, die sie großgemacht hatte. Die kamen ja jeden Tag in den Stall, und im Sommer hüteten sie die Kühe auf dem Moor und auf den Wiesen, so daß die alte Kuh gut von ihnen Bescheid wußte. Es waren alles ausgezeichnete Kinder, fleißig und fröhlich. Eine Kuh wußte recht gut, wie ihre Hüter beschaffen sind.

Und auch von dem Gehöft war viel zu erzählen. Das war nicht immer so verfallen gewesen wie jetzt. Es gehörte viel Land dazu, wenn auch der größte Teil sumpfig und steinig war. Kornfelder waren da nicht viele, dahingegen war da überall ausgezeichnetes Weideland, Es gab Zeiten, wo in jedem Stand im Kuhstall eine Kuh angekettet war, und wo der Ochsenstall, der jetzt ganz leer stand, voller Ochsen gewesen. Und damals herrschte Freude und Frohsinn in Stube und Stall. Wenn die Hausfrau die Stalltür öffnete, sang und trällerte sie, und alle Kühe brüllten vor Freude, wenn sie sie kommen hörten.

Aber der Hausherr starb, als die Kinder noch so klein waren, daß sie noch keinen Nutzen schaffen konnten, und die Hausfrau mußte alle Arbeit und Fürsorge übernehmen. Sie war stark wie ein Mann und sie pflügte und erntete. Am Abend, wenn sie in den Stall kam, um zu melken, war sie manchmal so müde, daß sie weinte. Aber wenn sie an ihre Kinder dachte, wurde sie wieder fröhlich. Dann trocknete sie die Tränen und sagte: »Es macht nichts, ich werde schon wieder gute Tage bekommen, wenn meine Kinder erst erwachsen sind. Ja, wenn die erst erwachsen sind!«

Aber sobald die Kinder erwachsen waren, befiel diese eine wunderliche Sehnsucht. Sie hatten keine Ruhe mehr daheim, sie reisten nach fremden Ländern. Ihre Mutter bekam niemals Hilfe von ihnen. Ein paar von den Kindern waren schon verheiratet, als sie fortreisten, und sie ließen ihre kleinen Kinder in dem alten Heim zurück. Und nun liefen diese Kinder mit der Hausfrau in den Kuhstall, genau so, wie es ihre eigenen getan hatten. Sie hüteten die Kühe und es waren gute und tüchtige Kinder. Und am Abend, wenn die Großmutter so müde war, daß sie mitten beim Melken einschlief, konnte sie sich mit dem Gedanken an sie ermuntern und neuen Mut schaffen: »Ich werde schon gute Tage bekommen,« sagte sie und schüttelte den Schlaf ab, »wenn nur die Kinder erst erwachsen sind!«

Als aber diese Kinder erwachsen waren, reisten sie zu den Eltern hinüber in das fremde Land. Keines kehrte zurück, keines blieb in der Heimat. Die alte Frau war schließlich ganz allein auf dem Gehöft.

Sie bat sie auch gar nicht, bei ihr zu bleiben. »Du findest doch nicht, Rödlinna, daß ich sie bitten sollte, hier bei mir zu bleiben, wenn sie in die Welt hinausreisen und es gut haben können?« sagte sie oft, wenn sie im Stall bei der alten Kuh stand. »Hier in Smaaland harrt ihrer ja nichts als Armut.«

Aber als das letzte Enkelkind gereist war, konnte die alte Frau nicht mehr. Mit einemmal wurde sie grauhaarig und gebeugt, ihr Gang wurde wackelnd, es sah so aus, als habe sie keine Kraft mehr, sich zu rühren. Und sie hörte auf zu arbeiten. Sie mochte sich nicht mehr um das Gehöft bekümmern, sondern ließ alles verfallen. Sie setzte die Gebäude nicht mehr instand und sie verkaufte sowohl Kühe als auch Ochsen. Nur die alte Kuh, mit der Däumling jetzt sprach, behielt sie. Die ließ sie leben, weil alle Kinder mit ihr draußen auf dem Felde gewesen waren.

Sie hätte ja Mägde und Knechte in ihren Dienst nehmen können, um sich bei der Arbeit helfen zu lassen, aber sie konnte es nicht ertragen, Fremde um sich zu sehen, jetzt, wo ihre Angehörigen sie verlassen hatten. Und vielleicht sah sie es auch am liebsten, daß das Gehöft verfiel, wenn keins von den Kindern kam, um es zu übernehmen. Sie machte sich nichts daraus, daß sie selber arm wurde, weil sie nicht für das sorgte, was ihr gehörte. Aber sie fürchtete, daß zu den Kindern Kunde davon dringen könne, wie schlecht es ihr erging. »Wenn nur die Kinder es nicht erfahren! Wenn nur die Kinder es nicht erfahren!« seufzte sie, wenn sie im Stall umherschwankte.

Die Kinder schrieben ihr beständig und baten sie, zu ihnen hinüberzukommen, aber sie wollte nicht. Sie wollte das Land nicht sehen, das ihr die Kinder genommen hatte. Sie war böse darauf. »Es ist sicher dumm von mir, daß ich das Land nicht leiden kann, das so gut gegen sie gewesen ist,« sagte sie. »Aber ich will es nicht sehen!«

Sie dachte nie an etwas anderes als an die Kinder, und daß sie weggereist waren. Wenn es Sommer wurde, zog sie die Kuh heraus, so daß sie auf dem großen Moor weiden konnte. Sie selbst saß den ganzen Tag am Moor, die Hände im Schoß, und wenn sie nach Hause ging, sagte sie: »Sieh, Rödlinna, wären hier große, fette Äcker gewesen statt dieser unfruchtbaren Moore, so hätten sie nicht fortzureisen brauchen.«

Sie konnte sich förmlich wütend sehen an dem Moor, das sich so groß und weit ausbreitete und keinen Nutzen schaffte. Und sie konnte dasitzen und davon reden, daß das Moor schuld daran sei, daß die Kinder von ihr gegangen waren.

An diesem letzten Abend war sie elender und zitteriger gewesen denn je zuvor. Sie hatte nicht einmal das Melken mehr besorgen können. Sie hatte dagestanden und sich auf den Stand gestützt und erzählt, es seien zwei Bauern bei ihr gewesen, die hätten gefragt, ob sie das Moor nicht verkaufen wolle. »Denk' dir, Rödlinna,« sagte sie, »denk' dir, sie sagten, auf dem Moor könne Roggen wachsen! Nun schreibe ich an die Kinder, daß sie nach Hause kommen sollen. Nun brauchen sie nicht mehr fort zu bleiben, nun können sie Brot hier in der Heimat bekommen!«

Das war der Brief, den sie hatte schreiben wollen, als sie in die Stube gegangen war.

*

Der Junge hörte nichts mehr davon, was die alte Kuh erzählte. Er machte die Stalltür auf und ging in die Stube hinein zu der Toten, vor der er noch vor kurzem so bange gewesen war.
Erst stand er einen Augenblick still und sah sich um.
Die Stube sah nicht so ärmlich aus, wie er es sich gedacht hatte. Sie war reichlich versehen mit solchen Gegenständen, wie man sie bei Leuten anzutreffen pflegt, die Verwandte in Amerika haben. In einer Ecke stand ein amerikanischer Schaukelstuhl, auf dem Tisch am Fenster lag eine bunte Plüschtischdecke, über das Bett war eine hübsche Decke gebreitet, an den Wänden hingen die Photographien der abwesenden Kinder und Kindeskinder in zierlichen, geschnitzten Rahmen, auf der Truhe standen hohe Vasen und ein paar Leuchter mit dicken, gewundenen Kerzen.
Der Junge fand eine Schachtel mit Streichhölzern und zündete die Kerzen an, nicht weil er das Bedürfnis hatte, besser zu sehen als bisher, sondern weil er glaubte, der Verstorbenen auf diese Weise Ehre zu erweisen.
Dann ging er zu ihr hin, drückte ihr die Augen zu, legte ihr die Hände kreuzweise über die Brust und strich ihr das dünne, graue Haar aus dem Gesicht.
Es kam ihm gar nicht mehr in den Sinn, bange vor ihr zu sein. Er war so von Herzen traurig, daß sie ihr Alter so in Einsamkeit und Sehnsucht hatte verleben müssen. Jetzt wollte er wenigstens diese Nacht bei ihrem entseelten Körper wachen.
Er suchte nach dem Gesangbuch, und als er es fand, setzte er sich hin und las ein paar Gesänge halblaut. Aber mitten im Lesen hielt er inne, weil er an seine eigenen Eltern denken mußte.
Ach, daß sich Eltern so nach ihren Kindern sehnen können! Das hatte er nie geahnt. Ob die daheim sich auch wohl nach ihm sehnten, so wie sich die alte Frau gesehnt hatte?
Der Gedanke machte ihn froh, aber er wagte nicht, daran zu glauben. Er war nicht so gewesen, daß sich jemand nach ihm sehnen konnte.
Aber was er nicht gewesen war, konnte er werden.
Rings um sich her sah er die Bilder der Fortgereisten. Es waren große, starke Männer und Frauen mit ernsten Gesichtern. Da waren Bräute mit langen Schleiern und Herren mit feinen Kleidern, und da waren Kinder, die lockiges Haar hatten und schöne, weiße Kleider.

Und er fand, daß sie alle zusammen blind in die Luft hinausstarrten und nicht sehen wollten.
»Ihr Ärmsten!« sagte der Junge zu den Bildern. »Eure Mutter ist tot. Ihr könnt es nicht wieder gutmachen, daß ihr von ihr gereist seid. Aber meine Mutter lebt.«
Hier hielt er inne und nickte und lächelte vor sich hin. »Meine Mutter lebt!« sagte er. »Mein Vater und meine Mutter leben beide!«

XVII. Vom Taberg bis Husquarna

Freitag, den 15. April.

Der Junge wachte fast die ganze Nacht, aber gegen Morgen schlief er ein, und da träumte er von seinem Vater und seiner Mutter. Er konnte sie kaum erkennen. Sie hatten beide graues Haar bekommen und alte, runzelige Gesichter. Er fragte, woher das komme, und sie antworteten, sie seien so alt geworden, weil sie sich nach ihm gesehnt hatten. Er wurde gerührt und verwundert zugleich, denn er hatte immer gedacht, sie würden froh sein, daß sie ihn los waren.
Als der Junge erwachte, war der Morgen mit schönem, hellen Wetter angebrochen. Erst aß er selbst ein Stück Brot, das er in der Stube fand, dann gab er den Gänsen und der Kuh ihr Morgenfutter und öffnete die Stalltür, so daß die Kuh nach dem nächsten Gehöft hinübergehen konnte. Wenn sie allein gegangen kam, würden die Nachbarn schon verstehen, daß der alten Frau etwas zugestoßen sein müsse. Sie würden nach dem einsamen Gehöft eilen, um zu sehen, was die Alte machte, und wenn sie dann ihren entseelten Körper fanden, würden sie sie begraben.
Kaum waren der Junge und die wilden Gänse in die Luft hinaufgekommen, als sie einen hohen Berg mit fast lotrechten Wänden und einem jäh abgeschnittenen Gipfel erblickten, und sie begriffen, daß dies der Taberg sein müsse. Und oben auf dem Taberge stand Akka mit Aksi und Kaksi, Kolme und Neljä, Biisi und Kuusi und allen sechs Gösseln und wartete auf sie. Das war eine Freude und ein Schnattern und ein Flügelschlagen und Schreien, wie es nicht zu beschreiben ist, als sie sahen, daß es dem Gänserich und Daunenfein gelungen war, Däumling zu finden.

Ziemlich hoch auf den Taberg hinauf wuchs Wald, aber der oberste Gipfel war kahl, und von dort aus konnte man weit umher nach allen Seiten sehen. Sah man nach Osten, nach Süden oder Westen, so war da fast nichts weiter zu sehen, als ein armseliges Hochland mit dunklen Tannenwäldern, braunen Mooren, eisbedeckten Seen und blauenden Bergabhängen. Der Junge mußte zugeben, daß es nicht so aussah, als wenn derjenige, der dies erschaffen hatte, sich besondere Mühe bei seiner Arbeit gegeben hätte, er hatte es nur in aller Eile grob herausgehauen. Sah man dahingegen nach Norden, so war es eine ganz andere Sache. Hier sah das Land so aus, als sei es mit der größten Liebe geformt. Auf der einen Seite sah man lauter schöne Berge, sanfte Täler und silberblanke Flüsse, bis ganz hinab nach dem großen Wetternsee, der eisfrei und glänzend klar dalag und schimmerte, als sei er nicht mit Wasser, sondern mit blauem Licht angefüllt.
Gerade der Wetternsee machte den Blick nach Norden so schön, weil er aussah, als sei ein blauer Schimmer von dem See aufgestiegen und habe sich über das Land verbreitet. Haine und Hügel und die Dächer und die Kirchtürme in Jönköping, die an dem Ufer des Wetternsees hervorlugten, lagen gleichsam eingehüllt in einen blauen Schimmer, der das Auge erfreute. Wenn es im Himmel Länder gab, so mußten sie auch gewiß so blau sein, dachte der Junge und meinte, er habe nun eine kleine Ahnung davon, wie es im Paradiese aussah.
Als die Gänse späterhin am Tage auf ihrem Zuge weiterzogen, flogen sie das blaue Tal hinauf. Sie waren in allerbester Laune, schrien und lärmten, so daß niemand, der Ohren hatte, umhin konnte, sie zu bemerken.
Es traf sich so, daß es der erste wirklich schöne Frühlingstag dort in der Gegend war. Bisher hatte der Lenz seine Arbeit in Regen und Sturm verrichtet, und als nun plötzlich schönes Wetter geworden war, erfaßte die Menschen da unten auf der Erde eine solche Sehnsucht nach Sommer, Wärme und grünen Wäldern, daß es ihnen schwer wurde, bei ihrer Arbeit zu bleiben. Und als die wilden Gänse vorüberzogen, frei und fröhlich, hoch oben über der Erde, war da auch nicht ein einziger, der nicht die Arbeit, mit der er beschäftigt war, einen Augenblick ruhen ließ, um ihnen nachzusehen.
Die ersten, die eines Tages die wilden Gänse sahen, waren die Grubenarbeiter auf dem Taberge, die ganz oben an der Oberfläche des Berges Erz brachen. Als sie sie gackern hörten, hielten sie inne mit

dem Bohren ihrer Sprenglöcher, und einer von ihnen rief den Vögeln zu: »Wo reist ihr hin?« Die Gänse verstanden nicht, was er sagte, der Junge aber beugte sich über den Gänserücken und antwortete für sie: »Dahin, wo weder Hacke noch Schlägel ist!« Als die Grubenarbeiter die Worte hörten, dachten sie, ihr Sehnen habe gewiß bewirkt, daß das Gackern der Gänse wie Menschenrede geklungen habe. »Wir wollen mit! Wir wollen mit!« riefen sie. – »Dies Jahr nicht!« schrie der Junge. »Dies Jahr nicht!«

Die wilden Gänse flogen in der Richtung des Tabergflusses nach dem Mönchsee hinab, und beständig machten sie denselben Lärm. Hier auf dem schmalen Landstreif zwischen dem Mönchsee und dem Wetternsee lag Jönköping mit seinen großen Fabrikanlagen. Zuerst flogen die wilden Gänse über die Munkeseer Papierfabrik. Die Mittagspause war gerade beendet und die großen Arbeiterscharen strömten auf das Fabriktor zu. Als sie die wilden Gänse hörten, standen sie einen Augenblick still, um ihnen zu lauschen. »Wo reist ihr hin? Wo reist ihr hin?« rief ein Arbeiter. Die wilden Gänse verstanden nicht, was er sagte, der Junge aber antwortete für sie: »Dahin, wo es weder Maschinen noch Dampfkessel gibt.« Als die Arbeiter die Antwort hörten, glaubten sie, ihr eigenes Sehnen habe bewirkt, daß das Gänsegeschnatter so klinge wie Menschenrede. »Wir wollen mit! Wir wollen mit!« riefen eine ganze Menge von ihnen. »Dies Jahr nicht!« antwortete der Junge. »Dies Jahr nicht!«

Dann flogen die Gänse über die weltberühmte Streichhölzerfabrik, die am Ufer des Wetternsees liegt, so groß wie eine Festung, und deren hohe Schornsteine zum Himmel aufragen. Auf den Höfen rührte sich kein Mensch, aber in einem großen Saal saßen junge Arbeiterinnen und füllten Streichholzschachteln. Sie hatten ein Fenster geöffnet, weil das Wetter so schön war, und der Ruf der wilden Gänse bis zu ihnen hineindrang. Diejenige, die dem Fenster zunächst saß, lehnte sich mit einer Streichholzschachtel in der Hand hinaus und rief: »Wo reist ihr hin? Wo reist ihr hin?« – »Nach dem Lande, wo man weder Licht noch Streichhölzer nötig hat,« sagte der Junge. Das junge Mädchen glaubte ja, daß das, was sie gehört hatte, nichts gewesen sei als Gänsegeschnatter, da sie aber doch meinte, ein paar Worte unterscheiden zu können, rief sie als Antwort: »Ich will mit! Ich will mit!« – »Nicht dies Jahr!« antwortete der Junge. »Nicht dies Jahr!«

Östlich von den Fabriken erhebt sich Jönköping auf dem schönsten Fleck, den sich eine Stadt wünschen kann. Der schmale Wetternsee hat hohe, steile Südabhänge an dem östlichen und an dem westlichen Ufer, aber gerade nach Süden zu sind die Sandmauern niedergebrochen, wie um einem großen Tor Platz zu machen, durch das man an den See hinausgelangt. Und mitten in dem Tor, mit Bergen zur Rechten und Bergen zur Linken, mit dem Mönchsee hinter sich und dem Wetternsee vor sich, liegt Jönköping.

Die Gänse flogen über die lange, schmale Stadt hin und machten hier ebensoviel Lärm wie draußen auf dem Lande. Aber in der Stadt antwortete ihnen niemand. Es war nicht zu erwarten, daß die Leute in der Stadt auf der Straße stehenbleiben und den wilden Gänsen etwas zurufen sollten.

Weiter ging die Reise am Ufer des Wetternsees, und nach Verlauf einiger Zeit kamen die Gänse nach dem Krankenheim Sanna. Einige von den Kranken waren auf die Veranda hinausgegangen, um die Frühlingsluft zu genießen und hörten von hier aus das Schnattern der Gänse. »Wo reist ihr hin? Wo reist ihr hin?« fragte einer von ihnen mit so schwacher Stimme, daß es kaum zu hören war. »Nach dem Lande, wo es weder Kummer noch Krankheit gibt,« antwortete der Junge. »Wir wollen mit!« sagte der Kranke. – »Nicht dies Jahr!« antwortete der Junge. »Nicht dies Jahr!«

Als sie noch eine Strecke geflogen waren, kamen sie nach Husquarna. Das lag in einem Tal. Rings umher standen Berge, steil und schön geformt. Ein Bach kam von den Höhen in langen, schmalen Wasserfällen herabgestürzt. Große Werkstätten und Fabriken lagen unter den Bergwänden; der Talboden war übersät mit Arbeiterwohnungen, umgeben von kleinen Gärten, und mitten im Tal lag die Schule. Gerade als die Gänse geflogen kamen, ertönte eine Glocke, und eine Menge Kinder kamen in einer langen Reihe herausmarschiert. Es waren so viele, daß sie den ganzen Schulhof füllten. »Wo reist ihr hin? Wo reist ihr hin?« riefen die Kinder, als sie die wilden Gänse hörten. – »Dahin, wo es weder Bücher noch Schulaufgaben gibt!« antwortete der Junge. – »Nehmt uns mit!« riefen die Kinder. »Nehmt uns mit!« – »Dies Jahr nicht, aber übers Jahr,« rief der Junge. »Dies Jahr nicht, aber übers Jahr!«

XVIII. Der große Vogelsee

Die Stockente Jarro.

An dem östlichen Ufer des Wetternsees liegt Omberg, östlich von Omberg liegt Daysmosen, östlich von Daysmosen liegt der See Tåkern. Rings um den Tåkern breitet sich die große, flache, ostgotländische Ebene aus.

Der Tåkernsee ist ein ziemlich großes Gewässer, und in alten Zeiten soll er noch größer gewesen sein. Aber dann fanden die Menschen, daß er einen zu großen Teil der fruchtbaren Ebene einnahm, und sie versuchten, das Wasser abzuleiten, um auf dem Boden des Sees säen und ernten zu können. Es gelang ihnen jedoch nicht, den ganzen See trocken zu legen, was wohl die Absicht gewesen war; er bedeckt noch immer eine ganze Menge Land. Aber nach dem Trockenlegen ist der See so seicht geworden, daß er fast nirgends mehr als anderthalb Ellen tief ist. Die Ufer sind zu tiefliegenden und sumpfigen Wiesen geworden, und überall draußen im See ragen kleine Schlamminseln aus dem Wasser auf.

Nun gibt es Pflanzen, die es lieben, mit den Füßen im Wasser zu stehen, wenn sie nur den Leib und den Kopf oben in der Luft haben können, nämlich die Binsen. Die können keinen besseren Fleck zum Wachsen finden als die langen, flachen Ufer des Tåkernsees und die kleinen Schlamminseln. Sie gedeihen dort so gut, daß sie mehr als Manneshöhe erreichen, und sie stehen so dicht, daß es fast unmöglich ist, ein Boot da hindurchzustängeln. Sie bilden eine breite, grüne Umfriedigung rings um den See, so daß er nur an einzelnen Stellen zugänglich ist, dort, wo die Menschen das Röhricht abgeschlagen haben.

Schließen aber die Binsen die Menschen aus, so gewähren sie dafür einer Menge anderer Wesen Unterkunft und Schutz. Da drinnen zwischen den Binsen gibt es unzählige kleine Teiche und Kanäle mit stillstehendem, grünem Wasser, wo Entengrün und andere Pflanzen in Hülle und Fülle wachsen, und wo Mückenlarven, Kaulquappen und Fischbrut in zahllosen Mengen ausgebrütet wird. Und an den Ufern dieser kleinen Teiche und Kanäle gibt es Massen von guten Schlupfwinkeln, wo die Seevögel ihre Eier legen und ihre Jungen großziehen, ohne von Feinden oder von Nahrungssorgen gestört zu werden.

In dem Röhricht am Tåkernsee wohnen auch eine Menge Vögel, und Jahr für Jahr kommen mehr hinzu, je bekannter es wird, was für ein herrlicher Aufenthaltsort es ist. Die ersten, die sich dort ansiedelten, waren die Stockenten, und die wohnen dort noch zu Tausenden. Ihnen gehört jedoch nicht mehr der ganze See, sie haben sich gezwungen gesehen, den Platz mit Schwänen, Haubentauchern, Bläßhühnern, Lummen, Löffelenten und einer Menge anderer Vögel zu teilen.
Der Tåkernsee ist sicher der größte und beste Vogelsee im ganzen Lande, und die Vögel können sich glücklich preisen, so lange sie eine solche Zufluchtsstätte haben. Aber niemand weiß, wie lange sie die Herrschaft über die Binsenwälder und Schlammufer behalten dürfen, denn die Menschen können nicht vergessen, daß der See eine Menge guten und fruchtbaren Bodens bedeckt, und einmal über das andere tauchen Pläne unter ihnen auf, ihn trocken zu legen. Und wenn diese Pläne zur Ausführung gelangten, würden alle diese vielen Taufende von Wasservögeln gezwungen sein, dort aus der Gegend fortzuziehen.
Zu der Zeit, als Niels Holgersen mit den wilden Gänsen reiste, lebte am Tåkernsee ein Stockenterich, der Jarro hieß. Er war ein junger Vogel und hatte nicht mehr als einen Sommer, einen Herbst und einen Winter gelebt. Es war nun sein erster Frühling. Er war kürzlich aus Nordafrika heimgekehrt und hatte den Tåkernsee so rechtzeitig erreicht, daß da noch Eis auf dem Wasser war.
Eines Abends, als er und die anderen Enteriche sich damit ergötzten, über dem See hin und her zu fliegen, schoß ein Jäger ein paar Schüsse auf sie ab, und Jarro wurde in die Brust getroffen. Er glaubte, er müsse sterben, um aber dem, der ihn geschossen hatte, nicht in die Hände zu fallen, fuhr er fort zu fliegen, so lange er konnte. Er dachte nicht daran, wohin er seinen Kurs nahm, sondern strengte sich an, so weit wie möglich zu kommen. Als ihn die Kräfte verließen, so daß er nicht mehr fliegen konnte, befand er sich nicht mehr über dem See. Er war eine Strecke landeinwärts geflogen und sank jetzt vor einem der großen Bauerngehöfte nieder, die am Ufer des Tåkernsees liegen.
Bald darauf ging ein junger Knecht über den Hof. Er erblickte Jarro und ging hin und nahm ihn auf. Aber Jarro, der nichts weiter wünschte, als in Frieden zu sterben, sammelte seine letzten Kräfte und biß den Knecht scharf in den Finger, damit der ihn loslassen sollte.
Es gelang Jarro nicht, sich zu befreien, aber der Angriff hatte doch das Gute, daß der Knecht merkte, es war noch Leben in dem Vogel. Er trug

ihn vorsichtig in die Stube und zeigte ihn seiner Herrin, einer jungen Frau mit einem sanften Gesicht. Sie nahm dem Knecht gleich Jarro aus der Hand, strich ihm über den Rücken, und trocknete das Blut ab, das zwischen den Halsfedern hervorsickerte. Sie betrachtete ihn genau, und als sie sah, wie schön er war mit seinem dunkelgrünen, metallschimmernden Kopf, seinem weißen Halsband, seinem rotbraunen Rücken und dem blauen Spiegel auf den Flügeln, fand sie wohl, es sei ein Jammer, daß er sterben sollte. Sie machte schnell einen Korb zurecht, und da hinein legte sie den Vogel.

Jarro hatte fortwährend mit den Flügeln geschlagen und gekämpft, um loszukommen, als er nun aber begriff, daß die Menschen nicht die Absicht hatten, ihn zu töten, legte er sich mit einem Gefühl des Wohlbehagens im Korbe zurecht. Erst jetzt merkte er, wie ermattet er war infolge des Schmerzes und des Blutverlustes. Die Bäuerin trug den Korb in das andere Ende der Stube und stellte ihn in die Ofenecke, aber noch ehe sie ihn niedergesetzt, hatte Jarro schon die Augen geschlossen und war eingeschlafen.

Nach einer Weile erwachte Jarro dadurch, daß jemand ihn leise stieß. Als er die Augen aufschlug, erschrak er so, daß er fast seinen Verstand verloren hatte. Jetzt war es also aus mit ihm, denn da stand einer, der schlimmer war als Menschen und Raubvögel. Es war kein geringerer als Cäsar, der langhaarige Jagdhund, der ihn beschnüffelte.

Wie jammervoll bange war Jarro nicht im vorigen Sommer gewesen, als er noch ein kleines, gelbes Entlein war, sobald es über den Binsenwald hinschallte: »Da ist Cäsar! Da ist Cäsar!« Wenn er den braun und weiß gefleckten Hund mit dem Maul voll scharfer Zähne durch das Röhricht heranwaten sah, war es ihm, als sähe er den Tod selber.

Er hatte immer gehofft, daß er nie die Stunde erleben würde, wo er Cäsar von Angesicht zu Angesicht gegenüberstand.

Aber er hatte offenbar das Unglück gehabt, gerade auf das Gehöft zu kommen, wo Cäsar beheimatet war, denn nun stand der da über ihn gebeugt. »Was für einer bist denn du?« brummte er. »Wie bist du hierher in die Stube gekommen? Gehörst du nicht in den Binsenwald?«

Jarro hatte kaum den Mut zu antworten. »Du mußt nicht böse auf mich sein, Cäsar, weil ich hierher in die Stube gekommen bin!« sagte er. »Es ist nicht meine Schuld. Ich bin angeschossen. Die Menschen haben mich selbst in den Korb hier gelegt.«

»Ach so, die Menschen haben dich selbst hier hineingelegt,« sagte Cäsar. »Dann wollen sie dich wohl wieder gesund machen. Ich für mein Teil finde ja freilich, es würde vernünftiger sein, dich zu verzehren, jetzt, wo du in ihrer Gewalt bist. Aber hier in der Stube bist du gefeit. Du brauchst nicht so erschreckt auszusehen. Wir sind jetzt nicht auf dem Tåkernsee.«

Damit ging Cäsar und legte sich vor dem flammenden Herdfeuer schlafen. Sobald Jarro sich klar darüber war, daß diese fürchterliche Gefahr überstanden war, befiel ihn die große Mattigkeit von neuem, und er schlief wieder ein.

Als er das nächstemal erwachte, sah er, daß eine Schüssel mit Grütze und Wasser vor ihm stand. Er fühlte sich zwar noch sehr elend, aber er war doch hungrig und begann zu fressen. Als die Bäuerin sah, daß er fraß, ging sie hin und streichelte ihn und sah erfreut aus. Und dann schlief Jarro wieder ein. Mehrere Tage lang tat er nichts weiter, als fressen und schlafen.

Eines Morgens fühlte Jarro sich so wohl, daß er aus seinem Korb aufstand und durch die Stube ging. Aber er war noch nicht weit gekommen, als er umfiel und liegen blieb. Da kam Cäsar, öffnete sein großes Maul und packte ihn. Jarro glaubte natürlich, daß der Hund ihn totbeißen wollte, Cäsar aber trug ihn wieder nach dem Korb zurück, ohne ihm ein Leid zu tun. Dadurch gewann Jarro so großes Vertrauen zu Cäsar, daß er bei seinem nächsten Ausflug ins Zimmer hinaus zu dem Hund hinging und sich neben ihn legte. Und infolgedessen wurden Cäsar und er gute Freunde, und Jarro lag jetzt jeden Tag mehrere Stunden zwischen Cäsars Pfoten und schlief.

Aber noch größere Liebe als für Cäsar empfand Jarro für die Bäuerin. Vor der war er gar nicht bange, er strich seinen Kopf gegen ihre Hand, wenn sie kam und ihm Fressen brachte. Ging sie aus der Stube, so seufzte er vor Kummer, und kam sie wieder herein, so rief er ihr auf seine eigene Sprache Willkommen entgegen.

Jarro vergaß ganz, wie bange er früher vor Menschen und Hunden gewesen war. Er fand, sie waren sanft und gut, und er liebte sie. Er hatte nur den einen Wunsch, wieder gesund zu sein, dann wollte er nach dem Tåkernsee hinabfliegen und den Stockenten erzählen, daß ihre alten Feinde nicht gefährlich seien, und daß sie gar nicht vor ihnen bange zu sein brauchten.

Er hatte beobachtet, daß sowohl die Menschen als auch Cäsar ruhige Augen hatten, in die hineinzusehen gut tat. Die einzige in der Stube, deren Blick er nicht gern begegnete, war Klorina, die Hauskatze. Sie tat ihm nichts zuleide, aber er konnte nicht recht Vertrauen zu ihr fassen. Außerdem foppte sie ihn immer damit, daß er die Menschen liebte. »Du glaubst wohl, daß sie dich pflegen, weil sie dich gern haben,« sagte Klorina. »Warte du nur, bis du hinreichend fett bist! Dann drehen sie dir den Hals um. Ich kenne sie, das kannst du mir glauben!«

Jarro hatte ein zärtliches und liebevolles Herz, wie es die Vögel in der Regel haben, und er ward unsagbar traurig, als er das hörte. Er konnte sich nicht denken, daß ihm die Bäuerin den Hals umdrehen würde, und er glaubte so etwas auch nicht von ihrem Sohn, dem kleinen Jungen, der stundenlang an seinem Korb sitzen und mit ihm plaudern konnte. Er meinte merken zu können, daß sie ihn ebenso lieb hatten wie er sie.

Eines Tages, als Jarro und Cäsar auf ihrem gewohnten Platz vor dem Feuer lagen, saß Klorina oben auf dem Herd und belustigte sich damit, den Enterich zu foppen.

»Ich möchte wohl wissen, was ihr Stockenten im nächsten Jahr anfangen wollt, wenn der See trockengelegt und in Ackerland verwandelt wird,« sagte Klorina. – »Was sagst du da, Klorina?« rief Jarro und fuhr ganz entsetzt in die Höhe. – »Ich vergesse immer, Jarro, daß du die Sprache der Menschen nicht so verstehen kannst wie Cäsar und ich,« erwiderte die Katze. »Sonst hättest du ja hören müssen, daß die Männer, die gestern hier in der Stube waren, erzählten, daß alles Wasser aus dem Tåkernsee abgelassen werden soll, so daß der Boden des Sees im nächsten Jahr so trocken daliegt wie der Fußboden in einer Stube. Und nun möchte ich nur wissen, was ihr Grasenten dann anfangen wollt!« – Als Jarro diese Worte hörte, wurde er so wütend, daß er fauchte wie eine Natter: »Du bist gerade so boshaft wie ein Bläßhuhn,« schrie er Klorina an. »Du willst mich nur gegen die Menschen aufreizen. Ich glaube nicht, daß sie so etwas tun werden. Sie wissen sehr wohl, daß der Tåkernsee den Stockenten gehört. Warum sollten sie wohl so viele Vögel heimatlos und unglücklich machen? Das hast du dir nur ausgedacht, um mich bange zu machen. Ich will dir wünschen, daß dich der Adler Gorgo in Stücke zerreißt! Ich will dir wünschen, daß unsere Herrin dir den Schnurrbart abschneidet!«

Jarro vermochte jedoch Klorina nicht zum Schweigen zu bringen. »So, du glaubst also, daß ich lüge,« sagte sie. »Du kannst ja Cäsar einmal fragen! Er war gestern abend auch in der Stube. Cäsar lügt nie.«

»Cäsar,« sagte Jarro, »du verstehst die Sprache der Menschen viel besser als Klorina. Sag' du, daß sie nicht richtig gehört hat. Bedenke doch, wie es werden würde, wenn die Menschen den Tåkernsee austrockneten und seine Ufer zu Ackerland machten! Dann gäbe es kein Entengrün mehr für die heranwachsenden jungen Enten und keine Fischbrut und keine Kaulquappen und keine Mückenlarven für die jungen Entlein. Dann würden auch die Binsenwälder verschwinden, in denen sich die kleinen Entlein jetzt verstecken können, bis sie flügge sind. Alle Enten müssen von hier fortziehen und sich eine andere Wohnung suchen. Aber wo sollen sie eine Zufluchtsstätte, wie den Tåkernsee, finden? Cäsar, sage du, daß Klorina nicht richtig gehört hat!«

Es war eigentümlich, zu beobachten, wie Cäsar sich bei dieser Unterhaltung aufführte. Er war während der ganzen übrigen Zeit völlig wach gewesen, als sich aber Jarro an ihn wandte, gähnte er, legte seine lange Schnauze auf die Vorderpfoten und verfiel augenblicklich in einen tiefen Schlaf.

Die Katze sah mit einem listigen Lächeln auf Cäsar hinab. »Ich glaube, Cäsar hat keine Lust, dir zu antworten,« sagte sie zu Jarro. »Ihm geht es so wie allen Hunden: Sie wollen niemals zugeben, daß die Menschen unrichtig handeln. Aber du kannst dich trotzdem auf mein Wort verlassen. Ich will dir sagen, warum die Menschen den See gerade jetzt trockenlegen wollen. Solange die Stockenten die Herrschaft über den Tåkernsee hatten, wollten sie ihn nicht trockenlegen, denn von euch hatten sie doch einigen Nutzen. Aber nun haben sich ja die Haubentaucher und die Bläßhühner und viele andere Vögel, die nicht eßbar sind, fast aller Binsenwälder bemächtigt, und die Menschen finden es nicht notwendig, um ihretwillen den See zu bewahren.«

Jarro hatte keine Lust, Klorina zu antworten, er erhob nur den Kopf und rief Cäsar ins Ohr: »Cäsar! Du weißt doch, daß da auf dem Tåkernsee so viele Enten sind, daß es aussehen kann wie Wolken am Himmel. Sag' du doch, daß es nicht wahr ist, daß die Menschen die alle heimatlos machen wollen!«

Da fuhr Cäsar auf und unternahm einen gewaltigen Ausfall gegen Klorina, so daß diese auf ein Wandbrett hinauf flüchten mußte. »Ich will dich lehren zu schwatzen, wenn ich schlafen will!« brüllte Cäsar. »Ich weiß sehr wohl, daß die Rede davon ist, in diesem Jahr den See trockenzulegen. Aber davon ist schon so oft geredet, ohne daß etwas daraus geworden ist. Und dies Trockenlegen ist eine Sache, die ich nicht billige. Denn was sollte wohl aus der Jagd werden, wenn der Tåkernsee trockengelegt würde? Du bist ein Rindvieh, daß du dich über so etwas freuen kannst. Womit sollen du und ich uns belustigen, wenn es keine Vögel mehr auf dem Tåkernsee gibt?«

Der Lockvogel.

Sonntag, den 17. April.

Ein paar Tage später war Jarro so munter, daß er durch die ganze Stube fliegen konnte. Und da verhätschelte ihn die Bäuerin, und der kleine Junge lief auf den Hof hinaus und pflückte ihm die ersten Grashalme, die aufgesproßt waren. Wenn ihn die Bäuerin streichelte, dachte Jarro, daß, obwohl er jetzt gesund genug war, um nach dem Tåkernsee hinabzufliegen, wenn es ihm beliebte, er sich nicht von den Menschen trennen wollte. Er hatte nichts dagegen, sein ganzes Leben bei ihnen zu bleiben.

Aber eines Morgens in aller Frühe legte die Bäuerin eine Schlinge um Jarro, so daß er seine Flügel nicht gebrauchen konnte, und übergab ihn dann dem Knecht, der ihn draußen auf dem Hof gefunden hatte. Der steckte ihn unter den einen Arm und ging mit ihm an den Tåkernsee hinab.

Das Eis war geschmolzen, während Jarro krank war. Die alten, trockenen Binsenhalme vom vergangenen Jahr standen noch am Ufer und rings um die kleinen Inseln herum, aber alle Wasserpflanzen hatten schon begonnen, in der Tiefe frische Schüsse zu treiben, und die grünen Spitzen reichten bis an den Wasserspiegel hinauf. Und nun waren fast alle Zugvögel heimgekehrt. Die krummen Schnäbel der Brachvögel guckten aus dem Röhricht hervor. Die Haubentaucher segelten mit einem neuen Federkragen um den Hals umher. Und die Bekassinen waren damit beschäftigt, Strohhalme für ihre Nester zusammenzutragen.

Der Knecht stieg in einen Kahn, legte Jarro auf den Boden und stängelte auf den See hinaus. Jarro, der sich nun daran gewöhnt hatte, nichts anderes als Gutes von den Menschen zu erwarten, sagte zu Cäsar, der auch mit dabei war, er sei dem Knecht sehr dankbar, daß er ihn mit auf den See hinausgenommen habe. Aber der Knecht brauche ihn nicht so fest gebunden zu halten, denn er habe keineswegs die Absicht, davonzufliegen. Darauf erwiderte Cäsar nichts. Er war sehr wortkarg in dieser Morgenstunde.
Das einzige, was Jarro ein wenig merkwürdig fand, war, daß der Knecht seine Flinte mitgenommen hatte. Er konnte sich nicht denken, daß einer von den guten Menschen im Bauernhofe Vögel schießen würde. Außerdem hatte ihm Cäsar gesagt, um diese Jahreszeit jagten die Menschen nicht. »Es ist Schonzeit!« sagte Cäsar, »aber das gilt natürlich nicht für mich.«
Währenddessen ruderte der Knecht nach einer der kleinen, schilfumkränzten Schlamminseln hinaus. Dort stieg er aus dem Boot, sammelte altes Röhricht zu einem großen Haufen zusammen und legte sich dahinter. Die Schlinge um die Flügel, und mit einer langen Schnur an das Boot befestigt, durfte Jarro nun draußen auf dem Erdboden umherspazieren.
Plötzlich gewahrte Jarro einige von den jungen Enterichen, in deren Gesellschaft er in alten Zeiten über den See hin und her geflogen war. Sie waren weit weg, aber Jarro rief sie mit einigen lauten Rufen zu sich heran. Sie beantworteten die Rufe, und ein großes, schönes Schaf näherte sich. Noch ehe sie ganz herangekommen waren, begann Jarro, ihnen von seiner wunderbaren Rettung durch die Güte der Menschen zu erzählen. Im selben Augenblick knallten zwei Schüsse hinter ihm. Drei Enten sanken tot in das Röhricht und Cäsar plumpste hinaus und fing sie ein.
Da ging Jarro ein Licht auf. Die Menschen hatten ihn gerettet, um ihn als Lockvogel zu gebrauchen! Und es war ihnen gelungen. Er war schuld daran, daß drei Enten tot waren. Er war nahe daran, vor Scham zu vergehen. Selbst sein Freund Cäsar, fand er, sah ihn voller Verachtung an, und als sie nach Hause in die Stube kamen, wagte er nicht, sich zum Schlafen neben den Hund zu legen.
Am nächsten Morgen wurde Jarro wieder auf den Werder hinausgeführt. Auch diesmal erblickte er bald einige Enten. Aber als er sah, daß sie auf ihn zugeflogen kamen, rief er ihnen entgegen: »Weg

mit euch, weg! Nehmt euch in acht! Fliegt anderswo hin! Hinter dem Binsenhaufen liegt ein Jäger verborgen. Ich bin nur ein Lockvogel!« Und es gelang ihm wirklich, sie daran zu hindern, in Schußweite zu kommen.

Jarro hatte kaum Zeit, ein paar Grashalme zu kosten, so in Anspruch genommen war er vom Wache-Halten. Er rief seine Warnung, sobald sich ein Vogel näherte. Er warnte sogar die Haubentaucher, die er sonst nicht ausstehen konnte, weil sie die Enten aus ihren besten Verstecken verdrängten. Aber er konnte es nicht übers Herz bringen, schuld daran zu sein, daß ein Vogel in Unglück geriet. Und dank Jarros Aufmerksamkeit mußte der Knecht nach Hause zurückrudern, ohne auch nur einen Schuß abgeschossen zu haben.

Aber trotzdem sah Cäsar weniger mürrisch aus als am vorhergehenden Tage, und als der Abend kam, nahm er Jarro in sein Maul und trug ihn an den Herd und ließ ihn zwischen seinen Vorderpfoten schlafen.

Aber Jarro fühlte sich nicht mehr wohl in der Stube; er war sehr unglücklich. Es quälte sein Herz, wenn er daran dachte, daß die Menschen ihn nie geliebt hatten. Wenn die Bäuerin oder der kleine Junge kamen und ihn streichelten, steckte er den Kopf unter den Flügel und tat so, als schlafe er.

Mehrere Tage hatte Jarro auf seiner traurigen Wacht aushalten müssen, und er war schon am ganzen Tåkernsee bekannt. Da geschah es eines Morgens, während er wie gewöhnlich rief: »Nehmt euch in acht, Vögel! Kommt mir nicht zu nahe! Ich bin nur ein Lockvogel,« daß ein Haubentauchernest auf den Werder zugeschwommen kam, wo er angebunden war. Das war nun an und für sich nichts Merkwürdiges. Es war ein Nest vom vorigen Jahr, und da die Haubentauchernester so gebaut sind, daß sie wie ein Boot auf dem Wasser schwimmen können, geschieht es oft, daß sie ins Treiben geraten. Aber Jarro blieb doch stehen und sah nach dem Nest, weil es so geradeswegs auf die kleine Insel zusteuerte, daß es so aussah, als lenke jemand seinen Kurs über das Wasser.

Als das Nest naher kam, sah Jarro, daß ein kleiner Mensch, der kleinste, den er jemals gesehen hatte, im Nest saß und es mit ein paar Stäben ruderte. Und dies Menschlein rief ihm zu: »Gehe so dicht ans Wasser heran, wie du kannst, Jarro, und halte dich zum Fliegen bereit! Du wirst bald befreit sein!«

Einen Augenblick später lag das Nest am Ufer, aber der kleine Ruderer ging nicht von Bord, er saß ganz still da, zwischen Zweigen und Schilfhalmen verborgen, Jarro stand auch fast regungslos da. Er war vollständig gelähmt vor Angst, daß sein Retter entdeckt werden könne. Das nächste, was geschah, war, daß eine Schar wilder Gänse geflogen kam. Da kam Jarro wieder zur Besinnung und warnte sie mit lauten Rufen. Aber dessenungeachtet flogen sie mehrmals über der kleinen Insel hin und her. Sie hielten sich so hoch, daß sie außer Schußweite waren, aber der Knecht ließ sich doch verleiten, ein paar Schüsse auf sie abzugeben. Kaum waren diese Schüsse abgefeuert, als der kleine Wicht an Land sprang, ein kleines Messer aus der Scheide zog und Jarros Schlinge mit ein paar schnellen Schnitten durchschnitt. »Flieg' nun davon, Jarro, ehe der Knecht wieder geladen hat!« rief er, indem er selbst in das Nest zurücksprang und vom Ufer abstieß.
Der Jäger hatte den Blick auf die Gänse gerichtet und nicht bemerkt, daß Jarro befreit worden war. Cäsar aber hatte besser verfolgt, was vor sich ging, und im selben Augenblick, als Jarro die Flügel hob, stürzte er auf ihn zu und packte ihn im Nacken.
Jarro schrie jammervoll, aber der Wicht, der ihn befreit hatte, sagte mit der größten Ruhe zu Cäsar: »Wenn du so rechtschaffen bist, wie du aussiehst, wirst du doch wohl einen ehrlichen Vogel nicht zwingen, hier zu sitzen und andere ins Unglück zu locken.«
Als Cäsar diese Worte hörte, verzog er die Oberlippe spöttisch, im nächsten Augenblick aber ließ er Jarro los. »Flieg', Jarro!« sagte er. »Du bist wahrlich zu gut, um als Lockvogel zu dienen! Deswegen wollte ich dich auch nicht zurückhalten, sondern nur, weil die Stube ohne dich so leer sein wird.«

Die Trockenlegung des Sees.

Mittwoch, den 20. April.

Es war wirklich sehr leer in der Bauernstube ohne Jarro. Dem Hund und der Katze wurde die Zeit lang, jetzt, wo sie niemand hatten, über den sie sich zanken konnten, und die Hausfrau vermißte das fröhliche Schnattern, das jedesmal ertönte, wenn sie in die Stube kam. Am meisten Heimweh nach Jarro aber hatte der kleine Junge, Per Ola. Per Ola war erst drei Jahre alt und das einzige Kind, und nie im Leben hatte er so einen Spielkameraden gehabt wie Jarro. Als Per Ola hörte, daß

Jarro nach dem Tåkernsee zu den Enten zurückgekehrt sei, konnte er sich gar nicht dabei beruhigen; beständig dachte er darüber nach, wie er ihn wiederbekommen könne.
Per Ola hatte viel mit Jarro geplaudert, als der still in seinem Korb lag, und er war überzeugt, daß der Enterich ihn verstand. Er bat seine Mutter, mit ihm an den See hinabzugehen, damit er Jarro finden und ihn überreden könne, wieder zu ihnen zu kommen. Das wollte die Mutter nicht, Per Ola aber gab doch sein Vorhaben nicht auf.
Am Tage, nachdem Jarro verschwunden war, lief Per Ola draußen auf dem Hof umher. Er spielte, wie gewöhnlich, ganz allein, aber Cäsar lag auf der Treppe, und als die Mutter den Kleinen hinausließ, sagte sie: »Gib acht auf Per Ola, Cäsar!«
Wäre nun alles so gewesen wie sonst, hätte Cäsar auf den Befehl gehorcht und es wäre so gut acht auf Per Ola gegeben worden, daß ihm nichts hätte zustoßen können. Aber Cäsar war in diesen Tagen ganz aus dem Gleichgewicht. Er wußte, daß die Bauern, die um den Tåkernsee herum wohnten, häufig Versammlungen wegen der Trockenlegung des Sees abhielten, und daß die Sache beinahe beschlossen war. Die Enten würden fortziehen und Cäsar konnte nie mehr ehrlich Jagd auf sie machen. Er war so von dem Gedanken an dies Unglück erfüllt, daß er vergaß, auf Per Ola achtzugeben.
Und kaum war der Kleine draußen auf dem Hof sich selbst überlassen, als er begriff, daß jetzt der Augenblick gekommen sei, an den Tåkernsee hinabzugehen und mit Jarro zu reden. Er öffnete eine Pforte und ging auf dem schmalen Pfad, der über die Wiesen führte, nach dem See hinab. So lange man ihn vom Hause aus sehen konnte, ging er langsam, aber dann fing er an zu laufen. Er war sehr bange, daß seine Mutter oder sonst jemand ihm zurufen würde, daß er nicht da hinabgehen dürfe. Er wollte ja nichts Böses tun, sondern nur Jarro überreden, wieder zu ihnen zu kommen, aber er hatte ein Gefühl, daß die daheim sein Vorhaben nicht billigen würden.
Als Per Ola an den See hinabkam, rief er Jarro mehrmals. Dann stand er lange da und wartete, aber es kam kein Jarro. Er sah verschiedene Vögel, die ihm glichen, aber sie flogen vorüber, ohne ihn zu beachten, und daraus schloß er, daß keiner von ihnen der Rechte war.
Als Jarro nicht kam, dachte der kleine Junge, es würde gewiß leichter sein, ihn zu finden, wenn er sich auf den See hinausbegab. Es lagen mehrere gute Boote am Ufer, aber sie waren alle festgebunden. Das

einzige, das da los und ledig lag, war ein alter, lecker Prahm, so schlecht, daß es niemand einfiel, ihn zu benutzen. Aber Per Ola kletterte da hinein, ohne sich daran zu kehren, daß der ganze Boden unter Wasser stand. Die Ruder konnte er nicht handhaben, statt dessen aber setzte er sich hin und wippte und schaukelte in dem Prahm. Einem erwachsenen Menschen wäre es wahrscheinlich niemals gelungen, einen Kahn auf diese Weise auf den Tåkernsee hinauszubringen, aber wenn der Wasserstand hoch ist und das Unglück es will, haben kleine Kinder eine merkwürdige Fähigkeit, aufs Wasser zu kommen. Per Ola trieb bald auf dem Tåkernsee herum und rief nach Jarro.
Als der alte Prahm so auf dem See schaukelte, wurden die Ritzen, die er hatte, noch größer, und das Wasser strömte förmlich herein. Aber daran kehrte sich Per Ola nicht im geringsten. Er saß auf der kleinen Bank am vorderen Ende, rief jeden Vogel an, den er sah, und wunderte sich, daß Jarro nicht kam.
Schließlich gewahrte Jarro wirklich Per Ola. Er hörte, daß ihn jemand mit dem Namen rief, den er bei den Menschen gehabt hatte, und er begriff, daß sich der Junge auf den Tåkernsee hinausgewagt hatte, um ihn zu suchen. Jarro freute sich unsagbar, als er sah, daß einer von den Menschen ihm wirklich liebte. Wie ein Pfeil schoß er zu Per Ola hinab, setzte sich neben ihn und ließ sich streicheln. Sie waren beide sehr glücklich über das Wiedersehen.
Aber plötzlich merkte Jarro, wie es mit dem Prahm beschaffen war. Er war halb voll Wasser und kurz davor zu versinken. Jarro versuchte, Per Ola begreiflich zu machen, daß er, der weder fliegen noch schwimmen könne, versuchen müsse, an Land zu kommen. Aber Per Ola verstand ihn nicht. Da besann sich Jarro keinen Augenblick, sondern eilte von dannen, um Hilfe zu holen.
Nach einer Weile kehrte er zurück und trug auf seinem Rücken einen kleinen Wicht, der viel kleiner war als Per Ola. Hätte er nicht sprechen und sich bewegen können, so würde Per Ola geglaubt haben, es sei eine Puppe. Und dieser kleine Wicht befahl Per Ola sofort, eine lange Stange zu nehmen, die auf dem Boden des Prahms lag, und zu versuchen, das Boot nach einer der kleinen Schilfinseln hinüberzustängeln. Per Ola gehorchte, und er und der Wicht halfen einander, den Prahm vorwärtszutreiben. Mit ein paar Stößen erreichten sie eine kleine schilfumkränzte Insel, und nun erhielt Per Ola den

Befehl, an Land zu gehen. Im selben Augenblick, als er den Fuß an Land setzte, lief der Prahm voll Wasser und versank.
Als Per Ola dies sah, wurde es ihm klar, daß sein Vater und seine Mutter sehr böse auf ihn sein würden. Hätte er nicht gleich etwas anderes zu denken gehabt, so würde er sicher geweint haben. Aber da kam eine Schar großer, grauer Vögel und ließ sich auf der Insel nieder, und der kleine Wicht nahm ihn zu ihnen hin und erzählte ihm, wie sie hießen und was sie sagten. Und das war so lustig, daß Per Ola alles andere vergaß.
Indessen hatten die Leute auf dem Bauernhofe entdeckt, daß der Junge verschwunden war und hatten angefangen, nach ihm zu suchen. Sie suchten in den Wirtschaftsgebäuden, guckten in den Brunnen hinab und sahen im Keller nach. Dann gingen sie auf Wege und Stege hinaus, eilten auch nach dem Nachbargehöft und fragten, ob er sich nicht dahin verirrt habe; sie spähten auch unten am Tåkernsee nach ihm aus. Aber soviel sie auch suchten, er war nicht zu finden.
Cäsar, der Hund, verstand sehr wohl, daß sein Herr und die Hausfrau Per Ola suchten, aber tat nichts, um ihnen auf die richtige Spur zu helfen. Er blieb im Gegenteil ganz ruhig liegen, als gehe ihn das ganze nichts an.
Späterhin am Tage fanden sie Per Olas Fußstapfen unten am Landungsplatz, Und dann fiel es ihnen auf, daß der alte, lecke Prahm nicht mehr am Ufer lag. Da wurde ihnen der ganze Zusammenhang plötzlich klar.
Der Bauer und seine Knechte schoben sogleich die Boote in den See und ruderten hinaus, um den Kleinen zu suchen. Sie ruderten bis spät am Abend umher, ohne die geringste Spur von ihm zu entdecken. Sie konnten nicht anders glauben, als daß das alte Boot gesunken sei und das Kind tot auf dem Grunde des Sees liege.
Am Abend wanderte Per Olas Mutter am Ufer des Sees umher. Alle anderen waren überzeugt, daß der Kleine ertrunken sei, nur sie konnte es nicht glauben und fuhr fort zu suchen. Sie suchte zwischen Röhricht und Binsen, sie ging an dem sumpfigen Ufer hin und her, ohne darauf zu achten, wie tief sie einsank, oder wie naß sie schon war. Sie war unsagbar verzweifelt. Es stach und nagte in ihrem Herzen. Sie weinte nicht, aber sie rang die Hände und rief mit lauter, klagender Stimme nach ihrem Kinde.

Rings umher hörte sie Schwäne und Enten und Brachvögel schreien. Es war ihr, als folgten sie hinter ihr drein, und als klagten und jammerten auch sie. »Sie haben auch wohl Kummer, da sie so klagen,« dachte sie. Aber dann besann sie sich. Es waren ja nur Vögel, die sie hörte. Die hatten wohl keinen Kummer.
Es war merkwürdig, daß sie nicht verstummten, jetzt, wo die Sonne untergegangen war. Sie hörte, wie alle diese zahllosen Vogelscharen, die am Tåkernsee lebten, einen Schrei nach dem andern ausstießen. Mehrere von ihnen folgten ihr auf Schritt und Tritt, andere kamen mit hastigem Flügelschlag vorbeigesaust. Die ganze Luft war angefüllt von Klage und Jammer.
Aber die Angst, die sie selber empfand, öffnete ihr das Herz. Sie fand, daß sie allen den anderen lebenden Wesen gar nicht so fern stand, wie dies sonst bei den Menschen der Fall ist. Sie verstand viel besser als je zuvor, wie den Vögeln zumute war. Sie hatten ihre ständigen Sorgen für Haus und Kinder, ganz so wie sie. Es war wohl kein so großer Unterschied zwischen ihnen und ihr, wie sie bisher geglaubt hatte.
Da mußte sie daran denken, daß es so gut wie beschlossen war, daß alle die Tausende von Schwänen, Enten und Lummen ihre Heimat hier am Tåkernsee verlieren sollten. »Das wird schwer genug für sie,« dachte sie. »Wo sollen sie dann ihre Jungen aufziehen?«
Sie blieb stehen und verfiel in Sinnen. Es konnte so aussehen, als sei es ein gutes und wohlgefälliges Werk, einen See in Äcker und Wiesen zu verwandeln, aber das mußte wohl ein anderer See als der Tåkern sein, ein See, der nicht so vielen Tausenden von Tieren zur Heimat diente.
Sie dachte daran, daß am nächsten Tage die Trockenlegung des Sees endgültig beschlossen werden sollte, und sie fragte sich, ob wohl deswegen ihr kleiner Junge gerade heute verschwunden war. Ob es vielleicht Gottes Absicht sei, gerade heute ihr Herz der Barmherzigkeit zu erschließen, ehe es zu spät war, die grausame Handlung zu verhindern?
Sie kehrte schnell auf den Hof zurück und sprach mit ihrem Mann über dies alles. Sie sprach von dem See und von den Vögeln und sagte ihm, sie glaube, Per Olas Tod sei eine Strafe, die Gott über sie beide verhängt habe. Und sie merkte bald, daß ihr Mann derselben Ansicht war wie sie.

Das Gehöft, das sie besaßen, war schon vorher groß, kam aber die Trockenlegung des Sees zustande, so würde ihnen ein so großes Stück von dem Seegrunde zufallen, daß sich ihr Besitz ungefähr verdoppelte. Weshalb waren sie auch eifriger für das Unternehmen gewesen als irgendein anderer der Grundbesitzer. Die andern hatten die Ausgaben gescheut und befürchtet, das Trockenlegen werde nicht besser gelingen als das letztemal. Per Olas Vater wußte sehr wohl, daß er sie schließlich zu dem Unternehmen beredet hatte. Er hatte seine ganze Überredungskunst angewendet, um seinem Sohn ein Gehöft hinterlassen zu können, das doppelt so groß war wie das von seinem Vater ererbte.

Er stand nun da und dachte darüber nach, ob Gott wohl einen Zweck damit gehabt habe, daß ihm der Tåkernsee seinen Sohn genommen hatte, gerade an dem Tage, bevor er die Urkunde zu der Trockenlegung des Sees unterschreiben wollte. Seine Frau brauchte nicht viele Worte zu ihm zu sagen, als er schon antwortete: »Vielleicht ist es Gottes Wille, daß wir nicht in seine Ordnung eingreifen sollen. Morgen will ich mit den anderen darüber reden, und ich denke, wir beschließen, daß alles so bleibt wie es ist.«

Während Mann und Frau miteinander sprachen, lag Cäsar vor dem Herd. Er hob den Kopf und hörte genau zu. Als er seiner Sache sicher zu sein glaubte, ging er zu seiner Herrin, packte sie beim Kleid und zog sie nach der Tür. »Aber Cäsar!« sagte sie und wollte sich frei machen. »Weißt du, wo Per Ola ist?« rief sie dann aus. Cäsar bellte lustig und lief nach der Tür. Sie öffnete, und Cäsar stürzte an den Tåkernsee hinab. Seine Herrin war so sicher, daß er wußte, wo Per Ola war, daß sie gleich hinter ihm drein lief. Und kaum waren sie an den Strand gekommen, als sie draußen auf dem See Kinderweinen hörten.

Per Ola hatte nie im Leben einen so vergnüglichen Tag verbracht wie den heutigen mit Däumling und den Vögeln, aber nun hatte er angefangen zu weinen, weil er hungrig war und sich vor der Dunkelheit fürchtete. Und er war sehr froh, als Vater und Mutter und Cäsar kamen, um ihn zu holen.

XIX. Die Wahrsagung

Der Junge lag eines Nachts auf einer der kleinen Inseln im Tåkernsee und schlief, als er durch Ruderschläge geweckt wurde. Kaum hatte er die Augen aufgemacht, als ein starker Lichtschein gerade in sie hineinfiel, so daß er blinzeln mußte.

Zuerst konnte er nicht begreifen, was hier draußen auf dem See so hell leuchtete, bald aber sah er, daß im Röhricht ein Kahn lag, in dessen Achtersteven eine große brennende Pechfackel an einer eisernen Stange befestigt war. Die rote Flamme der Fackel spiegelte sich deutlich in dem nachtschwarzen See, und der Lichtschein mußte die Fische herbeigelockt haben, denn rings um die Flamme da unten in der Tiefe konnte man eine Menge dunkler Streifen sehen, die sich unaufhörlich bewegten und ihren Platz wechselten.

In dem Kahn befanden sich zwei alte Männer. Der eine saß an den Rudern, der andere stand auf der hinteren Bank und hielt einen kurzen, mit einem Widerhaken versehenen Spieß in der Hand. Der Mann an den Rudern schien ein armer Fischer zu sein. Er war klein, dürr und wettergebräunt und hatte einen dünnen, abgetragenen Rock an. Man konnte ihm ansehen, daß er gewohnt war, in allem Wetter draußen zu sein, daß er die Kälte nicht scheute. Der andere war wohlgenährt und wohlgekleidet und sah aus wie ein gebieterischer und selbstbewußter Bauer.

»Halt jetzt still!« sagte der Bauer, als sie dicht vor der kleinen Insel lagen, auf der der Junge lag. Im selben Augenblick stieß er den Spieß in das Wasser. Als er ihn wieder herauszog, kam ein langer, prächtiger Aal mit aus der Tiefe heraus.

»So ein Kerl!« sagte er, indem er den Aal von dem Haken löste. »Der kann sich sehen lassen! Nun haben wir wohl so viele, daß wir umkehren können!«

Aber sein Gefährte hob die Ruder nicht in die Höhe; er saß da und sah sich um. »Es ist schön heute abend hier auf dem See,« sagte er. Und das war es auch. Es war ganz windstill, so daß der Wasserspiegel in ungestörter Ruhe da lag, die nur der Kielwasserstreif des Bootes unterbrach. Der lag da in dem Feuerschein und glitzerte wie eine Straße aus Gold. Der Himmel war klar und tiefblau und wie mit Sternen bestickt. Die Ufer waren, ausgenommen nach Westen zu, von den

Schilfinseln verdeckt. Dort ragte der Omberg auf, groß und finster, viel gewaltiger als sonst, und schnitt ein großes, dreieckiges Stück aus dem Himmelsgewölbe heraus.
Der andere wandte den Kopf um, so daß er den Feuerschein nicht in den Augen hatte, und sah sich um.
»Ja, es ist schön hier in Östergyllan,« sagte er; »aber das Beste an der Landschaft ist doch nicht die Schönheit.« – »Was ist denn deiner Ansicht nach das Beste?« fragte der an den Rudern. – »Das Beste ist, daß es von jeher eine geachtete und angesehene Landschaft gewesen ist.« – »Ja, das kann seine Richtigkeit haben.« – »Und dann, daß man weiß, daß es immer so bleiben wird.« – »Wie in aller Welt kann man denn das wissen?« fragte der an den Rudern.
Der Bauer richtete sich auf und stützte sich auf die Aalgabel. »Da ist eine alte Geschichte, die sich in meiner Familie von Vater auf Sohn vererbt hat, und in der Geschichte erfährt man, wie es mit Ostgotland gehen wird.« – »Die könntest du mir wohl erzählen,« sagte der Mann, der ruderte. – »Es ist eigentlich nicht Sitte bei uns, sie jedem Beliebigen zu erzählen, aber einem alten Kameraden will ich sie nicht vorenthalten.«
»Auf Schloß Ulvåsa hier in Ostgotland,« fuhr er fort, und nun konnte man an dem Tonfall hören, daß er etwas erzählte, was er von anderen gehört hatte und auswendig wußte, »wohnte vor vielen Jahren eine vornehme Frau, die die Gabe besaß, in die Zukunft zu sehen und den Leuten zu sagen, was ihnen widerfahren werde, so klar und deutlich, als sei es schon geschehen. Deswegen war sie weitberühmt. Es ist ja leicht zu verstehen, daß von Fern und Nah Leute zu ihr kamen, um zu erfahren, was sie an Gutem und Bösem zu gewärtigen hatten.
Eines Tages, als die Frau auf Ulvåsa in ihrem Saal saß und spann, wie das in alten Zeiten Sitte war, kam ein armer Bauer in den Saal hinein und setzte sich ganz unten an der Tür auf die Bank.
»Ich möchte gern wissen, was ihr denkt, wie ihr da so sitzet, liebe Herrin,« sagte der Bauer, als er eine Weile dagesessen hatte.
»Ich sitze hier und denke an hohe und heilige Dinge,« erwiderte sie. – »Da kann es wohl nicht angehen, daß ich nach etwas frage, was mir am Herzen liegt,« sagte der Bauer.
»Dir liegt wohl nichts weiter am Herzen als die Frage, ob du viel Korn auf deinem Acker ernten kannst. Aber ich bin gewohnt, daß mir der Kaiser Fragen stellt, wie es mit seiner Krone gehen mag, und der Papst,

wie es um seine Schlüssel steht.« – »Ja, solche Dinge zu beantworten, ist wohl nicht leicht,« sagte der Bauer. »Ich habe auch sagen hören, daß niemand von hier fortgehen soll, ohne mit der Antwort zufrieden zu sein, die er bekommen hat.«

Als der Bauer das sagte, sah er, daß die Herrin auf Ulvåsa sich in die Lippe biß und höher auf die Bank hinaufrückte. »So, also das hast du von mir gehört,« sagte sie. »Da kannst du ja versuchen, mich nach dem zu fragen, was du gern wissen willst, dann wirst du ja sehen, ob ich so antworten kann, daß du zufrieden wirst.«

Da zögerte der Bauer nicht länger, sein Anliegen vorzubringen. Er sagte, er sei gekommen, um zu fragen, wie es in Zukunft mit Ostgotland gehen werde. Er liebe nichts so sehr wie sein Heimatland, und er glaube, er werde bis zu seiner letzten Stunde glücklich sein, wenn er eine gute Antwort auf diese Frage erhalten könne.

»Wenn du nichts weiter wissen willst,« sagte die weise Frau, »so glaube ich wohl, daß ich dich befriedigen kann. Denn so wie ich hier sitze, kann ich dir sagen, es wird mit Ostgotland so gehen, daß es stets etwas haben wird, dessen es sich vor anderen Landschaften rühmen kann.«

»Ja, das ist eine gute Antwort, liebe Herrin,« sagte der Bauer, »und nun würde ich ganz zufrieden sein, wenn ich nur verstehen könnte, wie das möglich sein sollte.«

»Warum sollte das nicht möglich sein,« sagte die Frau von Ulvåsa. »Weißt du denn nicht, daß Ostgotland schon weit berühmt ist? Oder glaubst du, daß sich irgendeine Landschaft in Schweden rühmen könnte, gleichzeitig zwei solche Klöster zu besitzen, wie sie in Alvastra und in Vreta und obendrein noch einen so schönen Dom, wie der in Linköping?«

»Das mag gern sein,« sagte der Bauer, »aber ich bin ein alter Mann, und ich weiß, daß der Menschen Sinn wandelbar ist. Ich fürchte, es wird eine Zeit kommen, wo sie uns nicht viel Ehre lassen werden, weder für Alvastra noch für Vreta oder den Dom.«

»Darin magst du vielleicht recht haben,« sagte die Herrin von Ulvåsa, »aber deswegen brauchst du nicht an meiner Wahrsagung zu zweifeln. Jetzt lasse ich ein neues Kloster auf Vadstena erbauen, und das dürfte wohl das berühmteste im ganzen Norden werden. Dahin wird Hoch und Niedrig wallfahrten, und alle werden sie diese Landschaft preisen, weil sie eine so heilige Stätte in ihren Grenzen birgt.«

Der Bauer erwiderte, er sei außerordentlich erfreut, das zu hören. Aber er wisse ja, daß alles vergänglich sei, und er möchte wohl wissen, was der Landschaft Ansehen verleihen sollte, wenn das Kloster Vadstena einmal in üblen Ruf käme.

»Du bist nicht leicht zufriedenzustellen,« sagte die Frau von Ulvåsa, »ich kann aber so weit in die Zukunft sehen, daß ich dir sagen kann, ehe das Kloster Vadstena seinen Glanz verliert, wird ganz in seiner Nähe ein Schloß erbaut werden, das das prächtigste seiner Zeit sein wird. Könige und Fürsten werden es besuchen, und es wird der ganzen Landschaft zur Ehre gereichen, daß sie einen solchen Schmuck besitzt.«

»Auch das zu hören freut mich sehr,« sagte der Bauer. »Aber ich bin ein alter Mann, und ich weiß, wie es mit der Herrlichkeit dieser Welt zu gehen pflegt. Wenn das Schloß einmal verfällt, was wird dann die Blicke der Leute auf diese Landschaft lenken?«

»Du verlangst nicht wenig zu wissen,« sagte die Frau von Ulvåsa, »aber ich vermag doch so weit in die Zukunft zu sehen, daß ich spüren kann, wie Leben und Bewegung oben in den Wäldern um Finspång herum entsteht. Ich sehe, wie sie Schmelzhütten und Schmiedewerke bauen, und ich glaube, die ganze Landschaft wird darum geehrt werden, daß man all das Eisen auf ihrem Gebiet verarbeitet.«

Der Bauer konnte nicht leugnen, daß er sich unsäglich über diese Nachricht freute. Wollte nun aber das Unglück, daß auch das Finspånger Hüttenwerk sein Ansehen verlor, so war es wohl kaum möglich, daß etwas Neues entstand, das Ostgotland zum Ruhme gereichen konnte.

»Dir kann man es nicht leicht rechtmachen,« sagte die Frau von Ulvåsa, »aber so weit vermag ich doch zu sehen, daß ich entdecken kann, wie rings um die Seen herum von Edelleuten, die in fremden Ländern Krieg geführt haben, Herrensitze erbaut werden, so groß wie Schlösser. Ich glaube, diese Edelhöfe werden der Landschaft ebenso viel Ehre einbringen, wie all das andere, wovon ich dir erzählt habe.«

»Aber wenn dann eine Zeit kommt, wo niemand die großen Herrensitze mehr preist?« fuhr der Bauer hartnäckig fort.

»Du brauchst dich trotzdem nicht zu ängstigen,« sagte die Frau von Ulvåsa. »Ich sehe jetzt, wie Heilquellen auf den Wiesen von Medevi in der Nähe des Wetternsees hervorsprudeln. Ich glaube, die Quellen von Medevi werden der Landschaft so viel Ruhm verschaffen, wie du nur wünschen kannst.«

»Das ist etwas Großes, was ich da erfahre,« sagte der Bauer. »Aber wenn nun die Zeit kommt, wo die Menschen an andern Quellen Heilung suchen?«

»Deswegen brauchst du dich nicht zu bekümmern,« erwiderte die Frau von Ulvåsa. »Ich sehe, wie es von Motala bis Mem von arbeitenden Menschen wimmelt. Sie graben eine Verkehrsstraße quer durch das Land, und da wird der Ruhm von Ostgotland wieder auf aller Lippen sein.«

Der Bauer sah aber trotzdem noch beunruhigt aus.

»Ich sehe, wie die Fälle des Motalastromes anfangen. Räder zu treiben,« sagte die Frau von Ulvåsa, und nun brannten zwei rote Flecke auf ihren Wangen, denn nun begann sie unruhig zu werden, »Ich höre in Motala Hämmer dröhnen und in Norköping Webstühle klappern.«

»Ja, das ist erfreulich zu hören,« sagte der Bauer, »aber alles ist veränderlich, und ich fürchte, daß auch das einmal verfallen und in Vergessenheit geraten kann.«

Als der Bauer noch immer nicht zufrieden war, riß der Schloßherrin die Geduld. »Du sagst, daß alles vergänglich ist,« entgegnete sie. »Aber jetzt will ich dir doch etwas nennen, das sich nie verändern wird, nämlich, daß es solche hochmütige und eingebildete Bauern, wie du einer bist, allezeit, so lange die Welt steht, hier in Ostgotland geben wird!«

Kaum hatte die Frau von Ulvåsa das gesagt, als sich der Bauer fröhlich und guter Dinge erhob und ihr für die gute Auskunft dankte. Jetzt endlich habe seine Seele Ruhe, sagte er.

»Ich verstehe wirklich nicht, was du meinst,« sagte alsda die Frau von Ulvåsa.

»Ich denke so, liebe Herrin,« sagte der Bauer, »daß alles, was Könige und Klosterleute und Gutsbesitzer und Stadtbewohner erbauen und errichten, nur eine Reihe von Jahren Bestand hat. Wenn ihr mir aber sagt, daß es in Ostgotland allzeit ehrliebende und ausdauernde Bauern geben wird, so weiß ich auch, daß das Land seinen alten Ruhm bewahren wird. Nenn nur die, die bei der ewigen Arbeit mit der Erde gebeugt gehen, die können dies Land für alle Zeiten in Wohlstand und Ansehen erhalten.«

XX. Die Bahn aus Fries

Sonnabend, den 23, April.

Der Junge flog dahin, hoch oben in der Luft. Er hatte die große ostgotländische Ebene unter sich und saß da und zählte die vielen weißen Kirchen, die ihren Turm aus einer dichten Baumgruppe heraussteckten. Es währte nicht lange, und er war bis zu Fünfzig gekommen. Dann wurde er zerstreut, und die Rechnung geriet in Unordnung.

Die allermeisten Gehöfte waren wie große, zweistöckige Häuser gebaut, die so stattlich aussahen, daß der Junge sich darüber verwundern mußte. »Hierzulande können doch keine Bauern wohnen,« sagte er zu sich selbst, »denn von Bauerhäusern sehe ich ja nichts.«

Da riefen die wilden Gänse: »Hier wohnen die Bauern wie Edelleute. Hier wohnen die Bauern wie Edelleute!«

Auf der Ebene waren Schnee und Eis verschwunden, und die Frühjahrsarbeit war im vollen Gange. »Was für lange Krebse sind denn das, die da über die Äcker hinkriechen?« fragte der Junge nach einer Weile. »Ochsen und Pflüge, Ochsen und Pflüge!« antworteten alle wilden Gänse.

Die Ochsen bewegten sich ganz langsam über die Äcker hin, man konnte nicht sehen, daß sie sich bewegten, und die Gänse riefen ihnen zu: »Ihr kommt nicht vorm nächsten Jahr vorwärts. Ihr kommt nicht vorm nächsten Jahr vorwärts!« Aber die Ochsen blieben ihnen die Antwort nicht schuldig. Sie steckten die Mäuler in die Luft und brüllten: »Wir schaffen mehr Nutzen in einer Stunde als solch Gesindel wie ihr in eurem ganzen Leben.«

An einigen Stellen wurden die Pflüge von Pferden gezogen. Die liefen viel eifriger und schneller als die Ochsen, aber die Gänse konnten es nicht lassen, auch sie zu foppen: »Schämt ihr euch nicht, Ochsenarbeit zu tun?« riefen sie den Pferden zu. »Schämt ihr euch nicht, Ochsenarbeit zu tun?« – »Schämt ihr selber euch nicht, Tagediebarbeit zu tun?« wieherten die Pferde zurück.

Während die Pferde und Ochsen auf Arbeit waren, ging der Stallwidder daheim im Hofe umher. Er war frischgeschoren und leichtfüßig, warf die kleinen Jungen um, jagte den Kettenhund in seine Hütte hinein und stolzierte dann umher, als sei er Alleinherrscher auf dem Hofe. »Widder, Widder, was hast du mit deiner Wolle gemacht?« fragten die wilden Gänse, die oben in der Luft vorüberflogen. – »Die hab' ich nach der Fabrik in Norköping geschickt,« antwortete der Widder mit einem langgezogenen Blöken. – »Widder, Widder, was hast du mit deinen Hörnern gemacht?« fragten die Gänse. Hörner hatte nun der Widder zu seinem großen Kummer niemals gehabt, und man konnte ihm keinen ärgeren Tort antun, als ihn danach fragen. Er lief lange umher und stieß in die Luft hinauf, so böse war er.

Auf der Landstraße kam ein Mann gegangen, der eine Schar schonenscher Ferkel vor sich hertrieb, die erst einige Wochen alt waren und weiter hinauf im Lande verkauft werden sollten. Die trotteten tapfer vorwärts, so klein sie waren, und hielten sich dicht zusammen, wie um Schutz zu suchen. »Nuff, nuff, nuff, wir sind zu früh von Vater und Mutter weggekommen. Wie soll es uns armen Kindern ergehen?« sagten die kleinen Ferkel. Nicht einmal die wilden Gänse konnten es übers Herz bringen, Kurzweil mit solchen armen Kleinen zu treiben. »Ihr kriegt es besser, als ihr's euch träumen laßt,« riefen sie, indem sie an ihnen vorüberflogen.

Die wilden Gänse waren nie besserer Laune, als wenn sie über eine Ebene hinflogen. Da beeilten sie sich nicht, sondern flogen von einem Gehöft zum andern und trieben Scherz mit den zahmen Tieren.

Während der Junge über die Ebene hinritt, mußte er an eine Geschichte denken, die er einmal vor langer Zeit gehört hatte. Ganz genau konnte er sich ihrer nicht entsinnen, aber es war etwas von einem Kleid, das halb aus goldgewirktem Brokat, und halb aus grauem Fries gemacht war. Aber diejenige, der das Kleid gehörte, bestickte die Friesbahn mit so vielen Perlen und edlen Steinen, daß sie schöner und köstlicher schimmerte als der Goldbrokat.

An dies mit der Bahn aus Fries mußte er denken, als er auf Ostgotland hinabsah, denn das bestand aus einer großen Ebene, die zwischen zwei bergigen Waldwiesen eingeklemmt lag, eine nach Norden und eine nach Süden. Die beiden bewaldeten Abhänge lagen blau und schön da und schimmerten in der Morgensonne, als seien sie in Goldschleier eingehüllt, und die Ebene, die nur einen winterkahlen Acker nach dem andern ausbreitete, war an und für sich nicht schöner zu sehen als grauer Fries.

Aber die Menschen gediehen anscheinend vortrefflich auf der Ebene, weil sie gut und mildtätig war, und sie hatten sich bemüht, sie aufs beste zu schmücken. Wie der Knabe dort hoch oben flog, sah es ihm so aus, als seien Dörfer und Gehöfte, Kirchen und Fabriken, Schlösser und Eisenbahnstationen gleich kleinen und großen Kleinodien über die Ebene ausgestreut. Es glitzerte auf den Ziegeldächern, und die Fensterscheiben schimmerten wie Juwelen. Gelbe Landstraßen, blanke Eisenbahnschienen und blaue Kanäle schlängelten sich von Ort zu Ort wie aus Seide genähte Schlupfen. Linköping lag um seinen Dom herum wie eine Perleneinfassung um einen köstlichen Stein, und die Gehöfte auf dem Lande waren wie kleine Busennadeln und Knöpfe. Es war nicht viel Ordnung in dem Muster, aber es war eine Pracht, die anzusehen man niemals ermüden konnte.

Die Gänse hatten die Omberger Gegend nun hinter sich gelassen und flogen gen Osten am Götakanal entlang. Der war auch dabei, sich für den Sommer zurecht zu machen. Da gingen die Arbeiter umher und besserten die Kanaldämme aus und teerten die großen Schleusenpforten.

Ja, überall wurde gearbeitet, um den Lenz gut zu empfangen, auch in den Städten. Da standen Maler und Maurer auf Gerüsten vor den Häusern und machten sie fein. Die Dienstmädchen standen in den offenen Fenstern und putzten die Scheiben blank. Unten am Hafen machte man Segelboote und Dampfer sauber.

Bei Norköping verließen die wilden Gänse die Ebene und flogen über Kolmården. Sie waren eine Weile an einer alten, hügeligen Landstraße entlang geflogen, die sich an Schluchten und unter wilden Bergwänden hinschlängelte, als der Junge plötzlich einen Schrei ausstieß. Er hatte dagesessen und mit dem einen Bein geschlenkert, und einer von seinen Holzschuhen war ihm abgefallen.

»Gänserich, Gänserich, ich hab' meinen Schuh verloren!« schrie der Junge.

Der Gänserich kehrte um und schwebte zur Erde hinab, aber da sah der Junge, daß zwei Kinder, die des Weges daher kamen, seinen Schuh gefunden hatten.

»Gänserich, Gänserich,« schrie der Junge schnell, »flieg wieder hinauf! Es ist zu spät. Ich kann meinen Schuh nicht wieder bekommen.«

Aber unten auf dem Wege standen das Gänsemädchen Aase und ihr Bruder, der kleine Mads, und betrachteten einen winzig kleinen Holzschuh, der vom Himmel herabgefallen war.
»Den haben die wilden Gänse verloren!« sagte der kleine Mads.
Das Gänsemädchen Aase stand lange still und sann über den Fund nach. Schließlich sagte sie ruhig und nachdenklich: »Weißt du wohl noch, kleiner Mads, als wir am Övedkloster vorbeikamen, hörten wir davon reden, daß sie auf einem Bauerhof einen Kobold gesehen hatten, der lederne Hosen angehabt hatte und Holzschuhe an den Füßen, ganz wie ein Arbeitsmann? Und weißt du noch, als wir nach Vittskövle kamen, erzählte ein kleines Mädchen, sie habe einen alten Kobold mit Holzschuhen gesehen, der sei auf dem Rücken einer Gans davongeflogen? Und als wir selber nach unserm Hause heimkehrten, kleiner Mads, da sahen wir ja einen Wicht, der so gekleidet war, und der auch auf eine Gans hinaufkroch und davonflog. Vielleicht war das derselbe, der jetzt da oben in der Luft auf seiner Gans geritten kam und seinen Holzschuh verlor?«
»Ja, so ist es gewiß,« sagte der kleine Mads.
Sie drehten und wendeten den Holzschuh und untersuchten ihn genau, denn nicht jeden Tag findet man den Holzschuh eines Koboldes auf der Landstraße.
»Warte einmal, kleiner Mads, warte einmal!« sagte das Gänsemädchen Aase. »Hier auf der einen Seite steht ja etwas zu lesen.«
»Ja, da steht etwas. Aber die Buchstaben sind so klein!«
»Laß mich einmal sehen! Ja, da steht... Da steht: Niels Holgersen aus W.-Vemmenhög.«
»Das ist doch das merkwürdigste, was ich jemals gehört habe,« sagte der kleine Mads.

XXI. Die Geschichte von Karr und Graufell

Kolmården.

Nördlich von Bråviken, gerade auf der Grenze zwischen Ostgotland und Sörmland, erhebt sich ein Berg, der mehrere Meilen lang und über eine Meile breit ist. Hätte er eine Höhe, die seiner Länge und Breite

entspräche, so würde er der schönste Berg sein, den man sich denken kann; aber die hat er nicht.
Es kann zuweilen geschehen, daß man ein Gebäude antrifft, das von Anfang an so groß angelegt ist, daß sein Besitzer es nicht hat vollenden können. Wenn man ganz nahe herankommt, sieht man dicke Grundmauern, starke, gewölbte Bogen und tiefe Keller, aber da sind weder Mauern noch Dach; das Ganze erhebt sich nur einige Fuß hoch über der Erde. Man kann fast nicht umhin, beim Anblick dieses Berges an so ein verlassenes Gebäude zu denken, denn es sieht fast so aus, als sei er bestimmt, mächtige, hohe Berghallen zu tragen. Alles ist gewaltig und jedes ist groß angelegt, aber es hat keine rechte Höhe oder Haltung. Der Baumeister ist müde geworden und hat die Arbeit aufgegeben, ehe er dazu gelangt war, die steilen Felsklippen und die spitzen Gipfel und scharfen Abhänge aufzuführen, die sonst als Mauern und Dach auf den fertiggebauten Bergen stehen.
Aber gleichsam als Ersatz für Klippen und Kuppen ist der große Berg zu allen Zeiten mit hohen, mächtigen Bäumen bedeckt gewesen. Eichen und Linden an den äußeren Rändern und in den Talschluchten, Birken und Erlen um die Seen herum, Fichten oben auf den steilen Absätzen und Tannen überall, wo sie nur eine Handvoll Erde finden, in der sie wachsen können. Alle diese Bäume im Verein bildeten einen großen Wald, den Kolmård, der in alten Zeiten so gefürchtet war, daß jeder, der ihn notgedrungen durchwandern mußte, sich Gott empfahl und sich darauf vorbereitete, daß seine letzte Stunde gekommen sei.
Es ist jetzt so lange her, seit der Kulmård ein Wald wurde, daß es unmöglich ist, zu sagen, wie es kam, daß er so ward, wie er wurde. Er hatte sicher zu Anfang eine schwere Zeit auf dem harten Berggrund, und er wurde abgehärtet, weil er gezwungen war, sich festen Fuß zwischen nackten Felsklippen und Nahrung aus magerem Kies zu suchen. Es erging ihm wie so manch einem, der in jungen Tagen Böses leiden muß, aber groß und stark wird, wenn er heranwächst. Als der Wald ausgewachsen war, hatte er Bäume, die drei Klafter im Umkreis waren, die Zweige der Bäume waren zu einem undurchdringlichen Netz zusammengeflochten, und die Erde war mit harten, glatten Baumwurzeln durchwoben. Er war ein vorzüglicher Aufenthaltsort für wilde Tiere und Räuber, die wußten, wie man kriechen und klettern und sich winden mußte, um sich einen Weg durch das Dickicht zu bahnen. Aber für andere besaß er keine besondere Anziehungskraft.

Er war dunkel und kalt, wegelos und irreleitend, dicht und stechend, und die alten Bäume mit ihren bärtigen Zweigen und moosbewachsenen Stämmen glichen Kobolden.
In der ersten Zeit, als die Leute begannen, sich in Sörmland und Ostgotland niederzulassen, war da fast überall Wald, aber in den fruchtbaren Tälern und den Ebenen wurde er bald ausgerodet. Niemand dahingegen machte sich etwas daraus, im Kolmård, der auf magerem Berggrund wuchs, zu fällen. Aber je länger er Erlaubnis erhielt, unberührt zu stehen, um so stärker wurde er. Er war wie eine Festung, deren Mauern von Tag zu Tag dicker wurden, und wer durch die Waldmauer hindurch wollte, der mußte eine Axt zu Hilfe nehmen. Andere Wälder sind oft bange vor den Menschen, vor dem Kolmård aber mußten die Menschen bange sein. Er war so dunkel und so dicht, daß Jäger und Besenbinder sich einmal über das andere darin verirrten und nahe daran waren umzukommen, ehe es ihnen gelang, sich aus der Wildnis herauszuarbeiten. Und für die Reisenden, die gezwungen waren, von Ostgotland nach Sörmland, oder umgekehrt, zu ziehen, war der Wald geradezu lebensgefährlich. Sie mußten sich mühselig auf schmalen Wildpfaden vorwärtsarbeiten, denn die Grenzbevölkerung war nicht einmal imstande, einen gebahnten Weg durch den Wald instand zu halten. Da waren weder Brücken über die Bäche noch Fähren über die Seen oder Dämme über die Moore. Und im ganzen Walde war auch nicht eine Hütte, in der friedliche Leute wohnten, während es genug Räuberhöhlen und Gruben mit wilden Tieren gab. Nicht viele kamen mit heiler Haut durch den Wald, um so mehr aber stürzten in Abgründe oder versanken in Sümpfe, wurden von Räubern geplündert oder von wilden Tieren gejagt. Aber auch die Leute, die außerhalb des Waldes wohnten und sich nie dahinein wagten, hatten Ärger von ihm, denn beständig kamen Bären und Wölfe aus dem Kolmård herab und nahmen ihr Vieh. Und es war unmöglich, die wilden Tiere auszurotten, so lange sie sich in dem dichten Walde verstecken konnten.
Es herrscht kein Zweifel darüber, daß sowohl die Ostgotländer als auch die Sörmländer den Kolmård gern los sein wollten, aber damit ging es nur langsam, solange anderwärts brauchbarer Boden war.
Nach und nach fing man doch an, ihn zu bewältigen. Auf den Bergabhängen rings um den Hochwald selbst wuchsen Höfe und Dörfer empor.

Der Wald wurde einigermaßen fahrbar, und bei Krokek, mitten in die ärgste Wildnis hinein, bauten die Mönche ein Kloster, in dem die Reisenden eine sichere Zufluchtsstätte fanden.

Der Wald blieb aber trotzdem mächtig und gefährlich, bis ein Wanderer, der in das tiefe Dickicht hineingedrungen war, eines Tages zufällig entdeckte, daß Erz in dem Berge war, auf dem der Wald wuchs. Und sobald dies bekannt wurde, eilten Grubenarbeiter und Bergleute in den Wald, um diese Schätze zu finden.

Und nun kam das, was die Macht des Waldes brach. Die Menschen schaufelten Gruben, sie bauten Schmelzöfen und Bergwerke in dem alten Walde. Aber das hätte dem Walde keinen ernsten Schaden zuzufügen brauchen, wenn nicht eine so ungeheure Menge Holz und Kohle zu dem Bergwerkbetriebe erforderlich gewesen wäre. Köhler und Holzhauer hielten ihren Einzug in den alten düstern Urwald und machten ihm so ungefähr den Garaus. Rings um die Bergwerke herum wurde er abgehauen, und dort machte man den Erdboden urbar für Ackerland. Viele Ansiedler zogen da hinauf, und bald standen mehrere neue Dörfer mit Kirche und Pfarrhof dort, wo bisher nur der Bär sein Winterlager gehabt hatte.

Selbst da, wo sie den Wald nicht ganz ausgerodet hatten, fällten sie alle alten Bäume und hauten Wege durch die dichte Wildnis. Überall wurden Wege angelegt, und die wilden Tiere und die Räuber verjagt. Als die Menschen endlich Herren über den Wald wurden, gingen sie entsetzlich übel damit um: sie hauten Bäume um, brannten Kohlen und zerstörten alles rücksichtslos. Sie hatten ihren alten Haß gegen den Wald nicht vergessen, und nun hatte es den Anschein, als wollten sie ihn ganz vernichten.

Es war ein Glück für den Wald, daß nicht so übermäßig viel Erz in den Kolmårdengruben gefunden wurde, so daß die Arbeit und der Werkbetrieb bald abnahmen. Da hörte auch das Kohlenbrennen auf, und der Wald durfte sich ein wenig verschnaufen. Viele, die sich in den Kolmårdendörfern niedergelassen hatten, wurden arbeitslos und hatten ihre liebe Not, das Leben zu fristen, aber der Wald begann von neuem zu wachsen und sich auszubreiten, so daß die Höfe und Bergwerke darin lagen wie Inseln im Meer. Die Bewohner des Kolmård versuchten es mit Ackerwirtschaft, aber ohne sonderliches Ergebnis. Die alte Walderde wollte lieber Königseichen und Riesenfarnen hervorbringen als Rüben und Korn.

Und nun betrachteten die Menschen den Wald mit finstern Blicken; er wurde kräftiger und üppiger, während sie mehr und mehr verarmten, aber schließlich kamen sie auf den Gedanken, ob nicht auch etwas Gutes an dem Walde sein könne. Vielleicht konnten sie ihr Auskommen durch den Wald finden? Auf alle Fälle würde es sich verlohnen, zu versuchen, ob man nicht etwas aus ihm herausbringen konnte.
Und so begannen sie denn, Bauholz und Brennholz aus dem Walde zu holen und es an die Bewohner der Ebene zu verkaufen, die ihre Wälder bereits abgeholzt hatten. Bald wurde es ihnen klar, daß wenn sie es nur vernünftig anstellten, sie ebensogut von dem Wald wie von dem Feld und von den Gruben leben konnten. Und da sahen sie ihn denn mit anderen Augen an als bisher. Sie lernten, ihn zu schonen und zu lieben. Sie vergaßen ganz die alte Feindschaft und betrachteten den Wald als ihren besten Freund.

Karr.

Ungefähr zwölf Jahre bevor Niels Holgersen seine Reise mit den Wildgänsen angetreten hatte, geschah es, daß ein Grubenbesitzer im Kolmård gern einen seiner Jagdhunde los sein wollte. Er schickte zu seinem Holzwärter, erzählte ihm, daß es unmöglich sei, den Hund zu behalten, weil man es ihm nicht abgewöhnen könne, die Schafe und Hühner zu jagen, deren er ansichtig wurde. Er bat den Holzwärter, den Hund mit in den Wald zu nehmen und ihn zu erschießen.
Der Holzwärter band dem Hund einen Strick um den Hals, um ihn in den Wald hinaus an eine Stelle zu bringen, wo die alten Hunde vom Herrenhof erschossen und eingegraben zu werden pflegten. Er war ein gutmutiger Mann, aber trotzdem war er sehr froh darüber, daß er den Hund totschießen sollte, denn er wußte sehr wohl, daß er nicht nur Schafe und Hühner jagte. Gar oft war er im Walde und ergatterte einen Hasen oder einen jungen Birkhahn.
Der Hund war klein und schwarz, gelb an der Brust und mit gelben Vorderpfoten. Er hieß Karr und war so klug, daß er alles verstehen konnte, was die Menschen sagten. Als der Holzwärter mit ihm abzog, wußte er sehr wohl, was seiner harrte. Aber niemand sollte ihm das

ansehen. Er ließ den Kopf nicht hängen und steckte auch den Schwanz nicht zwischen die Beine, sondern sah so vergnügt aus wie immer.
Wir werden gleich erfahren, warum sich der Hund so in acht nahm zu zeigen, daß er bange war. Zu allen Seiten rings um das alte Bergwerk erstreckte sich nämlich ein großer, mächtiger Wald, und dieser Wald war unter Tieren und Menschen bekannt, weil die Besitzer seit einer Reihe von Jahren so besorgt um ihn gewesen waren, daß sie nicht einmal Bäume zu Brennholz hatten fällen lassen. Sie hatten es auch nicht übers Herz bringen können, ihn auszuholzen oder zu kappen, sondern hatten den Wald wachsen lassen, wie er wollte. Es war aber ganz selbstverständlich, daß ein Wald, der so geschont wurde, eine beliebte Zufluchtsstätte für die Tiere werden mußte, und die waren denn auch in großen Mengen dort vorhanden. Unter sich nannten sie ihn den Hegewald, und sie betrachteten ihn als den besten Aufenthaltsort, den sie im ganzen Lande hatten.
Während der Hund durch den Wald gezogen wurde, dachte er daran, daß er ein Schrecken für alle die kleinen Tiere gewesen war, die dort wohnten. »Es würde sicher Freude ringsumher im Dickicht herrschen, wenn sie wüßten, was deiner harrt, Karr,« dachte er. Aber er wackelte mit dem Schwanz und stimmte ein fröhliches Gebell an, damit niemand sagen sollte, daß er ängstlich oder mutlos sei.
»Welch Vergnügen ist denn auch noch am Leben, wenn ich nicht hin und wieder einmal jagen kann!« sagte er. »Bereue, wer Lust dazu hat; ich spüre keine Lust!«
Aber im selben Augenblick, als der Hund das zu sich sagte, ging eine merkwürdige Veränderung mit ihm vor. Er reckte Kopf und Hals in die Höhe, als habe er Lust zu heulen. Er lief nicht mehr neben dem Holzwärter her, sondern hielt sich hinter ihm. Offenbar war ihm etwas Unangenehmes eingefallen.
Es war zu Anfang des Sommers. Die Elchkühe hatten kürzlich ihre Jungen zur Welt gebracht, und am vorhergehenden Abend hatte der Hund das Glück gehabt, ein kleines Elchkalb, das kaum mehr als fünf Tage alt war, von seiner Mutter zu trennen und es in ein Moor hineinzutreiben. Dort hatte er das Kalb zwischen den Grashügeln hin und her gejagt, eigentlich nicht, um es zu fangen, sondern nur um sich an seiner Angst zu weiden. Die Elchkuh wußte, daß das Moor jetzt, sobald nach der Schneeschmelze grundlos war und ein so großes Tier wie sie nicht tragen konnte, deswegen blieb sie am Ufer stehen, solange

sie es aushalten konnte. Als Karr das Kalb aber weiter und weiter hinausjagte, ging die Elchkuh plötzlich auf das Moor hinaus, jagte den Hund weg, nahm das Kalb mit und machte sich wieder auf den Weg an Land. Sie hatte fast das Ufer erreicht, als ein Grasbüschel, auf den sie den Fuß gesetzt hatte, plötzlich in dem Schlamm versank und sie mit in die Tiefe hinabriß. Sie strengte sich an, wieder in die Höhe zu kommen, konnte aber nicht Fuß fassen und sank tiefer und tiefer hinab. Karr stand da und sah zu und wagte kaum zu atmen, als es ihm aber klar wurde, daß die Elchkuh sich nicht zu retten vermochte, lief er davon, so schnell seine Füße ihn tragen konnten. Er dachte an alle die Prügel, die er bekommen würde, sobald es herauskam, daß er eine Elchkuh ins Moor hinausgelockt hatte, und er wurde so bange, daß er nicht still zu stehen wagte, ehe er zu Hause angelangt war.

Hieran mußte der Hund plötzlich denken, und dies quälte ihn auf ganz andere Weise als alle die übrigen tollen Streiche, die er ausgeführt hatte. Das kam vielleicht daher, weil es gar nicht seine Absicht gewesen war, die Elchkuh oder das Kalb zu töten; er war ganz unversehens dazu gekommen.

»Aber vielleicht sind sie noch am Leben,« dachte der Hund plötzlich. »Sie waren ja noch nicht tot, als ich fortlief. Am Ende haben sie sich gerettet!«

Eine unwiderstehliche Lust wandelte ihn an, etwas hierüber zu erfahren, solange es für ihn noch Zeit war. Er merkte, daß der Waldhüter den Strick nicht besonders festhielt, machte einen raschen Sprung nach der Seite, und kam wirklich los. Darauf rannte er davon durch den Wald und hinab nach dem Moor, und zwar in einer solchen Fahrt, daß der Holzwärter keine Zeit hatte, die Flinte an die Wange zu legen, ehe er weg war.

Dem Holzwärter blieb nichts weiter übrig, als hinterher zu laufen, und als er an das Moor kam, sah er den Hund auf einem Grasbüschel einige Ellen vom Ufer entfernt stehen und aus Leibeskräften heulen. Der Holzwärter hielt es für seine Pflicht, nachzusehen, was das wohl bedeuten könne, er stellte die Flinte hin und kroch auf allen Vieren auf das Moor hinaus. Er war noch nicht weit gekrochen, als er eine Elchkuh sah, die im Moor lag und tot war. Dicht neben der Kuh lag ein kleines Kalb. Das war noch am Leben, war aber so ermattet, daß es sich nicht zu rühren vermochte. Karr stand neben dem Kalbe. Bald

beugte er sich hinab und leckte es, bald stieß er ein lautes Geheul aus, um Hilfe herbeizurufen.
Der Holzwärter hob das Kalb auf und machte sich daran, es an Land zu schleppen. Als es dem Hund klar wurde, daß das Kalb gerettet werden würde, geriet er ganz außer sich vor Freude. Er sprang rund um den Holzwärter herum, leckte ihm die Hände und bellte vor Entzücken. Der Holzwärter trug das Kalb nach Hause und setzte es in einen Stand im Stall. Dann mußte er Hilfe herbeiholen, um die tote Elchkuh aus dem Moor zu ziehen, und erst als das alles besorgt war, fiel ihm ein, daß er ja Karr erschießen sollte. Er rief den Hund, der ihm die ganze Zeit gefolgt war, und ging wieder mit ihm in den Wald.
Der Holzwärter schlug den Weg nach dem Hundegrabe ein, ehe er aber noch angelangt war, kam er auf andere Gedanken, denn plötzlich kehrte er um und ging auf den Herrenhof zu.
Karr war ihm ganz still gefolgt, als aber der Holzwärter umkehrte und nach seinem alten Heim ging, wurde er unruhig. Sicher hatte der Holzwärter ausfindig gemacht, daß er die Elchkuh umgebracht hatte, und nun sollte er nach dem Herrenhof, um seine Strafe in Empfang zu nehmen, ehe er starb.
Aber Prügel zu kriegen, war das Schlimmste, was Karr sich denken konnte, und bei dieser Aussicht vermochte er den Mut nicht aufrecht zu halten. Er ließ den Kopf hängen, und als er auf den Hof kam, sah er nicht auf, sondern tat so, als kenne er niemand.
Der Gutsbesitzer stand auf der Treppe, als der Holzwärter daherkam. »Was in aller Welt ist das für ein Hund, mit dem Sie da kommen, Holzwärter?« sagte er. »Es ist doch wohl nicht Karr? Der muß doch schon längst erschossen sein.« Da erzählte der Holzwärter von den Elchen, und Karr machte sich so klein, wie er nur konnte, und kroch hinter den Beinen des Holzwärters zusammen, als wolle er sich verstecken.
Aber der Holzwärter erzählte die Geschichte nicht so, wie Karr es erwartet hatte. Er konnte nicht genug Worte des Lobes für Karr finden. Er sagte, der Hund habe offenbar gewußt, daß die Elche in Not seien, und habe sie retten wollen. »Der Knecht muß ja tun, was der Herr will, ich kann den Hund aber nicht totschießen,« schloß der Holzwärter seinen Bericht.
Der Hund erhob sich und spitzte die Ohren. Er wollte kaum glauben, daß er recht gehört hatte. Obwohl er ungern verraten wollte, wie bange

er gewesen war, konnte er sich nicht enthalten, ein klein wenig zu bellen. War es wirklich möglich, daß er am Leben bleiben durfte, nur weil er um die Elche besorgt gewesen war?
Der Gutsbesitzer fand auch, daß Karr sich gut benommen hatte, da er ihn aber unter keinen Umständen wieder haben wollte, wußte er nicht gleich, was er sagen sollte. »Ja, wenn Sie sich seiner annehmen wollen, Holzwärter, und dafür einstehen wollen, daß er sich besser schickt als bisher, so mag er leben,« sagte er endlich. Dazu war der Holzwärter bereit, und so ging es zu, daß Karr zum Holzwärter kam.

Graufells Flucht.

Von dem Tage an, als Karr zum Holzwärter kam, ließ er die unerlaubte Jagd im Walde ganz nach. Nicht daß er bange geworden wäre, sondern vielmehr weil er nicht wollte, daß der Holzwärter böse auf ihn werden sollte. Denn seit der Holzwärter ihm das Leben gerettet hatte, liebte er ihn über alles in der Welt. Er hatte keinen anderen Gedanken, als ihm zu folgen und für ihn zu sorgen. Ging er aus, so lief Karr voraus und untersuchte den Weg, und saß er zu Hause, so lag Karr draußen vor der Tür und beobachtete jeden, der kam und ging.
Wenn im Holzwärterhäuschen alles still war, wenn man keinen Schritt auf dem Wege hörte, und Karrs Herr sich mit den kleinen Bäumen zu schaffen machte, die er im Küchengarten züchtete, vertrieb sich Karr die Zeit, indem er mit dem Elchkalb spielte.
Anfangs hatte Karr gar keine Lust, sich mit ihm abzugeben. Da er aber seinen Herrn überall hin begleitete, ging er auch mit ihm in den Stall hinaus, wenn der Holzwärter dem Elchkalb Milch gab; er saß dann vor dem Stand und sah das Kalb an. Der Waldhüter nannte das Kalb Graufell, denn er fand, es verdiene keinen feineren Namen, und darin stimmte Karr mit ihm überein. Jedesmal, wenn er das Kalb sah, meinte er, nie etwas gesehen zu haben, was so häßlich war und so schlecht zusammengesetzt. Es hatte lange schlackerige Beine, die wie ein Paar lose Stelzen unter dem Körper sahen. Der Kopf war groß und alt und runzelig, und immer hing er nach der einen Seite. Das Fell saß in Runzeln und Falten, als wenn es einen Pelz anbekommen hätte, der nicht für seinen Körper gemacht war. Es sah immer mutlos und mißmutig aus, aber, sonderbarerweise, richtete es sich schnell auf,

sobald es Karr draußen vor dem Stand erblickte, als freue es sich, den Hund zu sehen.
Das Elchkalb wurde mit jedem Tag, der verging, elender, es wuchs nicht, und schließlich konnte es sich nicht einmal mehr aufrichten, wenn es Karr sah. Da sprang der Hund zu ihm in den Stand hinein, und auf einmal blitzte es in den Augen des Ärmsten auf, als sei ihm ein Herzenswunsch erfüllt. Von nun an kam Karr jeden Tag und besuchte das Elchkalb und verbrachte ganze Stunden damit, seinen Pelz zu lecken, mit ihm zu spielen und sich zu tummeln und es allerlei zu lehren, worüber Waldtiere Bescheid wissen müssen.
Und merkwürdig, von dem Tage an, als Karr auf den Einfall gekommen war, zu dem Elchkalb hineinzulaufen, fing es an zu gedeihen und zu wachsen. Und als es erst damit in Gang gekommen war, wuchs es in einigen wenigen Wochen so stark, daß es in dem kleinen Stand keinen Platz mehr hatte, sondern in ein Gehege geschafft werden mußte. Als es aber ein paar Monate in dem Gehege gewohnt hatte, waren seine Beine so lang geworden, daß es über den Zaun springen konnte, wenn es wollte. Da erhielt der Holzwärter Erlaubnis von dem Gutsbesitzer, eine hohe, große Hecke um das Kalb zu errichten. Dort lebte der Elch mehrere Jahre und wuchs zu einem großen, stattlichen Hirsch heran. Karr leistete ihm Gesellschaft, sooft er konnte, aber jetzt geschah das nicht mehr aus Mitleid, sondern weil eine warme Freundschaft zwischen den beiden entstanden war. Der Elch war noch immer niedergeschlagen und schien schlaff und träge zu sein, aber Karr verstand die Kunst, ihn munter und lebhaft zu machen.
Graufell war fünf Sommer im Holzwärterhäuschen gewesen, als der Gutsbesitzer von einem zoologischen Garten im Ausland einen Brief mit der Frage erhielt, ob er den Elch verkaufen wolle. Das wollte er gern. Der Holzwärter war betrübt, aber es konnte ja nichts nützen, daß er nein sagte, und so wurde denn beschlossen, daß Graufell verkauft werden sollte. Karr erhielt bald Wind von dem, was bevorstand und eilte zu dem Elch hinaus, um ihm zu erzählen, daß man die Absicht habe, ihn wegzuschicken. Der Hund war unglücklich, daß er Graufell verlieren sollte, der aber blieb ganz ruhig und schien weder froh noch traurig zu sein. »Willst du dich gar nicht dagegen auflehnen, weggeschickt zu werden?« fragte Karr.– »Was sollte das wohl nützen, wenn ich mich dagegen auflehnen wollte!« erwiderte Graufell. »Ich

möchte am liebsten bleiben, wo ich bin, haben sie mich aber verkauft, so muß ich wohl fort von hier.« Karr stand da und sah Graufell an, maß ihn förmlich mit den Augen. Man konnte sehr wohl sehen, daß der Elch noch nicht ganz ausgewachsen war. Seine Schaufeln waren nicht so breit und sein Buckel nicht so hoch und seine Mähne nicht so struppig wie bei den voll ausgewachsenen Elchhirschen, aber er war doch stark genug, um für seine Freiheit zu kämpfen. »Man kann es ihm doch anmerken, daß er sein ganzes Leben in Gefangenschaft verbracht hat,« dachte Karr, sagte aber nichts.

Der Hund kehrte erst nach Mitternacht, als er wußte, daß Graufell ausgeschlafen hatte und bei seiner ersten Mahlzeit war, nach dem Elchhof zurück. »Es ist sicher vernünftig von dir, daß du dich darin findest, fortgeschickt zu werden, Graufell,« sagte Karr, der jetzt ganz ruhig und zufrieden zu sein schien. »Du wirst in einem großen Garten eingesperrt und kannst ein sorgloses Leben führen. Ich finde nur, es ist ein Jammer, daß du von hier fortgehst, ohne den Wald gesehen zu haben. Du weißt, daß deine Stammesgenossen den Wahlspruch haben: Der Elch ist eins mit dem Walde. Aber du bist nicht einmal in einem Wald gewesen!«

Graufell sah von dem Klee auf, an dem er kaute. »Ich hätte wohl Lust, den Wald zu sehen, aber wie soll ich über die Hecke kommen?« sagte er mit seiner gewohnten Schlaffheit. – »Nein, das ist wohl ganz unmöglich für jemand, der so kurze Beine hat,« entgegnete Karr. Der Elch sah Karr an, der täglich mehrmals über die Hecke sprang, so klein er war. Er ging an die Hecke heran, machte einen Sprung und war im Freien, fast ohne daß er wußte, wie es zugegangen war.

Karr und Graufell begaben sich nun in den Wald. Es war eine herrliche, mondhelle Nacht zu Ende des Sommers, aber unter den Bäumen war es dunkel, und der Elch bewegte sich mit großer Vorsicht vorwärts. »Es ist vielleicht am besten, wenn wir umkehren,« sagte Karr. »Du bist ja noch nie draußen in dem großen Wald gewesen, und du könntest dir leicht die Beine brechen.« Da entschloß sich Graufell, schneller und kühner vorzugehen.

Karr führte den Elch in einen Teil des Waldes, wo mächtige Tannen wuchsen, die so dicht standen, daß kein Windhauch zwischen sie hineindringen konnte, »Hier pflegen deine Stammesgenossen Schutz gegen Sturm und Kälte zu suchen,« sagte Karr. »Hier stehen sie den ganzen Winter unter offenem Himmel. Aber du kriegst es viel besser

da, wo du hinkommst. Du bekommst ein Dach über dem Kopf und wirst in einem Stall stehen wie eine Kuh.« Graufell erwiderte nichts; er stand noch da und sog den starken Tannenduft ein. »Hast du mir noch mehr zu zeigen, oder habe ich jetzt den ganzen Wald gesehen?« fragte er. – »Nein, noch nicht,« sagte Karr.
Dann ging Karr mit ihm an ein großes Moor und ließ ihn über Grasbüschel und Bebeland hinaussehen. »Auf dies Moor pflegen die Elche hinauszufliehen, wenn sie in Gefahr sind,« sagte Karr. »Ich weiß nicht, wie sie es machen, aber so groß und schwer sie sind, können sie hier gehen, ohne einzusinken. Du könntest dich wohl nicht auf einem so schwankenden Grund bewegen; aber das hast du ja auch nicht nötig, denn du wirst ja nie von Jägern verfolgt werden.« Graufell erwiderte nichts, war aber mit einem langen Sprung draußen auf dem Moor. Es war ihm eine Wonne, die Grasbüschel unter sich schaukeln zu fühlen, und er sauste über das Moor dahin und kehrte zu Karr zurück, ohne auch nur ein einziges Mal eingesunken zu sein. »Haben wir nun den ganzen Wald gesehen?« fragte er. »Nein, noch nicht,« sagte Karr.
Er ging nun mit dem Elch an den Saum des Waldes, wo große Laubbäume wuchsen: Eiche und Espe und Linde. »Hier pflegen deine Stammesgenossen Laub und Baumrinde zu fressen,« sagte Karr. »Das betrachten sie als die beste Nahrung, aber im Auslande bekommst du gewiß bessere Nahrung.« Graufell sah mit Staunen die prachtvollen Laubbäume an, die ihre grünen Kuppeln über ihm wölbten. Er kostete Eichenlaub und Espenrinde. »Dies schmeckt herbe und gut,« sagte er. »Es ist besser als Klee.« – »Dann ist es ja gut, daß du es doch einmal geschmeckt hast,« sagte der Hund.
Darauf nahm er den Elch mit an einen kleinen Waldsee. Der See lag ganz blank und still da, und die Ufer spiegelten sich darin, in dünne, leichte Nebel gehüllt. Als Graufell den See sah, blieb er unbeweglich stehen. »Was ist das, Karr?« fragte er. Es war das erstemal, daß er einen See sah. – »Das ist ein großes Wasser, ein See, sagte Karr. »Deine Sippe pflegt darüber hin zu schwimmen, von einem Ufer zum anderen. Aber man kann ja nicht verlangen, daß du es auch kannst; du solltest aber auf alle Fälle hinabgehen und ein Bad nehmen.« Karr selbst ging ins Wasser und schwamm hinaus. Graufell blieb ziemlich lange am Ufer stehen. Schließlich ging auch er in den See. Ihm ging fast der Atem aus vor Wohlbehagen, als das Wasser seinen Leib sanft und kühlend umschloß. Sobald sie wieder am Ufer angelangt waren, fragte

der Hund, ob sie nun nicht nach Hause gehen wollten. »Es ist noch lange bis zum Morgen,« antwortete Graufell. »Laß uns noch eine Weile im Walde umhergehen.«
Sie gingen wieder in den Nadelwald hinauf. Bald erreichten sie einen kleinen offenen Fleck, der ganz hell im Mondschein dalag, mit Gras und Blumen, die von Tau glitzerten. Mitten auf der Waldebene gingen einige große Tiere und grasten. Da waren ein Elchhirsch, einige Elchkühe und mehrere Färsen und Kälber. Als Graufell sie erblickte, blieb er mit einem Ruck stehen. Er sah die Kühe und das Jungvieh kaum an, er starrte nur zu dem alten Elchstier hinüber, der ein breites Schaufelgeweih mit vielen Spitzen, einen mächtigen Buckel auf dem Rist und einen langhaarigen Fellappen hatte, der ihm vom Halse herabhing. »Was für einer ist denn das?« fragte Graufell, und seine Stimme zitterte vor Erregung. – »Er heißt Hornkrone,« sagte Karr, »und ist dein Verwandter, Du kriegst auch noch einmal so breite Schaufeln und ebensolche Mähne, und wenn du im Walde bliebest, wohl auch eine Herde, deren Führer du würdest.« – »Wenn der da mein Verwandter ist, so will ich näher herangehen und ihn mir ansehen,« sagte Graufell. »Nie hätte ich gedacht, daß ein Elchstier so gewaltig sein kann.«
Graufell ging zu den Elchen, kam aber gleich wieder zu Karr zurück, der am Waldessaum stehen geblieben war. »Dich haben sie wohl nicht gut aufgenommen?« fragte Karr. – »Ich erzählte ihm, es sei das erstemal, daß ich Verwandten begegnete, und ich bat, ob ich nicht bei ihnen auf der Wiese weiden dürfe, aber er wies mich ab und drohte mir mit dem Geweih.« – »Es war gut, daß du ihm wichest,« sagte Karr. »Ein junger Stier, der noch kein Schaufelgeweih hat, muß sich in achtnehmen, mit den alten Elchen zu kämpfen. Wäre es ein anderer gewesen, der ohne Widerstand gewichen wäre, so hätte er im ganzen Walde einen schlechten Namen gehabt, aber du, der du ins Ausland reisen sollst, brauchst dich ja nicht an dergleichen zu kehren.«
Karr hatte kaum ausgeredet, als Graufell kehrt machte und auf die Wiese hinausging. Der alte Elch kam ihm entgegen und sie gerieten sogleich in Kampf. Sie setzten die Geweihe gegeneinander und stießen zu, und es endete damit, daß Graufell über die ganze Wiese zurückgetrieben wurde. Er verstand offenbar nicht, seine Kräfte zu gebrauchen. Als er aber an den Waldessaum kam, setzte er seine Schalen fester in den Erdboden, brach gewaltsam mit dem Geweih

drauf los und trieb Hornkrone ein wenig zurück. Graufell kämpfte lautlos, während Hornkrone schnob und fauchte. Jetzt war die Reihe an dem alten Elch, über die Wiese zurückgetrieben zu werden. Plötzlich hörte man ein starkes Krachen. Von dem Geweih des alten Elchs war eine Spitze abgebrochen. Er riß sich mit Gewalt von Graufell los und lief in den Wald.
Karr stand noch am Waldessaum, als Graufell zu ihm zurückkehrte. »Jetzt hast du gesehen, was da im Walde ist,« sagte Karr. »Willst du nun mit nach Hause gehen?« – »Ja, es wird wohl Zeit,« antwortete der Elch.
Auf dem Heimwege sprach keiner von beiden. Karr seufzte mehrmals, als sei er über irgend etwas enttäuscht, aber Graufell schritt mit hocherhobenem Kopf dahin und schien froh über sein Abenteuer zu sein. Er legte den ganzen Weg ohne das geringste Zögern zurück, bis er an die Hecke kam; da aber blieb er stehen. Er warf einen Blick auf die kleine Bucht, in der er bisher gelebt hatte, sah den zerstampften Boden, das welke Futter, den kleinen Trog, aus dem er Wasser getrunken und den dunklen Schuppen, in dem er geschlafen hatte. »Die Elche sind eins mit dem Walde!« rief er, warf den Kopf zurück, so daß sein Nacken den Rücken berührte, und stürmte in wildester Flucht in den Wald hinein.

Hilflos.

In einem Tannendickicht tief drinnen in dem großen Hegewald zeigten sich jedes Jahr im August einige grauweiße Nachtfalter von der Art, die Nonnen heißen. Sie waren klein und nicht zahlreich, und fast niemand beachtete sie. Wenn sie ein paar Nächte tief drinnen im Walde umhergeflogen waren, legten sie einige Tausend Eier auf die Baumstämme, und bald darauf sanken sie leblos zu Boden.
Wenn es Frühling wurde, kamen einige kleine, punktierte Larven aus den Eiern und machten sich daran, Tannennadeln zu fressen. Sie hatten einen guten Appetit, aber sie kamen nie dazu, den Bäumen sonderlich zu schaden, denn sie waren sehr gesucht von den Vögeln. Selten entgingen den Verfolgern mehr als einige hundert Larven.
Die wenigen Larven, denen es vergönnt war, auszuwachsen, krochen auf die Zweige hinaus, spannen sich in weiße Fäden und saßen einige

Wochen als unbewegliche Puppen da. Im Laufe dieser Zeit wurde in der Regel über die Hälfte von ihnen weggeschnappt. Wenn im August hundert beschwingte und voll ausgewachsene Nonnen aus den Puppen herauskrochen, mußte man es ein gutes Jahr für sie nennen.

So ein unsicheres und unbeachtetes Dasein führten die Nonnen viele Jahre lang in der Tannenschonung. Kein Insektenvolk in der ganzen Gegend war so gering an Zahl. Und sie würden auch ferner ebenso machtlos und unschädlich geblieben sein, wenn sie nicht unerwartet einen Helfer bekommen hätten.

Daß aber die Nonnen einen Helfer bekamen, hing damit zusammen, daß der Elch das Holzwärterhäuschen verlassen hatte. Graufell war nämlich den ganzen Tag nach seiner Flucht im Walde umhergegangen, um sich mit ihm vertraut zu machen. Gegen Nachmittag brach er sich einen Weg durch ein Dickicht, und auf der anderen Seite dieses Dickichts kam er auf einen offenen Platz, wo der Erdboden aus Schlamm und losem Morast bestand. In der Mitte war ein Wasserloch mit schwarzem Wasser, und rings um das Ganze standen hohe Tannen, die fast kahl waren vor Alter und Gebrechlichkeit. Der Ort gefiel Graufell gar nicht, und er würde ihn sofort wieder verlassen haben, wenn er nicht einige hellgrüne Kallablätter entdeckt hätte, die neben dem Wasserloch wuchsen.

Als er nun den Kopf über die Kallablätter beugte, weckte er unversehens eine große, schwarze Natter auf, die darunter lag und schlief. Der Elch hatte Karr von den giftigen Kreuzottern reden hören, die im Walde lebten, und als nun die Natter den Kopf erhob, ihre gespaltene Zunge aussteckte und ihn anzischte, glaubte er, es sei ein sehr gefährliches Tier, dem er gegenüberstand. Er erschrak, hob das Bein in die Höhe, schlug mit der Schale zu und zermalmte den Kopf der Schlange. Dann eilte er in wilder Flucht davon.

Sobald Graufell weg war, tauchte noch eine Natter, die ebenso lang und schwarz war wie die erste, aus dem Wasserloch auf. Sie kroch zu der Getöteten hin und ließ ihre Zunge über den zerschmetterten Kopf gleiten.

»Bist du wirklich tot, alte Harmlos?« zischte die Natter, »Und wir zwei haben doch so viele Jahre zusammen gelebt! Wir hatten uns so lieb und haben es so gut hier im Sumpf gehabt, daß wir älter geworden sind als alle anderen Nattern im Walde! Das war der größte Kummer, der mich treffen konnte.«

Die Natter war so betrübt, daß ihr langer Körper sich zusammenringelte, als sei sie verwundet. Selbst die Frösche, die in beständiger Angst vor ihr lebten, mußten sie bemitleiden.
»Wie schlecht muß der sein, der eine arme Natter tötet, die sich nicht verteidigen kann!« zischte die Natter. »Wer das getan hat, verdient eine harte Strafe!« Die Natter lag noch eine Weile da und wand sich in ihrem Schmerz, plötzlich aber erhob sie den Kopf. »So wahr ich Hilflos heiße und die älteste Natter im Walde bin, soll dies gerächt werden. Ich werde nicht ruhen, ehe nicht der Elch tot am Boden liegt so wie mein altes Weibchen.«
Als die Natter dies Gelübde getan hatte, rollte sie sich wie ein Knäuel zusammen, legte sich hin und grübelte. Aber man kann sich kaum etwas denken, was schwieriger für eine arme Natter ist, als Rache an einem großen, starken Elch zu nehmen, und der alte Hilflos lag Tage und Nächte da, ohne einen Ausweg zu finden.
Aber eines Nachts, als er so mit seinen Rachegedanken da lag und nicht schlafen konnte, hörte er ein schwaches Rascheln über sich. Er sah hinauf und gewahrte einige weiße Nonnenfalter, die zwischen den Bäumen spielten. Er verfolgte sie lange mit den Augen und dann fing er an, laut vor sich hin zu zischen, schließlich aber schlief er ein, und da schien er zufrieden zu sein mit dem, was er gefunden hatte.
Am nächsten Vormittag begab sich Hilflos zu Kryle, der Kreuzotter, die in einem hochgelegenen und steinigen Teil der Tannenschonung wohnte. Ihr erzählte er von dem Tod der alten Natter und bat sie, falls ihr Biß Tod bringen könne, ihn zu rächen. Aber Kryle war keineswegs geneigt, sich mit den Elchen einzulassen. »Wenn ich einen Elch angriffe,« sagte sie, »so würde er mich augenblicklich totschlagen. Die alte Harmlos ist tot, und wir können sie nicht wieder ins Leben zurückrufen. Warum sollte ich mich um ihretwillen ins Unglück stürzen?«
Als die Natter diese Antwort erhielt, erhob sie den Kopf einen halben Fuß von der Erde und zischte fürchterlich. »Wisch, wasch! Wisch, wasch!« sagte sie. »Es ist ein Jammer, daß du, die du so gute Waffen bekommen hast, so feige bist, daß du sie nicht zu gebrauchen wagst.«
Als die Kreuzotter das hörte, wurde auch sie zornig. »Krauch davon, du alter Hilflos!« fauchte sie. »Das Gift läuft mir in die Zähne herunter, aber ich will den schonen, der für meinen Verwandten gilt!«

Die Natter aber rührte sich nicht vom Fleck und eine ganze Weile lagen die Tiere da und fauchten einander Grobheiten ins Gesicht. Als Kryle so wütend geworden war, daß sie nicht mehr fauchen, sondern nur noch zischen konnte, änderte Hilflos sogleich sein Benehmen und begann in ganz anderem Ton zu sprechen.
»Eigentlich hatte ich noch ein Anliegen, Kryle,« sagte er und senkte die Stimme zu einem sanften Flüstern. »Aber nun habe ich dich wohl so erzürnt, daß du mir gar nicht mehr helfen willst?«
»Wenn du nur keine Torheiten von mir verlangst, stehe ich dir gern zu Diensten.« – »In den Tannen, dicht bei meinem Sumpf, wohnt ein Schmetterlingsvolk,« sagte die Natter. – »Ja, ich weiß, was für welche du meinst,« sagte Kryle. »Was für eine Bewandtnis hat es mit ihnen?« – »Es ist das kleinste Insektenvolk im Walde,« sagte Hilflos, »und das unschädlichste von allen, denn die Larven fressen nichts weiter als Tannennadeln.« – »Ja, das weiß ich,« sagte Kryle. – »Ich bin bange, daß dies Schmetterlingsvolk bald ausgerottet werden wird,« sagte die Natter. »Da sind so viele, die die Larven im Frühling fressen.« Kryle glaubte, daß die Natter die Larven gern für sich selbst behalten wollte und antwortete freundlich: »Willst du, daß ich den Eulen sage, daß sie die Tannenlarven in Ruhe lassen sollen?« – »Ja, es wäre mir lieb, wenn du, die du etwas im Walde zu sagen hast, das bewirken könntest,« antwortete Hilflos. »Soll ich vielleicht auch bei den Drosseln ein gutes Wort für die Tannenfresser einlegen?« fragte die Kreuzotter. »Ich bin dir ja gern gefällig, wenn du nichts Unsinniges verlangst.« – »Dann danke ich dir für dein freundliches Versprechen, Kryle,« sagte Hilflos, »und ich freue mich, daß ich mich an dich gewandt habe.«

Die Nonnen.

Mehrere Jahre nach diesem Geschehnis lag Karr eines Morgens draußen unter dem Beischlag und schlief. Es war im Frühsommer, in der Zeit der hellen Nächte, und obwohl die Sonne noch nicht aufgegangen, war es heller, lichter Tag. Da erwachte Karr dadurch, daß jemand seinen Namen rief. »Bist du es, Graufell?« fragte Karr, denn er war daran gewöhnt, daß der Elch fast jede Nacht kam und ihn besuchte. Er erhielt keine Antwort, hörte aber wieder, daß ihn jemand rief. Er glaubte, Graufells Stimme zu erkennen und lief dem Ton nach.

Karr konnte den Elch vor sich her laufen hören, war aber nicht imstande, ihn einzuholen. Er stürzte in den dichtesten Tannenwald hinein, mitten durch das Dickicht, ohne Weg oder Steg zu benutzen. Karr war mehrmals nahe daran, die Spur zu verlieren. Dann aber ertönte es wieder: »Karr! Karr!« und die Stimme war die Graufells, obwohl sie einen Klang hatte, wie ihn der Hund nie zuvor gehört hatte. »Ich komme, ich komme. Wo bist du?« antwortete der Hund. – »Karr, Karr, siehst du nicht, wie es herabrieselt?« fragte Graufell. Und da sah Karr denn, daß unaufhörlich Nadeln von den Tannen herabrieselten wie ein feiner Regen. »Ja, ich sehe, daß es rieselt,« rief er, lief aber gleichzeitig immer tiefer in den Wald hinein, um den Elch zu finden.
Graufell lief voraus, quer durch das Dickicht, und Karr war wieder nahe daran, die Spur zu verlieren. »Karr, Karr!« schrie Graufell, und es klang wie ein Brüllen. »Kannst du nicht merken, wie es hier im Walde riecht?« Karr blieb stehen und witterte. Er hatte bisher nicht darüber nachgedacht, konnte jetzt aber merken, daß die Tannen einen weit stärkeren Duft ausströmten als sonst. »Ja, ich kann merken, daß es hier stark riecht,« sagte er, ließ sich jedoch nicht Zeit, nachzusehen, woher es kam, sondern eilte weiter, Graufell nach.
Der Elch lief mit einer solchen Eile, daß der Hund ihn nicht einzuholen vermochte. »Karr, Karr,« rief er nach einer Weile, »kannst du nicht hören, wie es in den Tannen knarrt!« –Jetzt war die Stimme so betrübt, daß es einen Stein rühren mußte. Karr stand still, um zu lauschen, und er hörte ein schwaches aber deutliches Knarren oben in den Bäumen. Es klang wie das Ticken einer Uhr. »Ja, ich kann es ticken hören,« rief Karr und lief nun nicht mehr. Er begriff, daß der Elch nicht wollte, daß er ihm folgen sollte, sondern daß er etwas beachten sollte, was hier im Walde vor sich ging.
Karr stand gerade unter einer Tanne, die buschige, herabhängende Zweige und grobe, dunkelgrüne Nadeln hatte. Er sah den Baum genau an, und da war es ihm, als wenn sich die Nadeln bewegten. Er ging näher heran und entdeckte nun eine Menge grauweißer Larven, die auf den Zweigen herumkrabbelten und von den Nadeln fraßen. Jeder Zweig wimmelte von ihnen, sie nagten und fraßen. Es tickte und tickte in den Bäumen von allen ihren kleinen arbeitenden Kiefern. Unaufhörlich fielen abgenagte Tannennadeln zur Erde, und den armen Tannenbäumen entströmte ein so starker Duft, daß der Hund es fast nicht ertragen konnte.

»Die Tanne wird kaum viele von ihren Nadeln behalten,« dachte er und betrachtete dann aufmerksam den danebenstehenden Baum. Das war auch eine große, hohe Tanne, und sie sah ganz ebenso aus. »Was kann das doch nur sein?« dachte Karr. »Es ist ein Jammer um die schönen Bäume. Es ist bald nichts Schönes mehr an ihnen.« Er ging von Baum zu Baum und suchte zu entdecken, was ihnen fehlte. »Da steht eine Fichte, die haben sie wohl nicht anzurühren gewagt,« dachte er. Aber auch die Fichte hatten sie angegriffen. »Und die Birke da! Ja, auch die, auch die! Darüber wird sich der Holzwärter nicht freuen,« dachte Karr. Er lief tiefer in das Dickicht hinein, um zu sehen, wie weit die Zerstörung um sich gegriffen hatte. Wohin er kam, hörte er dasselbe Ticken, spürte er denselben Geruch, sah er denselben Nadelregen. Er brauchte gar nicht stillzustehen, um es zu sehen. Diese Zeichen sagten ihm, wie es stand. Die kleinen Larven waren überall. Der ganze Wald schwebte in Gefahr, von ihnen kahl gefressen zu werden. Plötzlich kam er an eine Stelle, wo er den starken Tannenduft nicht spüren konnte, und wo es still und ruhig war. »Hier hat ihre Herrschaft ein Ende,« dachte er, stand still und sah sich um. Aber hier war es noch schlimmer, hier hatten die Larven ihre Arbeit schon beendet, und die Bäume standen ohne Nadeln da. Sie waren wie tot, und das einzige, was sie bedeckte, waren eine Menge zusammengerollter Fäden, die die Larven gesponnen und als Brücken und Wege benutzt hatten.
Hier zwischen den sterbenden Bäumen stand Graufell und wartete auf Karr. Aber er war nicht allein; neben ihm standen vier alte Elche, die angesehensten im Walde. Karr kannte sie. Es war Krummrück, ein kleiner Elch, dessen Höcker aber größer war als der aller anderen, Hornkrone, der größte von der ganzen Elchschar, Struwwelmähne mit dem dicken Pelz und ein alter, hochbeiniger, der Großkraft hieß, und schrecklich heftig und kampflustig gewesen war, bis er auf der letzten Herbstjagd eine Kugel in den Schenkel bekommen hatte.
»Was in aller Welt geht hier mit dem Walde vor sich?« fragte Karr, als er zu den Elchen herankam, die die Köpfe hängen ließen und die Oberlippe verschoben und sehr nachdenklich aussahen. – »Das weiß niemand,« antwortete Graufell. »Dies Insektenvolk ist das schwächste im ganzen Walde gewesen und hat bisher niemals Schaden angerichtet, aber in den letzten Jahren hat es plötzlich an Zahl zugenommen, und nun siehst du, daß es den ganzen Wald zerstören wird.« – »Ja, es sieht schlimm aus,« sagte Karr, »aber ich sehe, daß die Klügsten im Walde

sich versammelt haben, um zu beraten, und sie haben vielleicht schon eine Abhilfe gefunden?«
Als der Hund so sprach, erhob Krummrück sehr feierlich den schweren Kopf, schlug mit den langen Ohren um sich und sagte: »Wir haben dich hierher bestellt, Karr, um zu erfahren, ob die Menschen von dieser Zerstörung wissen.« – »Nein,« sagte Karr, »so tief in das Dickicht hinein kommt ja niemals ein Mensch außer in der Jagdzeit. Sie wissen nichts von dem Unglück.« – »Wir, die wir alt im Walde geworden sind,« sagte alsdann Hornkrone, »glauben nicht, daß wir Tiere allein mit dem Insektenvolk fertig werden können.« – »Wir finden, das eine ist fast ein ebenso großes Unglück wie das andere,« sagte Struwwelmähne. »Nun hat es wohl ein Ende mit dem Frieden im Walde.« – »Aber wir können doch nicht den ganzen Wald zerstören lassen,« sagte Großkraft. »Uns bleibt keine Wahl.«
Karr begriff, daß es den Elchen schwer wurde, zu sagen, was sie wollten, und er suchte ihnen zu Hilfe zu kommen. »Ihr wollt vielleicht, daß ich die Menschen wissen lasse, wie es hier steht?« Da nickten alle die Alten mehrere Male. »Es ist hart für uns, daß wir gezwungen sind, die Menschen um Hilfe zu bitten, aber wir wissen uns nicht anders zu helfen.«
Bald darauf war Karr auf dem Heimwege. Als er in der größten Sorge über das, was er gehört hatte, dahin eilte, begegnete er einer großen, schwarzen Natter. »Willkommen im Walde!« zischte die Schlange. »Gleichfalls willkommen!« bellte Karr und wollte weitereilen, ohne sich aufzuhalten. Aber die Natter kehrte um und suchte, ihn einzuholen. »Vielleicht ist sie auch betrübt über den Wald,« dachte Karr und blieb stehen. Die Natter begann sofort, von der großen Zerstörung zu reden. »Nun hat es wohl ein Ende mit dem Frieden und der Ruhe hier im Walde, wenn erst nach den Menschen geschickt wird,« sagte sie. – »Das fürchte ich auch,« entgegnete Karr, »aber die Alten im Walde wissen wohl, was sie tun.« – »Ich glaube, ich könnte einen besseren Ausweg finden,« sagte die Natter, »wenn ich nur den Lohn erhielte, den ich haben will.« – »Bist du nicht der, den sie Hilflos nennen?« sagte der Hund höhnisch. – »Ich bin alt im Walde geworden,« sagte die Natter. »Ich weiß wohl, wie man dergleichen Ungeziefer los wird.« – »Kannst du es uns nur wegschaffen,« sagte Karr, »so wird dir gewiß niemand verweigern, was du verlangst.«

Als Karr dies sagte, schlüpfte die Natter unter eine Baumwurzel und setzte die Unterhaltung nicht fort, ehe sie wohlgeborgen in einem engen Loch lag. »Dann kannst du Graufell grüßen und sagen,« fauchte sie, »wenn er aus dem Hegewald fortziehen und sich nicht niederlassen will, ehe er so weit gen Norden gekommen ist, wo keine Eiche mehr im Walde wächst, und nicht hierher zurückkehren will, solange die Natter Hilflos lebt, so will ich Krankheit und Tod über alle die senden, die auf den Tannen kriechen und an ihnen nagen!« – »Was sagst du da?« fragte Karr und seine Haare sträubten sich zu Borsten. »Was hat dir Graufell zuleide getan?« – »Er hat die getötet, die ich am innigsten auf der Welt geliebt habe,« sagte die Natter, »und ich will Rache an ihm nehmen.« Ehe die Natter noch ausgeredet hatte, fuhr Karr auf sie ein, sie aber lag wohlgeborgen unter der Baumwurzel. »Lieg' du da, solange du Lust hast!« sagte Karr. »Wir wollen schon ohne deine Hilfe mit den Tannenlarven fertig werden.«

Am nächsten Tage gingen der Gutsbesitzer und der Holzwärter einen Waldweg entlang. Anfänglich lief Karr neben ihren, bald aber war er fort, und kurz darauf vernahm man ein lautes Bellen aus dem Walde heraus. »Das ist Karr, der jagt,« sagte der Gutsbesitzer. Der Holzwärter wollte das nicht glauben. »Karr hat seit vielen Jahren keine unerlaubte Jagd getrieben,« sagte er. Er lief in den Wald hinein, um zu sehen, was für ein Hund das sei, und der Gutsbesitzer folgte ihm.

Sie gingen dem Hundegebell nach, bis in den tiefsten Teil des Waldes hinein, aber es verstummte. Sie standen still, um zu lauschen, und da, in der Stille, hörten sie die Kiefern der Larven arbeiten, sahen, wie die Nadeln herabregneten und spürten den starken Duft. Und da entdeckten sie auch, daß alle Bäume mit Larven von Nonnenfaltern bedeckt waren, mit diesen kleinen Baumschädlingen, die Wälder meilenweise zerstören können.

Der große Nonnenkrieg

Im nächsten Frühling kam Karr eines Morgens durch den Wald gelaufen. »Karr, Karr!« rief jemand hinter ihm drein. Karr wandte sich um. Er hatte sich nicht geirrt. Es war ein alter Fuchs, der vor seiner Höhle stand und ihn rief. »Du mußt mir wirklich sagen, ob die Menschen etwas für den Wald tun?« fragte der Fuchs. »Ja, das kannst du mir glauben,« sagte Karr, »sie arbeiten mit allen Kräften.« – »Sie haben meiner ganzen Sippe das Leben genommen, und mich werden sie auch wohl noch ums Leben bringen,« sagte der Fuchs. »Aber das soll ihnen verziehen sein, wenn sie nur dem Walde helfen.«

Karr kam in diesem Jahr niemals durch das Dickicht, ohne daß ihn nicht irgend jemand fragte, ob die Menschen nicht helfen könnten. Es war nicht so leicht für Karr, darauf zu antworten, denn die Menschen wußten selber nicht, ob es ihnen gelingen würde, die Nonnen auszurotten.

Wenn man daran denkt, wie gehaßt und gefürchtet der alte Kolmård einstmals war, mußte man sich wundern, zu sehen, daß jeden Tag über hundert Mann tief drinnen im Walde gingen und arbeiteten, um ihn vor der Zerstörung zu erretten. Sie fällten die Bäume, die am meisten Schaden gelitten hatten, rodeten das Unterholz und hauten die untersten Zweige ab, damit es den Larven nicht so leicht werden sollte, von Baum zu Baum zu kriechen. Sie holzten große Gürtel rings um den zerstörten Wald aus und legten dort Leimruten, um die Larven einzuschließen und sie zu hindern, sich in andere Gebiete zu verbreiten! Als das getan war, legten sie Leimringe und Fanggürtel um die Baumstämme. Damit beabsichtigten sie, die Larven zu verhindern von den Bäumen herabzukriechen, die sie schon kahl gefressen hatten, und sie zu zwingen zu bleiben, wo sie waren und zu verhungern.

Die Menschen setzten diese Arbeiten bis weit in den Frühling hinein fort. Sie machten sich große Hoffnungen und warteten fast mit Ungeduld darauf, daß die Larven aus den Eiern kriechen sollten. Sie waren fest überzeugt, sie so gut eingeschlossen zu haben, daß die allermeisten Hungers sterben mußten.

Und dann kamen die Larven früh im Sommer, und es waren ihrer viel mehr als im vergangenen Jahr. Aber das machte ja nichts, wenn sie nur eingeschlossen waren und sich nichts zu fressen verschaffen konnten. Aber es ging nun nicht gerade so, wie man gehofft hatte. Freilich blieben Larven an den Leimruten hängen, und eine ganze Menge wurden von den Fanggürteln verhindert, von den Bäumen herunterzukommen, aber daß sie eingesperrt waren, konnte man nicht sagen. Sie waren außerhalb des Geheges und sie waren innerhalb desselben. Sie waren überall. Sie krochen auf den Landstraßen, auf den Zäunen, an den Wänden der Häuser. Sie gingen aus dem Gebiet des Hegewaldes in die anderen Teile des Kolmårds über.

»Sie halten nicht inne, ehe der ganze Wald zerstört ist,« sagten die Menschen. Sie waren in der größten Not und konnten nicht in den Wald kommen, ohne Tränen in den Augen zu haben.
Karr hatte einen solchen Ekel vor alledem, was da kroch und nagte, daß er sich kaum überwinden konnte, aus der Tür hinauszugehen. Aber eines Tages fand er doch, daß er ausgehen müsse, um sich einmal nach Graufell umzusehen. Er schlug den kürzesten Weg zu dem Bereich der Elche ein und lief schnell, die Schnauze am Boden. Als er an die Baumwurzel kam, wo er im vergangenen Sommer mit Hilflos gesprochen hatte, lag dieser wieder da unten und rief ihn an: »Hast du Graufell erzählt, was ich dir sagte, als wir uns zum letzten Male sahen?« fragte die Natter. Karr bellte nur und suchte Hilflos näher zu Leibe zu kommen. »Das solltest du wirklich tun,« sagte die Natter. »Du siehst ja, daß die Menschen keine Abhilfe für die Zerstörung wissen.« – »Und du auch nicht.« erwiderte Karr und setzte seinen Weg fort.
Karr traf Graufell, aber der Elch war so niedergeschlagen, daß er kaum guten Tag sagte. »Ich weiß nicht, was ich darum geben würde, wenn ich diesem Elend ein Ende machen könnte,« sagte er. »Dann will ich dir doch erzählen, daß man sagt, du könntest den Wald retten, erwiderte Karr und überbrachte ihm den Gruß der Natter. – »Wenn es jemand anders als Hilflos wäre, der dies Versprechen gäbe, würde ich augenblicklich in die Verbannung gehen,« sagte der Elch, »Aber wie kann eine elende Natter die Macht haben?« – »Es ist natürlich nichts weiter als Prahlerei,« sagte Karr. »Nattern tun immer so, als wenn sie klüger sind als andere Tiere.«
Als Karr nach Hause ging, gab ihm Graufell das Geleite. Da hörte Karr, daß eine Drossel, die in dem Wipfel einer Tanne saß, zu rufen begann: »Da geht Graufell, der den Wald zerstört hat! Da geht Graufell, der den Wald zerstört hat!«
Karr glaubte, er müsse sich verhört haben, aber einen Augenblick später kam ein Hase über den Weg gelaufen. Als der Hase sie erblickte, stand er still, wedelte mit den Ohren und rief: »Da kommt Graufell, der den Wald zerstört hat!« Und dann nahm er die Beine auf den Nacken und jagte davon.
»Was meinen sie nur damit?« fragte Karr. – »Ich weiß es nicht recht,« antwortete Graufell »Ich glaube, die kleinen Leute hier im Walde sind böse auf mich, weil ich den Rat erteilte, die Hilfe der Menschen zu

suchen. Als das Unterholz gefällt wurde, sind alle ihre Nester und Schlupfwinkel vernichtet.«
Sie gingen noch eine Strecke zusammen, und Karr hörte, wie von allen Seiten gerufen wurde: »Da geht Graufell, der den Wald zerstört hat!« Graufell tat, als höre er es nicht, Karr aber verstand jetzt, warum er so niedergeschlagen war.
»Sage mir doch, Graufell,« sagte Karr plötzlich, »was meinte die Natter damit, daß du diejenige getötet hast, die sie am innigsten auf der ganzen Welt geliebt hat?« – »Wie kann ich das wissen,« entgegnete Graufell. »Du weißt doch selbst, daß es nicht meine Art ist, jemand zu töten.«
Bald darauf begegneten sie den vier alten Elchen: Krummrück, Hornkrone, Struwwelmähne und Großkraft. Sie kamen langsam und sinnend, einer nach dem anderen dahergegangen. »Willkommen im Walde!« rief Graufell ihnen entgegen. – »Danke, gleichfalls!« antworteten die Elche. »Wir waren gerade auf dem Wege zu dir, Graufell, um mit dir über den Wald zu ratschlagen.«
»Die Sache ist die,« nahm Krummrück das Wort, »daß uns zu Ohren gekommen ist, es sei eine Untat hier im Walde verübt, und weil sie nicht bestraft wurde, fällt der ganze Wald der Vernichtung anheim.« – »Was für eine Untat ist denn das?« – »Jemand hat ein unschädliches Tier getötet, das er nicht essen konnte. So etwas gilt hier im Hegewald als Untat,« – »Wer hat einen solchen Bubenstreich verübt?« fragte Graufell.– »Es soll ein Elch sein, und wollten wir dich fragen, ob du weißt, wer das sein kann.« – »Nein,« sagte Graufell, »ich habe nie von einem Elch gehört, der ein unschädliches Tier getötet hat.«
Graufell verließ die Alten und ging weiter mit Karr. Er war noch schweigsamer als bisher und ließ den Kopf tief hangen. Dann kamen sie an der Kreuzotter Kryle vorüber, die auf ihrem Stein lag. »Da geht Graufell, der den Wald vernichtet hat!« fauchte Kryle so wie alle anderen. Jetzt war es vorbei mit Graufells Geduld. Er ging auf die Otter zu und erhob das eine Bein. »Hast du vielleicht die Absicht, mich totzuschlagen, wie du ein armes Natternweibchen getötet hast?« fragte Kryle. – »Hab' ich ein Natternweibchen getötet?« fragte Graufell. – »Am ersten Tage, als du hier in den Wald hinauskamst, hast du das Weibchen der Natter Hilflos totgeschlagen!«
Graufell entfernte sich schnell von Kryle und schritt an Karrs Seite weiter dahin. Plötzlich stand er still. »Karr, ich habe die Untat verübt.

Ich habe ein unschädliches Tier getötet. Es ist meine Schuld, daß der Wald vernichtet wird.« – »Was sagst du da?« unterbrach ihn Karr. – »Sage der Natter Hilflos, daß Graufell noch diese Nacht in die Verbannung geht!« – »Nie werde ich so etwas sagen,« entgegnete Karr. »Es ist eine gefährliche Gegend für Elche da oben im Norden.« – »Meinst du, daß ich hier bleiben will, wenn ich so etwas verübt habe?« sagte Graufell. – »Übereile dich nun nicht! Warte mit deinem Vorhaben bis morgen!« – »Du selber hast mich gelehrt, daß die Elche Eins sind mit dem Walde,« erwiderte Graufell, und mit diesen Worten trennte er sich von Karr.

Karr ging nach Hause, aber diese Unterhaltung hatte ihn unruhig gemacht, und schon am nächsten Tage ging er wieder in den Wald hinaus, um den Elch zu treffen. Aber Graufell war nirgends zu finden, und der Hund suchte auch nicht lange nach ihm. Er begriff, daß Graufell die Natter beim Wort genommen hatte und in die Verbannung gegangen war.

Auf dem Heimwege war Karr in einer Stimmung, die nicht zu beschreiben ist. Er konnte nicht begreifen, daß Graufell sich von der elenden Natter vertreiben lassen wollte. Er hatte nie etwas Ähnliches erlebt. Welche Macht hatte denn so ein Hilflos?

Als Karr in diese Gedanken versunken dahintrottelte, gewahrte er den Holzwärter, der zu einem Baum hinaufzeigte. »Wonach siehst du?« fragte ein Mann, der neben ihm stand, – »Es ist Krankheit unter den Larven ausgebrochen,« sagte der Holzwärter. Karr war ungeheuer erstaunt, aber er war im Grunde noch mehr ärgerlich darüber, daß die Natter imstande gewesen war, Wort zu halten. Nun war Graufell wohl gezwungen, eine ewige Zeit wegzubleiben, denn diese Natter starb scheinbar nie.

Aber mitten in Karrs allergrößter Betrübnis fiel ihm etwas ein, das ihn ein wenig tröstete. »Vielleicht wird die Natter doch nicht alt,« dachte er, »immer kann sie doch nicht unter der Baumwurzel liegen! Sobald sie uns die Larven vom Halse geschafft hat, weiß ich jemand, der sie tot beißen wird!«

Es war wirklich Krankheit unter den Larven ausgebrochen, aber im ersten Sommer griff sie nicht sonderlich um sich. Sie hatte sich kaum gezeigt, als die Zeit kam, wo die Larven zu Puppen werden. Und aus den Puppen krochen Millionen von Schmetterlingen. Jede Nacht flogen sie wie ein Schneegestöber zwischen den Bäumen herum und

legten eine unzählige Menge Eier. Im nächsten Jahr mußte man auf noch größere Zerstörungen vorbereitet sein.
Die Zerstörung kam, aber nicht nur über den Wald, sondern auch über die Larven selbst. Die Krankheit breitete sich schnell von dem einen Teil des Waldes auf den anderen aus. Die kranken Larven hörten auf zu fressen, krochen in die Wipfel der Bäume hinauf und starben. Es herrschte große Freude unter den Menschen, als sie sie sterben sahen, aber noch größere Freude herrschte unter den Tieren im Walde.
Karr, der Hund, ging Tag aus, Tag ein umher und dachte mit grimmiger Freude an den Tag, an dem er es verantworten konnte, Hilflos totzubeißen.
Aber die Larven hatten sich meilenweit über die benachbarten Wälder verbreitet, und auch in diesem Sommer erreichte die Krankheit sie nicht alle; viele blieben am Leben und wurden Puppen und Schmetterlinge.
Durch Zugvögel erhielt Karr Grüße von Graufell, er sei am Leben, und es gehe ihm gut. Aber die Vögel vertrauten Karr an, daß wiederholt Wilddiebe Graufell nach dem Leben getrachtet hatten, und daß er ihnen nur mit Müh und Not entkommen sei.
Karr lebte in Unruhe und Trauer und Sehnen. Und noch ganze zwei Sommer mußte er sich gedulden. Da erst war es vorbei mit den Larven. Kaum hatte Karr den Holzwärter sagen hören, daß der Wald außer Gefahr sei, als er auf Jagd auf Hilflos ausging. Aber als er in das Dickicht hinein kam, machte er eine schreckliche Entdeckung. Er konnte nicht mehr jagen, er konnte nicht laufen, er konnte seinen Feind nicht aufstöbern, er konnte nicht einmal sehen. In der langen Wartezeit war das Alter über Karr gekommen. Er war alt geworden, ohne es gemerkt zu haben. Er war nicht einmal mehr imstande, eine Natter totzubeißen. Er vermochte seinen Freund Graufell nicht von dem Feind zu befreien.

Die Rache

Eines Nachmittags ließen sich Akka von Kebnekajse und ihre Schar am Ufer eines Waldsees nieder. Sie waren noch auf dem Kolmård, aber sie hatten Ostgotland verlassen und hielten sich nun in der Jönåker Harde in Sörmland auf.

Der Frühling kam spät, wie gewöhnlich in Berggegenden, und der ganze See war, bis auf einen Rand offenen Wassers hart am Ufer, mit Eis bedeckt. Die Gänse stürzten sich sogleich ins Wasser, um zu baden und Nahrung zu suchen, aber Niels Holgersen hatte eines Morgens seinen einen Holzschuh verloren und ging zwischen den Erlen und Birken, die am Ufer wuchsen, umher, um etwas zu finden, was er um seinen Fuß wickeln konnte.

Der Junge ging eine ganze Strecke, bis er etwas fand, was er gebrauchen konnte, und er sah sich unruhig um, denn ihm war unheimlich zumute im Walde. »Nein, da ist mir denn doch die Ebene oder auch der See lieber,« dachte er. »Da kann man doch sehen, wohin man geht. Wäre es wenigstens noch ein Buchenwald! Das kann zur Not angehen, denn da ist fast kein Unterholz; aber diese Birken- und Tannenwälder, die sind so unwegsam und wild, ich verstehe nicht, daß die Leute sich darin finden wollen. Wär ich es, dem dies hier gehörte, ich ließe das Ganze abhauen!«

Schließlich erblickte er ein Stück Birkenrinde und war gerade damit beschäftigt, sie seinem Fuß anzupassen, als er einen raschelnden Laut hinter sich hörte. Er wandte sich um und sah eine Natter durch das Gestrüpp gleiten, gerade auf sich zu. Sie war ungewöhnlich lang und dick, aber der Junge sah sofort, daß sie zwei weiße Nackenflecke hatte, und blieb stehen. »Es ist ja nur eine Natter,« dachte er. »Die kann mir doch nichts tun.«

Im selben Augenblick aber versetzte ihm die Natter einen so kräftigen Stoß vor die Brust, daß er umfiel. Er kam schnell wieder auf die Beine und fing an zu laufen, die Schlange aber verfolgte ihn. Der Erdboden war steinig und mit Gestrüpp bewachsen, so daß es nur langsam ging, und er hatte die Natter dicht auf den Fersen.

Auf einmal sah der Junge gerade vor sich einen großen Stein mit steilen Seiten, auf den kletterte er hinauf. »Hier kann mir die Natter doch nicht nachkommen,« dachte er, aber als er glücklich hinaufgekommen war und sich umwandte, sah er, daß die Schlange versuchte, hinter ihm herzukommen.

Dicht neben dem Jungen, oben auf dem Steinblock, lag noch ein Stein, der war fast rund und so groß wie ein Menschenkopf. Er lag ganz lose hart am Rande. Es war unfaßlich, daß er da liegen konnte. Als die Natter näher kam, lief der Junge hinter den runden Stein und versetzte ihm einen Schubs. Er rollte gerade auf die Natter herab, so daß diese an die Erde fiel, und der Stein ihren Kopf traf, auf dem er liegen blieb. »Der Stein hat seine Sache gut gemacht,« dachte der Junge und seufzte erleichtert auf, als er sah, daß die Natter noch ein paarmal zuckte und dann still liegen blieb. »Ich glaube kaum, daß ich auf der ganzen Reise je in einer größeren Gefahr gewesen bin.«

Kaum hatte er Zeit gehabt, sich ein wenig zu besinnen, als er ein Sausen in der Luft vernahm und einen Vogel niederstoßen sah, dicht neben der Natter. Er glich in Größe und Bau einer Krähe, aber er hatte ein hübsches Kleid aus schwarzen, metallschimmernden Federn. Der Junge verkroch sich vorsichtig in einen Riß im Stein. Er entsann sich nur zu gut, wie es ihm ergangen war, als er von den Krähen entführt wurde. Er beschloß, nicht zum Vorschein zu kommen, wenn es nicht notwendig war.

Der schwarze Vogel ging mit langen Schritten neben der toten Schlange auf und nieder und berührte sie mit dem Schnabel. Schließlich schlug er mit den Flügeln und rief mit einer so gellenden Stimme, daß es in den Ohren weh tat: »Dies muß die Natter Hilflos sein, die hier tot liegt!« Noch einmal ging er der ganzen Länge nach an der Natter entlang, und dann blieb er in tiefe Gedanken versunken stehen und kraute den Kopf mit dem Fuß. »Es kann unmöglich zwei so große Nattern hier im Walde geben,« sagte er. »Es ist ganz sicher Hilflos.«

Es sah so aus, als wolle er mit dem Schnabel in die Natter hineinhacken, aber plötzlich hielt er inne. »Sei nun kein Tor, Bataki,« sagte er. »Es kann dir doch nicht einfallen, die Natter zu fressen, ehe du Karr geholt hast. Er wird nie glauben, daß Hilflos tot ist, wenn er es nicht selbst gesehen hat.«

Der Junge tat sein Bestes, um sich still zu verhalten, aber der Vogel war so possierlich feierlich, wie er da mit sich selbst redete, daß er sich nicht enthalten konnte, zu lachen.

Der Vogel hörte ihn, und mit einem einzigen Flügelschlag war er oben auf dem Stein. Der Junge sprang sofort auf und ging ihm entgegen: »Bist du nicht der Rabe, den sie Bataki nennen, und der ein guter Freund von Akka von Kebnekajse ist?« fragte der Junge. Der Vogel sah ihn genau an, dann nickte er langsam dreimal. »Du bist doch wohl nicht der Knirps, der mit den Wildgänsen herumfliegt und den sie

Däumeling nennen?« – »Ja, da hast du nicht weit vom Ziel geschossen,« sagte der Junge.
»Welch Glück, daß ich dich getroffen habe. Du kannst mir am Ende sagen, wer die Natter hier totgeschlagen hat?« – »Ich hab' den Stein da auf sie heruntergerollt, und der hat sie totgeschlagen,« sagte der Junge und erzählte, wie sich das Ganze zugetragen hatte. – »Das ist eine gute Leistung für einen so kleinen Knirps wie du,« sagte der Rabe. »Ich habe einen Freund hier in der Gegend, der wird sich freuen, daß die Natter tot ist, und ich wollte, ich könnte auch etwas für dich tun.« – »Dann erzähle mir, warum ihr euch so freut, daß die Natter tot ist,« sagte der Junge. – »Ach,« meinte der Rabe, »das ist eine lange Geschichte. Du hast gar nicht soviel Geduld, sie anzuhören.«
Der Junge aber behauptete, die hätte er, und da erzählte denn der Rabe die Geschichte von Karr und Graufell und der Natter Hilflos. Als er damit fertig war, saß der Junge eine Weile stumm da und starrte in die Luft. »Hab' vielen Dank!« sagte er. »Mir ist, als verstünde ich den Wald besser, nachdem ich dies alles gehört habe. Ich möchte wohl wissen, ob noch etwas von dem großen Hegewald übriggeblieben ist?« – »Das meiste ist wohl zerstört. Die Bäume sehen so aus, als hätte ein Waldbrand sie verheert. Sie müssen gefällt werden, und es vergehen sicher viele Jahre, ehe der Wald wieder das wird, was er gewesen ist.«
»Die Natter hat ihren Tod redlich verdient,« sagte der Junge, »aber wie konnte sie nur so klug sein, Krankheit über die Larven zu bringen?« – »Sie wußte am Ende, daß sie von einer solchen Krankheit befallen werden würden,« sagte Bataki. – »Das mag ja sein, aber ich finde doch, daß sie ein kluges Tier gewesen sein muß.«
Der Junge schwieg, denn der Rabe hatte gar nicht zugehört, er saß mit abgewandtem Kopf da und lauschte. »Hör' doch!« sagte er. »Karr ist hier in der Nähe! Wird der sich freuen, wenn er sieht, daß Hilflos tot ist.« Der Junge wandte den Kopf nach der Seite, woher der Laut kam. »Er spricht mit den wilden Gänsen,« sagte er. – »Ja, er hat sich gewiß an den See hinabgeschleppt, um sich nach Graufell zu erkundigen.«
Der Junge und der Rabe sprangen vom Stein herunter und eilten an den See. Alle Gänse waren aus dem Wasser heraufgekommen und sprachen mit einem alten Hund, der so schwach und jämmerlich war, daß es aussah, als könne er auf dem Fleck tot umfallen.

»Das ist Karr,« sagte Bataki zu dem Jungen. »Laß ihn nun erst hören, was die wilden Gänse ihm zu sagen haben. Dann können wir ihm hinterher erzählen, daß die Natter tot ist.«
Bald waren sie so nahe herangekommen, daß sie hören konnten, was Akka Karr erzählte. »Es war im letzten Jahr, als wir unsere Frühlingsreise machten,« sagte die Führergans. »Eines Morgens waren wir vom Silja in Dalarna ausgeflogen, Ykai und Kaksi und ich, und flogen über die großen Grenzwälder zwischen Dalarna und Helsingland. Wir sahen nichts weiter unter uns als den schwarz-grünen Nadelwald. Der Schnee lag noch hoch zwischen den Bäumen, die Bäche waren zugefroren, mit einer dunklen Wake hier und da, und an den Bachufern war der Schnee zum Teil schon fort. Wir sahen fast keine Dörfer und Gehöfte, nur graue Sennhütten, die den ganzen Winter unbewohnt standen. Hin und wieder schlängelte sich ein schmaler, gewundener Waldpfad dort, wo die Leute im Laufe des Winters Holz gefahren hatten Unten an den Bächen lagen große Holzstapel.
Wie wir so dahinflogen, sahen wir drei Jäger unten im Walde. Sie sausten auf Schneeschuhen daher, sie hatten Hunde an der Leine und Messer im Gürtel aber keine Büchsen. Über dem Schnee lag eine harte Eiskruste, und sie machten sich nichts daraus, den gewundenen Waldpfaden zu folgen, sie gingen geradewegs vor. Es sah so aus, als wenn sie ganz bestimmt wüßten, wohin sie gehen mußten, um das Gesuchte zu finden.
Wir Wildgänse flogen hoch oben, und der ganze Wald lag offen vor unserem Blick. Als wir die Jäger gesehen hatten, bekamen wir auch Lust, zu sehen, wo das Wild war. Wir flogen hin und her und spähten zwischen den Bäumen. Und da gewahrten wir in einem Dickicht etwas, das so aussah wie große, moosbewachsene Steine. Aber Steine konnten es doch nicht sein, denn es lag kein Schnee darauf.
Wir schwebten schnell herab und ließen uns mitten in das Dickicht nieder. Da rührten sich die drei Steinblöcke. Es waren drei Elche, die da in der Finsternis des Waldes lagen: ein Hirsch und zwei Kühe. Der Hirsch richtete sich auf, als wir uns herabließen, und kam auf uns zu. Es war das größte und schönste Tier, das wir je gesehen hatten. Als es aber sah, daß es nur elende Wildgänse waren, die ihn geweckt hatten, legte er sich wieder nieder.

»Nein, Vater Elch, legt Euch nicht schlafen!« sagte ich da zu ihm. »Fliehet so schnell Ihr könnt. Es sind Jäger im Walde, und sie kommen gerade auf dies Dickicht zu.«

»Vielen Dank, Gänsemutter,« sagte der Elch, und es sah so aus, als wenn er wieder einschlafen wollte, während er sprach, »Ihr wißt doch, daß in dieser Jahreszeit Schonzeit für die Elche ist. Die Jäger sind gewiß auf Füchse aus.«

»Da waren überall Fuchsspuren im Walde, aber die beachteten die Jäger nicht. Glaubt mir! Sie wissen, daß Ihr hier liegt. Und nun kommen sie, um Euch zu töten. Sie sind ohne Büchse ausgegangen, nur mit Spieß und Messer, weil sie zu dieser Zeit des Jahres keinen Schuß im Walde zu lösen wagen.

Der Elch blieb ganz ruhig liegen, aber die Kühe wurden ängstlich. »Vielleicht verhält es sich doch so, wie die Gänse sagen,« meinten sie und wollten sich erheben. – »Bleibt Ihr nur liegen,« sagte der Hirsch. »Hier in das Dickicht kommen keine Jäger, darauf könnt Ihr Euch verlassen.«

Dabei war nichts zu machen, und so stiegen wir Wildgänse dann wieder in die Luft auf. Aber wir flogen noch über demselben Fleck hin und her, um zu sehen, wie es den Elchen ergehen würde.

Kaum waren wir in unsere gewöhnliche Flughöhe hinaufgelangt als wir den Elch aus dem Dickicht herauskommen sahen. Er witterte nach allen Seiten und ging dann geradeswegs auf die Jäger zu. Indem er ging, trat er auf trockene Zweige, die krachend zerbrachen. Ein großes, kahles Moor lag vor ihm. Da ging er hinaus und stellte sich mitten auf das offene Moor, wo ihn nichts schützen konnte.

Hier blieb der Elch stehen, bis die Jäger am Waldessaum sichtbar wurden. Dann machte er jäh Kehrt und lief in einer anderen Richtung, als woher er gekommen war, davon. Die Jäger ließen die Hunde los und jagten selbst auf ihren Schneeschuhen hinter ihm drein, so schnell es ihnen nur möglich war.

Der Elch warf den Kopf zurück und stürmte in wilder Fahrt davon. Der Schnee spritzte unter ihm auf, daß er wie in ein Schneegestöber gehüllt war. Weder Hunde noch Jäger konnten ihm folgen. Dann blieb er stehen, um auf sie zu warten, und wenn sie wieder in Sehweite gelangt waren, stürmte er von neuem davon. Wir begriffen sehr wohl, daß es seine Absicht war, die Jäger von der Stelle wegzulocken, wo die Elchkühe lagen. Wir bewunderten seine Tapferkeit, daß er selbst der

Gefahr entgegenging, damit die zu ihm Gehörigen in Frieden sein konnten. Keine von uns war imstande weiterzufliegen, ehe wir gesehen hatten, wie das Ende würde.
Die Jagd wurde ein Paar Stunden auf gleiche Weise fortgesetzt. Wir konnten nicht verstehen, daß die Jäger sich darauf einließen, den Elch zu jagen, wenn sie nicht mit Büchsen bewaffnet waren. Sie konnten doch nicht erwarten, daß es ihnen gelingen würde, einen solchen Läufer zu ermüden.
Aber dann sahen wir, daß der Elch nicht mehr so schnell lief, er trat vorsichtiger in den Schnee. Und als er die Beine wieder hob, war da Blut in den Spuren.
Da wußten wir, warum die Jäger so beharrlich gewesen waren. Sie bauten darauf, daß der Schnee ihnen helfen werde. Der Elch war jung, und bei jedem Schritt, den er tat, sank er ganz bis auf den Grund der Schneewehe. Dadurch aber scheuerte die harte Schneekruste seine Beine entzwei. Sie riß ihm die Haare ab und kratzte ein Loch in das Fell, so daß es ihm eine Qual war, den Fuß auf den Boden zu setzen.
Die Jäger und die Hunde, die so leicht waren, daß sie auf der Eiskruste laufen konnten, setzten ihre Verfolgung fort. Er lief und lief, aber seine Schritte wurden immer unsicherer und strauchelnder. Er keuchte heftig. Er litt nicht nur große Qual, er wurde auch müde von dem Waten im tiefen Schnee.
Endlich riß ihm die Geduld. Er stand still und ließ Hunde und Jäger an sich herankommen, um den Kampf mit ihnen aufzunehmen. Während er dastand und wartete, sah er in die Höhe und gewahrte uns wilden Gänse, die über ihm schwebten, und er rief: »Bleibt nun hier, Wildgänse, bis das Ganze vorbei ist. Und wenn ihr das nächstemal über den Kolmården fliegt, so sucht den Hund Karr auf und erzählt ihm, daß sein Freund Graufell einen guten Tod gefunden hat!«
Als Akka geendet hatte, richtete der alte Hund sich auf und ging einige Schritte näher an sie heran. »Graufell hat ein edles Leben geführt!« sagte er. »Er kennt mich, er weiß, daß ich ein mutiger Hund bin und mich darüber freuen werde, zu hören, daß er einen guten Tod gefunden hat. Erzähle mir jetzt ...«
Er hob den Schwanz in die Höhe und richtete den Kopf auf, um eine mutige, stolze Haltung einzunehmen, sank aber wieder zusammen.
»Karr, Karr!« rief eine Menschenstimme aus dem Walde.

Der alte Hund erhob sich sofort. »Das ist der Herr, der ruft,« sagte er, »und ich will ihn nicht warten lassen. Ich sah ihn vorhin die Flinte laden, und wir beide gehen nun zum letztenmal in den Wald hinaus. Hab' dank, Wildgans! Nun weiß ich alles, was ich zu wissen brauche, um froh in den Tod zu gehen!«

XXII. Der wunderschöne Garten

Sonntag, 24. April.

Am nächsten Tage flogen die wilden Gänse nordwärts über Sörmland. Der Junge saß da und sah auf die Gegend herab und dachte bei sich, sie gleiche keiner der Gegenden, die er bisher gesehen hatte. Da waren keine großen Ebenen wie in Schonen und Ostgotland und keine großen, zusammenhängenden Wälder wie in Smaaland, aber da war eine Mischung von allem möglichen. »Hier haben sie einen großen See und einen großen Elf und einen großen Wald und einen großen Berg genommen und es alles kurz und klein gehackt und dann zusammengemischt und bunt durcheinander auf der Erde ausgebreitet,« dachte der Junge, denn er sah nichts weiter als kleine Täler und kleine Seen und kleine Berge und kleine Wälder. Nichts durfte sich so recht ausbreiten. Sobald eine Ebene im Begriff war, groß zu wachsen, kam ein Hügel und stellte sich ihr in den Weg, und wenn sich der Hügel zu einem Gipfel erheben wollte, so begann die Ebene von neuem. Sobald ein See so groß wurde, daß es nach etwas aussah, wurde er zu einem Bach eingegrenzt, und auch der Bach durfte nicht lange laufen, ehe er sich zu einem See erweiterte. Die Wildgänse flogen so nahe an der Küste entlang, daß der Junge über das Meer hinaussehen konnte, und er hatte bemerkt, daß es auch dem Meer nicht gestattet war, seine große Fläche auszubreiten, sondern daß es von einer Menge von Inseln unterbrochen wurde, und die Inseln wurden auch nicht groß, ehe das Meer wieder in seine Rechte eintrat. Es war ein beständiges Wechseln. Nadelwald wechselte mit Laubholz, Felder mit Mooren und Herrenhöfe mit Häuslerwohnungen.

Es waren gar keine Menschen draußen auf den Feldern bei der Arbeit, statt dessen gingen sie auf Wegen und Stegen. Die kamen aus den kleinen Waldhäuschen am Abhang des Kolmårds heraus, in schwarzen

Kleidern, mit Gesangbuch und Taschentuch in der Hand. »Es ist wohl Sonntag heute,« dachte der Junge und saß da und sah auf die Kirchgänger hinab. An einer Stelle sah er ein Brautpaar, das mit großem Gefolge zur Kirche fuhr, und an einer anderen Stelle kam ein Leichenzug langsam den Weg entlang gefahren. Er sah große herrschaftliche Kutschen und kleine Bauernkarren, und er sah Boote draußen auf dem See, alle auf dem Wege zur Kirche.

Der Junge flog über die Björkviker Kirche und über Bettna und Blacksta und Vådsbro und darauf auf Sköldinge und Floda zu. Überall hörte er die Glocken läuten. Es klang wirklich wunderschön oben in der Luft. Es war, als sei die ganze klare Luft zu Klängen und Tönen geworden.

»Eins ist wenigstens sicher,« sagte der Junge, »daß überall hier im Lande, wohin ich komme, stets Kirchen mit läutenden Glocken sein werden.« Und es überkam ihn ein Gefühl der Geborgenheit bei dem Gedanken, denn obwohl er nun in einer andern Welt lebte, war es doch, als könne er sich nicht ganz verirren, so lange die tiefen Stimmen der Kirchenglocken ihn zurückzurufen vermochten.

Sie waren eine gute Strecke über Sörmland landeinwärts geflogen, als der Junge einen dunklen Fleck gewahrte, der sich unter ihnen auf der Erde bewegte. Zuerst glaubte er, es sei ein Hund, und er hätte wohl nicht weiter darauf geachtet, wenn er nicht bemerkt hätte, daß er sich bemühte, denselben Kurs zu halten wie sie. Er stürzte dahin über das offene Land und durch die kleinen Wälder, sprang über Gräben, setzte über Hecken und ließ sich durch nichts zurückhalten.

»Es scheint fast, als wenn Reineke Fuchs wieder sein Spiel treibt,« sagte der Junge, »aber wir werden ihm schon entkommen.«

Gleich darauf steigerten die Wildgänse ihren Flug zu der stärksten Schnelligkeit, zu der sie überhaupt imstande waren, und hielten damit an, solange der Fuchs sichtbar war. Als er sie nicht mehr sehen konnte, machten sie Kehrt und flogen in einem großen Bogen gen Westen und Süden, fast, als sei es ihre Absicht, wieder nach Ostgotland zurückzufliegen. »Es ist doch wohl Reineke gewesen!« dachte der Junge, »da Akka so abbiegt und einen anderen Weg einschlägt.«

Am Abend dieses Tages flogen die Wildgänse über einem alten sörmländischen Gut, das Store Djulö heißt. Das große, weiße Schloß lag da, mit einem Park aus Laubbäumen hinter sich und dem Store Djulösee mit seinen vorspringenden Landzungen und hügeligen Ufern vor sich. Es sah altmodisch und traulich aus, und dem Jungen wurde ganz schwer ums Herz, als sie über den Hof flogen und er daran dachte, wie es sein würde, nach beendeter Tagesreise auf so einen Hof zu kommen, statt in einem seichten Moor oder auf einer kalten Eisfläche abgesetzt zu werden.

Aber davon konnte natürlich keine Rede sein. Die Wildgänse ließen sich dahingegen ein Stück nördlich von dem Schloß auf einer Waldwiese nieder, die so von Wasser überschwemmt war, daß nur hier und da einige Grasbüschel hervorragten. Es war dies so ungefähr das elendste Nachtlager, das der Junge auf der ganzen Reise gehabt hatte. Er blieb auf dem Rücken der Gans sitzen und wußte nicht recht, wie er sich einrichten sollte. Dann begann er von einem Grasbüschel auf den anderen zu hüpfen, in langen Sprüngen, bis er festen Grund unter den Füßen hatte, und dann lief er schnell nach der Seite, wo das alte Schloß lag.

Nun traf es sich so, daß in einem Hause, das zu Store Djulö gehörte, gerade an diesem Abend einige Menschen um den Feuerherd beisammen saßen und plauderten. Sie hatten über die Predigt gesprochen und über die Frühjahrsbestellung und das Wetter, und als der Unterhaltungsstoff auszugehen drohte, baten sie eine alte Frau, die Mutter des Häuslers, ihnen Gespenstergeschichten zu erzählen.

Nun ist es eine bekannte Sache, daß es nirgends in Schweden einen solchen Reichtum an Schlössern und an Gespenstergeschichten gibt wie in Sörmland. Die Alte hatte in ihrer Jugend auf vielen großen Gütern gedient, und sie wußte Bescheid von so mancherlei wunderlichen Dingen, daß sie bis an den lichten Morgen hätte erzählen können. Sie erzählte so gut und so glaubwürdig, daß ihre Zuhörer nahe daran waren, es alles zu glauben. Sie zuckten förmlich zusammen, als die Alte ein paarmal in ihrer Erzählung inne hielt und fragte, ob sie nichts pußeln hörten. »Könnt ihr denn nicht hören, daß hier etwas herumschleicht?« sagte sie. Aber die anderen konnten nichts hören.

Als die alte Frau Geschichten aus Eriksberg und Vibyholm und Julita und Lagmansö und aus vielen anderen Häusern erzählt hatte, fragte einer, ob sich nie etwas dergleichen auf Stör Djulö zugetragen habe. »Ja, davon ist auch allerlei zu erzählen,« sagte die Alte. Und da wollten sie dann alle die Sagen hören, die sich auf ihrem eigenen Schloß abgespielt hatten.

Und so erzählte denn die Alte, daß einstmals ein Schloß nördlich von Stör Djulö auf einem Hügel gelegen haben solle, wo jetzt nichts weiter war als Wald, und zu dem Schloß gehörte ein wunderschöner Garten. Da geschah es einmal, daß einer, der Herr Karl hieß, und der zu jenen Zeiten über ganz Sörmland regierte, nach dem Schloß kam. Und als er gegessen und getrunken hatte, ging er in den Garten hinaus und stand lange da und sah über den Store Djulösee mit seinen schönen Ufern hin. Und wie er so dastand und sich über das freute, was er sah, und bei sich dachte, ein schöneres Land als Sörmland gebe es doch nicht auf der Welt, hörte er jemand hinter sich tief seufzen. Da wandte er sich um und sah einen alten Tagelöhner, der über seinen Spaten gebeugt stand. »Bist du es, der so tief seufzt?« fragte Herr Karl. »Was hast du nur zu seufzen?« – »Ich soll wohl seufzen, daß ich hier Tag aus, Tag ein arbeiten muß,« antwortete der Tagelöhner. Aber Herr Karl hatte einen heftigen Sinn und konnte es nicht leiden, wenn Leute klagten. »Hast du keinen weiteren Grund zur Klage?« rief er. »Ich sage dir, ich würde zufrieden sein, wenn ich mein Leben lang in Sörmlands Erde graben könnte.« – »Möge es Euer Gnaden gehen, wie Ihr wünschet!« entgegnete der Tagelöhner.
Später aber sagte man, Herr Karl habe, als er tot war, wegen dieser Worte keine Ruhe in seinem Grabe gefunden, sondern er sei jede Nacht nach Store Djulö gekommen und habe in seinem Garten gegraben. »Ja, jetzt ist da ja weder ein Schloß noch ein Garten mehr; da, wo das einstmals gelegen, ist nur ein ganz gewöhnlicher Waldhügel. Aber es kann wohl geschehen, daß wer in einer dunklen Nacht durch den Wald geht, den Garten erblickt.«
Hier hielt die Alte inne und sah aufmerksam nach einer dunklen Ecke hinüber. »Rührte sich da nicht eben etwas?« fragte sie.
»Bewahre, Mutter, erzählt Ihr nur weiter!« sagte die Schwiegertochter. »Ich sah gestern, daß die Mäuse da in der Ecke ein großes Loch genagt haben, aber ich hatte soviel anderes zu tun, daß ich vergaß, es zuzustopfen. Erzählt Ihr uns nur, ob jemand den Garten gesehen hat.«
»Ja,« sagte die Alte, »ihr müßt wissen, daß mein eigener Vater ihn einmal gesehen hat. In einer Sommernacht kam er durch den Wald gegangen, und plötzlich sah er neben sich eine hohe Gartenmauer, und über der Mauer konnte er die herrlichsten Bäume erkennen; die waren so voller Blüten und Früchte, daß die Zweige tief über die Mauer herabhingen. Mein Vater ging ganz still näher heran und konnte nicht

begreifen, woher der Garten gekommen war. Da tat sich plötzlich ein Tor in der Mauer auf, und ein Gärtner kam heraus und fragte meinen Vater, ob er seinen Garten nicht sehen wollte. Der Mann hatte einen Spaten in der Hand und er trug eine große Schürze so wie andere Gärtner, und Vater wollte gerade mit ihm gehen, als er einen Blick auf sein Gesicht warf. Im selben Augenblick erkannte mein Vater die spitze Stirnlocke und den Spitzbart. Es war leibhaftig Herr Karl, so wie mein Vater ihn auf Bildern abgebildet gesehen hatte, die in all den Schlössern hingen, wo Vater ...«

Hier wurde die Geschichte von neuem unterbrochen. Jetzt war es ein Scheit Holz, das sprühte, so daß Funken und glühende Kohlen auf den Fußboden flogen. Einen Augenblick wurde es hell in all den dunklen Ecken der Stube, und die Alte glaubte, einen Schimmer von einem Wicht gesehen zu haben, der neben dem Mauseloch saß und der Geschichte lauschte, sich jetzt aber beeilte davonzukommen.

Die Schwiegertochter holte Besen und Aufnehmer, fegte die glühenden Kohlen zusammen und setzte sich wieder hin. »Erzählt doch weiter, Mutter!« sagte sie. Aber die Alte wollte nicht. »Jetzt mag es genug sein für heute abend,« sagte sie, und ihre Stimme klang so sonderbar. Die anderen fuhren fort, sie zu bitten, aber die Schwiegertochter sah, daß die Alte blaß geworden war, und daß ihre Hände zitterten. »Nein, jetzt ist Mutter müde und muß zu Bett,« sagte sie.

Bald darauf kam der Junge wieder in den Wald zu den Wildgänsen zurück. Er nagte an einer Mohrrübe, die er vor dem Keller aufgelesen hatte und fand, daß er eine herrliche Abendmahlzeit bekommen hatte. Er war so froh, daß er mehrere Stunden in der warmen Stube hatte sitzen können. »Hätte ich jetzt nur ein gutes Nachtquartier,« dachte er. Da fiel ihm ein, daß er nichts Besseres tun könne, als sein Nachtlager in einer buschigen Tanne zu suchen, die am Wege stand. Er schwang sich in den Baum hinauf und flocht ein paar Zweige zusammen, so daß er ein Bett hatte, in dem er liegen konnte.

Da lag er eine Weile und dachte an all das, was er in dem Bauerhäuschen gehört hatte, und vor allem von diesem Herrn Karl, der, wie man sagte, hier im Djulöer Walde spuken sollte. Schlief aber bald ein, und hätte sicher bis an den hellen Morgen geschlafen, wenn er nicht davon erwacht wäre, daß eine kreischende eiserne Pforte gerade unter ihm geöffnet wurde.

Der Junge ist sofort wach, reibt den Schlaf aus den Augen und sieht sich um. Ganz in seiner Nähe ist eine Mauer, so hoch wie ein Mann, und über der Mauer sieht man Bäume, die fast unter der Last ihrer Früchte brechen.
Anfänglich findet er, daß dies sehr sonderbar ist. Als er sich schlafen legte, waren da keine Obstbäume. Aber sobald er sich besonnen hat, weiß er, was für ein Garten es ist.
Das Sonderbarste von allem aber ist vielleicht, daß er gar nicht bange wird, sondern im Gegenteil eine unbezwingliche Lust empfindet, in den Garten hineinzugehen. Oben in der Tanne, wo er liegt, ist es dunkel und kalt, aber drinnen im Garten ist es hell, und es deucht ihm, als könne er Früchte und Rosen in dem starken Sonnenschein glühen sehen. Es würde gut tun, sich von der Sonne bescheinen zu lassen nach all der Kälte und dem Wind und den Regen, worunter er hat leiden müssen.
Es scheint auch nichts im Wege zu sein, daß er in den Garten kommen kann. Dicht neben der Tanne, wo der Junge liegt, ist ein Tor in der hohen Mauer, und ein alter Gärtner hat gerade die großen, eisernen Türen geöffnet. Nun steht er im Tor und sieht unverwandt in den Wald hinein, als erwarte er jemand.
Sofort ist der Junge vom Baum herunter. Er geht, die Mütze in der Hand, auf den Gärtner zu, verbeugt sich und fragt, ob es erlaubt ist, den Garten zu besehen.
»Bitte schön,« antwortet der Gärtner. »Tritt nur ein!«
Dann zieht er die Türen zu und verschließt sie mit einem schweren Schlüssel, den er in seinen Gürtel steckt. Währenddessen steht der Junge da und sieht ihn an. Er hat ein steifes, unbewegliches Gesicht mit einem großen Knebelbart, Spitzbart und Adlernase. Hätte er nicht eine blaue Gärtnerschürze umgehabt und einen schweren Spaten in der Hand gehalten, so würde ihn der Junge für einen alten Soldaten gehalten haben.
Der Gärtner geht mit so langen Schritten in den Garten hinein, daß der Junge laufen muß, um mitzukommen. Sie gehen auf einem schmalen Steig, und der Junge tritt versehentlich in das Gras. Sofort erhält er einen Verweis, das Gras nicht niederzutreten, und dann läuft er hinter seinem Führer her.
Der Junge hat eine Empfindung, als halte sich der Gärtner eigentlich für zu fein, seinen Garten so einem Wechselbalg, wie er es ist, zu

zeigen, und er wagt nicht, ihn nach etwas zu fragen, sondern läuft nur hinterdrein. Von Zeit zu Zeit wirft ihm der Gärtner ein Wort zu. Gleich hinter der Mauer befindet sich eine Hecke, und als sie da hindurchgehen, sagt er, die nenne er den Kolmård. »Ja, groß genug ist sie, um dem Namen zu entsprechen,« sagt der Junge. Aber der Gärtner macht sich nicht das geringste daraus, zu hören, was er sagt.
Dann kommen sie aus dem Buschwerk heraus, und der Junge kann ein großes Stück des Gartens übersehen. Er entdeckt gleich, daß er nicht gerade groß ist, nicht viel mehr als ein paar Tonnen Land. Die hohe Mauer beschützt ihn nach Süden und Westen zu, nach Norden und Osten aber ist er von Wasser umgeben, so daß keine Umfriedigung nötig ist.
Der Gärtner steht still, um eine Ranke aufzubinden, und währenddessen hat der Junge Zeit, sich umzusehen. Er hat nicht viele Gärten in seinem Leben gesehen, aber ein Gefühl sagt ihm, daß dieser verschieden von allen anderen ist. Er muß auf irgendeine altmodische Weise angelegt sein, denn eine solche wimmelnde Masse von kleinen Hügeln und kleinen Blumenbeeten und kleinen Hecken und kleinen Rasenflächen und kleinen Lusthäusern sieht man heutzutage nirgends. Und auch nicht so ein Gewimmel von kleinen Teichen und gewundenen Kanälen, wie man sie hier auf allen Seiten erblickt.
Überall stehen die prächtigsten Bäume und die lieblichsten Blumen, und das Wasser in den kleinen Kanälen ist dunkelgrün und klar, so daß sich alles darin spiegelt. Und der Junge findet, daß das Ganze wie ein Paradies ist. Er schlägt die Hände zusammen und ruft aus: »Nie im Leben hab' ich etwas so Hübsches gesehen! Was für ein Garten ist dies doch nur?«
Das ruft er ganz laut, und der Gärtner wendet sich sofort nach ihm um und sagt mit seiner barschen Stimme: »Dieser Garten heißt Sörmland. Wer bist denn du, daß du das nicht einmal weißt? Er hat immer für einen der besten Gärten im Lande gegolten.«
Dem Jungen wird ja ein wenig sonderlich zumute bei der Antwort, aber er hat so viel damit zu tun, sich gründlich umzusehen, daß er gar keine Zeit hat, darüber nachzudenken, was das bedeutet. So schön es ist mit allen den vielen Blumen und den Bächen, die sich dazwischen hindurchschlängeln, so ist da doch noch etwas Ergötzlicheres, nämlich alle die kleinen Lusthäuser und Puppenhäuser, mit denen der Garten angefüllt ist. Sie liegen überall, am meisten aber am Ufer der kleinen

Teiche und Kanäle. Es sind keine richtigen Häuser. Sie sind so klein, als seien sie für Leute gebaut, die nicht größer sind als er, aber sie sind alle außerordentlich fein und niedlich. Da sind alle möglichen Arten: einige sehen aus wie Schlösser mit Türmen und Flügeln, andere wie Kirchen, und wieder andere wie Mühlen oder Bauerhäuser.

Sie sind so allerliebst, daß der Junge am liebsten stehen geblieben wäre, um sich jedes einzelne genauer anzusehen, aber er wagt nichts weiter zu tun, als dem Gärtner auf den Fersen zu folgen. Bald aber kommen sie an ein Gutshaus, das größer und schöner ist als irgend eins der anderen, an denen sie vorbeigekommen sind. Es ist dreistöckig mit einem Portal und vorspringenden Flügeln. Es liegt auf einem Hügel mitten zwischen Blumenanlagen, und der Weg dahin führt über einen Kanal nach dem anderen auf kleinen, zierlichen Brücken.

Der Junge wagt nicht vom Wege abzuweichen, aber als er an diesem allen vorübergehen muß, seufzt er so tief, daß der strenge Mann es hört und stehen bleibt. »Dies Haus da nenne ich Eriksberg,« sagt er. »Willst du da hinein, so magst du es meinetwegen gern tun, hüte dich aber vor der Pintorpa-Frau!«

Das läßt sich Niels nicht zweimal sagen. Er läuft die Allee hinab, über die kleinen Brücken, durch den Blumengarten hinauf und in das Tor hinein. Das Ganze scheint für so einen wie er zugeschnitten zu sein. Die Treppenstufen haben die passende Höhe, und er kann jedes Schloß erreichen. Nie hätte er sich aber träumen lassen, daß er so viel Schönes zu sehen bekäme. Die Fußböden sind aus Eichenholz und schimmern, gebohnert und blank. Die Decken sind gegipst und voll von gemalten Bildern. An den Wänden hängt ein Gemälde neben dem anderen. Die Möbel sind mit Seide überzogen, und das Holzwerk daran ist vergoldet. Er sieht Zimmer, dessen Wände ganz mit Büchern bedeckt sind, und er sieht Zimmer, in denen Tische und Schränke mit Kostbarkeiten angefüllt sind.

Wie sehr er sich auch beeilt, hat er doch noch nicht die Hälfte des Hauses besehen, als der Gärtner ihn ruft, und als er wieder hinauskommt, steht der Alte da und kaut vor Ungeduld auf seinem Knebelbart.

»Nun, wie ging es?« fragt der Gärtner. »Hast du die Pintorpa-Frau gesehen?«

Aber der Junge hat kein lebendes Wesen gesehen, und als er das sagt, verzerrt sich das Gesicht des Gärtners. »Hat die Pintorpa-Frau Ruhe

gefunden und ich nicht?« sagt er, und der Junge hat nie eine Vorstellung davon gehabt, daß so viel Verzweiflung in einer Menschenstimme beben kann.
Dann geht der Gärtner wieder mit langen Schritten voran, und der Junge läuft hinterdrein und bemüht sich, soviel wie möglich von allen den merkwürdigen Dingen zu sehen. Sie gehen um einen Teich herum, der ein wenig größer ist als die anderen. Lange, weiße Pavillons, die Herrenhäusern gleichen, gucken überall aus dem Buschwerk und den Blumengruppen hervor. Der Gärtner bleibt nicht stehen, sondern wirft dem Jungen in der Eile von Zeit zu Zeit ein Wort hin. »Den Teich nenne ich Yngaran. Hier siehst du Danbyholm. Hier ist Hagbyberga. Hier ist Hovsta. Hier ist Återö.«
Bald darauf gelangt der Gärtner mit ein paar mächtigen Schritten an einen neuen, kleinen Teich, den er Båven rennt, da aber hört er den Jungen einen Schrei der Verwunderung ausstoßen, und nun bleibt er stehen. Der Junge steht vor einer kleinen Brücke, die zu einem Schloß führt, das in dem Teich liegt.
»Wenn du Lust hast, kannst du gern nach Vibyholm hinüberlaufen und dich dort umsehen,« sagt er. »Nimm dich aber vor der Weißen Dame in acht!«
Und der Knabe ist auf und davon, ehe der Gärtner noch ausgeredet hat. Dadrinnen sind so viele Porträts an den Wänden, daß es ihm scheint wie ein Bilderbuch. Es ist hier so ergötzlich, daß er gern die ganze Nacht dageblieben wäre, aber es währt nicht lange, da hört er den Gärtner rufen. »Komm jetzt! Komm jetzt!« ruft er. »Meinst du, ich hätte nichts weiter zu tun, als hier zu stehen und auf so einen Knirps wie dich zu warten!«
Als der Junge über die Brücke gelaufen kommt, ruft er ihm entgegen: »Nun, wie ist es dir ergangen? Hast du etwas von der weißen Dame gesehen?«
Der Junge hat kein lebendes Wesen gesehen, und das sagt er. Da haut der Alte den Spaten so gewaltsam gegen einen Stein, daß der Spaten zerspringt, und mit einer Stimme, die tief unten aus der fürchterlichsten Verzweiflung kommt, sagt er: »Hat die weiße Dame auf Vibyholm Ruhe gefunden und ich nicht?«
Bisher haben sie sich an den südlichen Teil des Gartens gehalten, aber nun geht der Gärtner nach dem westlichen Teil hinüber. Der ist anders angelegt. Da sind große, ebene Rasenflächen, die mit Erdbeerbeeten,

Kohlgärten und Fruchtbüschen abwechseln. Hier sind auch viele von den kleinen Lusthäusern, aber die meisten sind rot angestrichen; sie gleichen Bauernhöfen und sind von Hopfengärten und Kirschenbäumen umgeben.
Hier bleibt der Gärtner nicht stehen, um den Jungen irgendwo hineinzulassen. Er sagt nur flüchtig: »Diese Gegend nenne ich Vingåker.«
Gleich darauf steht er vor einem kleinen Gebäude still, das viel einfacher ist als alle die anderen und am meisten Ähnlichkeit mit einer Schmiede hat. »Das ist eine große Werkstatt,« sagt er. »Die nenne ich Eskilstuna. Wenn du Lust hast, kannst du gerne hineingehen und dich da umsehen.«
Der Junge geht hinein und sieht eine unglaubliche Menge Räder, die sich rund herum drehen, Hämmer, die schmieden, und Drehscheiben, die kreischen. Da ist so viel zu sehen, daß er gern die ganze Nacht da drinnen hier hätte bleiben können, wenn ihn der Gärtner nicht gerufen hätte.
Darauf gingen sie am See entlang an der nördlichen Seite des Gartens. Das Ufer schlängelte sich hinaus und hinein: Landzunge und Bucht, Landzunge und Bucht längs des ganzen Gartens. Vor den Landzungen liegen kleine Inseln, die durch schmale Sunde vom Lande getrennt sind. Die kleinen Inseln gehören auch mit zum Garten. Sie sind ebenso sorgfältig bepflanzt, wie all das andere.
Der Junge geht an einem schönen Gehöft nach dem anderen vorüber, aber er bleibt nicht stehen, als bis er an eine prächtige rote Kirche kommt. Die sieht sehr stattlich aus, wie sie da auf einer Landzunge, von schwer beladenen Obstbäumen überschattet, liegt. Der Gärtner will wie gewöhnlich vorübergehen, aber der Junge faßt Mut und bittet um Erlaubnis, hineingehen zu dürfen. »Nun ja, dann geh' nur hinein!« sagt er, »nimm dich aber vor Bischof Rogge in acht! Es ist nicht unmöglich, daß er noch heutigen Tages hier in Strängnäs sein Wesen treibt.«
So läuft denn der Junge in die Kirche hinein und besieht alte Grabmäler und schöne Altarbilder. Vor allem aber bewundert er einen Reiter in goldener Rüstung, den er in einer Kapelle neben dem Waffenhause entdeckt. Hier ist auch so viel zu sehen, daß er gern die ganze Nacht dageblieben wäre, aber er muß wieder fort, um den Gärtner nicht warten zu lassen.

Als er wieder herauskommt, sieht er den Gärtner stehen und einer Eule zusehen, die oben in der Luft hinter einem Rotschwänzchen her jagt. Der Alte pfeift dem Rotschwänzchen, das seinem Ruf folgt und sich auf seine Schulter setzt, und als die Eule in ihrem Jagdeifer ihm nachfliegt, jagt er sie mit dem Spaten fort. »Er ist gewiß gar nicht so schlimm, wie er aussieht,« denkt der Junge, als er sieht, wie der Gärtner den armen Singvogel beschützt.
Sobald er aber den Jungen erblickt, wendet er sich nach ihm um und fragt, ob er Bischof Rogge gesehen hat. Und als der Junge nein antwortet, sagt er mit dem größten Gram: »Hat Bischof Rogge Ruhe gefunden und ich nicht?«
Bald darauf kommen sie in das größeste von den vielen Puppenhäusern. Es ist eine rundgemauerte Burg mit drei festen, runden Türmen, die durch lange Flügel verbunden sind.
»Wenn du Lust hast, kannst du gern hineingehen und dich umsehen!« sagt der Gärtner. »Das ist Gripsholm, und hier mußt du dich in acht nehmen, daß du nicht König Erik begegnest.«
Der Junge geht durch eine tiefe Torwölbung und kommt auf einen großen, dreieckigen Hof, der von kleinen Häusern umgeben ist. Sie sind nicht gerade ansehnlich, und der Junge macht sich nichts daraus, dahinein zu gehen. Er springt nur ein paarmal Bock über zwei lange Kanonen, die da stehen, und läuft dann weiter. Durch eine zweite tiefe Torwölbung gelangt er auf einen Burghof, der von prächtigen Gebäuden umgeben ist und dahinein geht er. Er kommt in große, altmodische Zimmer mit Querbalken an der Decke; alle Wände sind mit hohen, dunklen Gemälden bedeckt, auf denen ernste Damen und Herren in wunderlichen, steifen Trachten abgebildet sind.
In dem Stockwerk darüber sind die Zimmer heller und freundlicher. Jetzt kann er erst merken, daß er in einem königlichen Schloß ist, denn an den Wänden sieht er nichts als strahlende Porträts von Königen und Königinnen. Im obersten Stockwerk aber ist ein großer Boden, und um den herum liegen viele verschiedene Zimmer. Es sind helle Räume mit hübschen, weißen Möbeln, und da ist ein kleines Theater und dicht daneben ein richtiges Gefängnis: ein Raum mit kahlen steinernen Wänden und vergitterten Fenstern und einem Fußboden, der von den schweren Schritten der Gefangenen abgenutzt ist.

Da ist so viel zu sehen, daß der Junge gern viele Tage dageblieben wäre, aber der Gärtner ruft nach ihm, und er wagt nicht, ungehorsam zu sein.
»Hast du König Erik gesehen?« fragt der Alte, als der Junge wieder herauskommt. Aber der Junge hat nichts gesehen, und da sagt der Gärtner so wie vorhin, aber in noch tieferer Verzweiflung: »Hat König Erik Ruhe gefunden und ich nicht?«
Dann gehen sie in den östlichen Teil des Gartens. Sie kommen an einem Badehaus vorüber, das der Gärtner Södertelje nennt, und an einem alten Schloß, das er Hörningsholm nennt. Hier ist übrigens nicht so viel zu sehen. Es wimmelt hier von Felsen und Klippen, die immer öder und kahler werden, je weiter hinaus sie liegen.
Jetzt biegen sie nach Süden ab, und der Junge erkennt die Hecke, die Kolmård heißt, und er kann sehen, daß sie sich dem Ausgang nähern.
Er freut sich, daß er das alles gesehen hat, und als er in der Nähe der großen Gitterpforte angelangt ist, will er dem Gärtner gern danken. Aber der Alte hört gar nicht auf das, was er sagt, sondern geht geradeswegs auf die Pforte zu. Da wendet er sich nach dem Jungen um und reicht ihm seinen Spaten. »Halte mir den, während ich die Pforte aufschließe.«
Aber dem Jungen tut es leid, daß er dem barschen, alten Mann so viel Mühe gemacht hat und er will ihm weitere Ungelegenheit ersparen. »Ihr braucht die schwere Pforte meinetwegen gar nicht aufzuschließen,« sagt er, und im selben Augenblick schlüpft er zwischen den eisernen Stangen hindurch. Das ist die leichteste Sache von der Welt für ihn.
Er tut das in der allerbesten Absicht, und er ist sehr verwundert, als er den Gärtner hinter seinem Rücken einen Zornesruf ausstoßen hört und steht, wie er mit den Füßen stampft und an dem eisernen Gitter rüttelt.
»Was ist das? Was ist das?« fragt der Junge. »Ich wollte Euch ja nur die Mühe ersparen. Warum seid Ihr so böse?«
»Sollte ich nicht böse sein!« erwidert der Alte. »Es bedürfte nichts weiter, als daß du den Spaten nahmst, dann hättest du hier umhergehen und den Garten pflegen müssen, und ich wäre abgelöst gewesen. Jetzt weiß ich nicht, wie lange ich hier noch umhergehen muß.«
Und dabei rüttelt er an dem Gitter und sieht entsetzlich zornig aus, aber der Knabe kann nicht anders, er muß ihn bemitleiden, und er versucht, ihn zu trösten.

»Ihr müßt nicht so betrübt darüber sein, Herr Karl von Södermanland,« sagte er, »denn niemand würde Euren Garten so gut pflegen, wie Ihr es tut.«
Als der Junge das sagt, wird der alte Gärtner ganz still und stumm, und es ist dem Jungen, als gehe ein Leuchten über seine harten Züge. Aber er kann es nicht deutlich sehen, denn im selben Augenblick verblaßt die ganze Gestalt und schwindet wie ein Nebel. Und nicht er allein, sondern der ganze Garten verblaßt und verschwindet mit Blumen und Früchten und Sonnenschein, und da, wo er eben noch gelegen, ist nichts weiter zu sehen als der wilde Wald.

XXIII. In Närke

Ysätters-Kajsa.

In Närke hatten sie in alten Zeiten etwas, das sie sonst nirgends in der Welt hatten, nämlich einen Kobold, die Ysätters-Kajsa.
Den Namen hatte sie erhalten, weil sie soviel mit Wind und Sturm zu tun hatte, und diese Windkobolde pflegt man immer Kajsa zu nennen, und den Beinamen hatte sie erhalten, weil es hieß, sie sei aus dem Ysätter-Meer im Kirchspiel Asker gekommen.
Es scheint, daß sie ihr eigentliches Heim in Asker hatte, aber man sah sie auch anderwärts. Nirgends in ganz Närke konnte man sicher vor ihr sein.
Sie war kein trübseliger und unheimlicher Kobold, sondern sie war fröhlich und lustig, und das liebste vor allem war ihr ein ordentliches Sturmwetter. Sobald da Wind genug war, fuhr sie dahin, um auf der Närkeebene zu tanzen.
Närke besteht eigentlich aus nichts weiter als einer Ebene, die auf allen Seiten von bewaldeten Bergen umgeben ist. Nur in der nordöstlichen Ecke, da wo der Hjelmar aus der Landschaft ausscheidet, befindet sich eine Öffnung in der langen Hecke aus Bergen.
Wenn nun der Wind eines Morgens draußen auf der Ostsee Kräfte gesammelt hat und auf das Land zugefahren kommt, geht er ganz ungehindert zwischen die Sörmlandshügel und schlüpft ohne sonderliche Mühe beim Hjelmar nach Närke hinein. Dann braust er dahin, quer über die Närkeebene, aber nach Westen zu stößt er auf die

hohe Felswand des Kilsberges und wird zurückgeworfen. Er krümmt sich wie eine Schlange und fährt dahin, gen Süden. Dort aber stößt er auf den Tived und bekommt einen Puff, so daß er nach Osten zu stürzt. Nun, dort im Osten liegt der Tylöser Wald, und der schickt den Wind gen Norden nach Käglan. Und von Käglan fährt der Wind noch einmal dahin, auf die Kilsberge und den Tived und den Tylöser Wald zu. Er dreht sich rund herum in immer kleineren Kreisen, bis er schließlich wie ein Kreisel mitten auf der Ebene stehen bleibt und sich unaufhörlich herumdreht. Aber an solchen Tagen, wenn die Wirbelwinde über die Ebene fuhren, da ergötzte sich die Ysätters-Kajsa. Da stand sie mitten in dem Wirbel und drehte sich. Das lange Haar flatterte oben zwischen den Wolken des Himmels, die Schleppe ihres Kleides fegte wie eine Staubwolke an der Erde dahin, und die ganze Ebene lag unter ihr wie ein schwarzer Tanzboden.
Am Morgen saß Ysätters-Kajsa gern oben auf dem Gipfel eines Bergabhanges und sah über die Ebene hinaus. War es dann Winter und gute Bahn, und sah sie viele des Weges dahergefahren kommen, so hatte sie nichts Eiligeres zu tun, als zu einem Schneesturm aufzublasen und den Schnee zu so hohen Schanzen zusammen zu fegen, daß die Leute am Abend nur mit Not und Mühe nach Hause kommen konnten. War es Sommer und gutes Erntewetter, so saß Ysatters-Kajsa ganz still da, bis die ersten Heufuder beladen und fertig waren. Dann kam sie mit ein paar Gewitterschauern dahergefahren, die der Arbeit für diesen Tag ein Ende machten.
Es läßt sich nicht leugnen, daß sie selten an etwas anderes dachte, als Unheil zu stiften. Die Köhler oben in den Kilsbergen wagten kaum, ein Auge zu schließen, denn sobald sie einen unbewachten Meiler sah, kam sie geschlichen und blies in ihn hinein, so daß er plötzlich in hellen Flammen stand. Und geschah es, daß die Erzfahrer aus Laxå und Svartå eines Abends spät draußen waren, so hüllte die Ysätters-Kajsa den Weg und die Gegend in einen so dichten Nebel, daß Menschen und Pferde irregingen und die schweren Schlitten in Moore und Sümpfe hineinfuhren.
Hatte die Pröpstin in Glanshammer an einem Sommersonntag den Kaffeetisch draußen im Garten gedeckt, und es kam ein Windstoß, der das Tischtuch vom Tisch hob und Tassen und Teller umwarf, so wußte man, bei wem man sich für den Spaß zu bedanken hatte. Wurde dem Bürgermeister in Örebro der Hut abgeweht, so daß er über den ganzen

Marktplatz hinter ihm herlaufen mußte, stießen die Leute von der Vinö im Hjelmar mit ihren Gemüsebooten auf Grund, wehte die Wäsche, die zum Trocknen aufgehängt war, herunter und wurde schmutzig, schlug der Rauch eines Abends in die Stube hinein und konnte er den Weg durch den Schornstein gar nicht finden, da war niemand in Zweifel, wer auf Kurzweil ausgezogen war.

Aber wenn auch Ysätters-Kajsa allerlei neckische Streiche liebte, so war doch eigentlich nichts Böses in ihr. Man konnte sehr wohl merken, daß sie am schlimmsten gegen diejenigen war, die zanksüchtig und geizig und boshaft waren, brave Leute und kleine arme Kinder nahm sie oft in Schutz. Und alte Leute erzählen, daß einmal, als die Askerser Kirche nahe daran war, abzubrennen, Ysätters-Kajsa gefahren kam und sich mitten in Feuer und Rauch auf dem Kirchendach niederließ und die Gefahr abwehrte.

Und doch waren die Leute in Närke der Ysätters-Kajsa oft recht überdrüssig, aber sie ermüdete nie, sie zum Besten zu haben. Wenn sie oben auf dem Rand einer Wolke saß und auf Närke hinab sah, das freundlich und wohlhabend unter ihr lag mit ansehnlichen Gruben und Bergwerken oben in den Berggegenden, mit der trägen Svartå und den seichten, fischreichen Seen in der Ebene, mit der guten Stadt Örebro, die sich rings um das ernste Schloß mit den festen Ecktürmen ausdehnte, dann dachte sie wohl: »Hier würde es den Leuten zu gut ergehen, wenn sie mich nicht hätten. Sie würden stumpfsinnig und langweilig werden. Sie haben so eine wie mich nötig, die Leben in sie bringen und sie bei Laune erhalten kann.«

Und dann lachte sie wild und gellend wie eine Elster und fuhr davon, tanzend und wirbelnd, von einer Ecke der Ebene bis zur anderen. Und wenn die Leute in Närke sahen, wie sie ihre Staubschleppe über die Ebene hinfegen ließ, konnten sie sich eines Lächelns nicht erwehren. Denn häßlich und neckisch war sie freilich, aber gute Laune hatte sie. Es war ebenso belebend für die Bauern, sich mit der Ysätters-Kajsa zu tummeln, wie für die Ebene, von dem Sturmwind gepeitscht zu werden.

Heutzutage behauptet man, die Ysätters-Kajsa sei tot und heimgefahren, wie alle Kobolde. Aber das kann man nicht recht glauben. Es ist, als wolle man erzählen, daß in Zukunft die Luft über der Ebene immer still stehen und der Wind nicht mehr mit Sausen und

Brausen, und frischer Luft und Gewitterschauern darüber hintanzen solle.
Wer da meint, die Ysätters-Kajsa sei tot und heimgefahren, du soll jetzt hören, was sich in Närke in dem Jahr zutrug, als Niels Holgersen über die Gegend dahinflog, dann kann er ja selber sagen, was er glaubt.

Der Jahrmarktabend.

Mittwoch, 27. April.

Es war am Tage vor dem großen Viehmarkt in Örebro, und es regnete, so daß Himmel und Erde ineinander verschwammen. Es war ein Regen ohne Sinn und Verstand. Er stürzte in reißenden Strömen vom Himmel herunter, und manch einer dachte bei sich: »Das ist ja ganz so wie zu Ysätters-Kajsas Zeiten. Nie hatte sie so viele Streiche vor, als wenn Jahrmarkt sein sollte. Es sieht ihr wirklich ähnlich, so einen Regen am Abend vor dem Markt herabzusenden.«
Je weiter der Tag verschritt, um so ärger wurde der Regen. Gegen Abend war es ein förmlicher Wolkenbruch. Die Wege waren ganz grundlos, und die Leute, die mit ihrem Vieh von Hause gegangen waren, um Örebro am nächsten Morgen rechtzeitig zu erreichen, waren übel dran. Kühe und Ochsen hatten die Wanderung so satt, daß sie keinen Fuß mehr vorwärts setzen wollten, und viele von den armen Tieren warfen sich auf dem Wege nieder, um zu zeigen, daß sie nicht weiter gehen wollten. Alle Leute, die am Wege wohnten, mußten ihre Häuser den Marktgästen aufschließen und ihnen Nachtquartier geben, so gut sie konnten. Es war nicht nur in den Stuben, sondern auch in den Ställen und Scheunen überfüllt.
Wem es möglich war, der suchte doch, sich bis zum Wirtshaus durchzukämpfen, aber wenn man so weit kam, bereute man fast, nicht in einem der Häuser am Wege geblieben zu sein. Jeder Stand im Kuhstall und jedes Spilltau im Pferdestall war längst besetzt.
Es blieb nichts anderes übrig, als die Pferde und Kühe draußen im Regen stehen zu lassen. Mit genauer Not konnten ihre Besitzer Dach über dem Kopf bekommen.
Die Nässe und der Morast und das Gedränge auf dem Hof spotteten jeder Beschreibung. Die Tiere standen zum Teil geradezu in einer Lache und konnten sich nicht einmal hinlegen. Einige von den Bauern verschafften ihren Tieren ja freilich Stroh, worauf sie liegen konnten,

und breiteten Decken über sie, andere aber saßen drinnen in der Schenke und tranken und spielten und vergaßen völlig die, für die sie zu sorgen hatten.

An jenem Abend hatten der Junge und die Wildgänse einen Werder im Hjelmar erreicht; der war nur durch einen niedrigen und schmalen Sund vom Lande getrennt, so daß man bei niedrigem Wasserstand trockenen Fußes hinüberkommen konnte.

Es regnete ebenso arg draußen auf dem Werder wie überall sonst. Der Junge konnte nicht schlafen vor den Regentropfen, die unaufhörlich auf ihn herabpeitschten. Schließlich entschloß er sich, auf dem Werder umherzuwandern. Er fand, daß er den Regen nicht so sehr merkte, wenn er sich bewegte. Kaum war er einmal rund um den Werder gegangen, als er ein Plätschern im Wasser zwischen dem Werder und dem Ufer vernahm, und gleich darauf sah er ein einzelnes Pferd zwischen den Büschen daherkommen. Es war ein altes Pferd, so elend und erbärmlich, wie er nie etwas Ähnliches gesehen hatte. Es war im Rücken gebrochen, und steifbeinig war es und so mager, daß man seine Rippen zählen konnte. Es hatte weder Zügel noch Sattel, nur einen alten Zaum, von dem ein halbverfaultes Tauende herabhing. Es war ihm offenbar nicht schwer geworden, sich loszureißen.

Das Pferd ging geradeswegs auf die Stelle zu, wo die Wildgänse standen und schliefen, und der Junge war bange, daß es auf sie treten würde. »Wo willst du hin? Sieh dich vor!« rief er. – »Also da bist du!« sagte das Pferd. »Ich bin eine Weile gegangen, um dich zu finden.« – »Hast du von mir reden hören?« fragte der Junge ganz erstaunt. – »Ohren habe ich doch wenigstens, wenn ich auch alt bin. Es reden viele von dir in dieser Zeit.«

Während das Pferd sprach, bog es den Kopf herab, um besser sehen zu können, und der Junge bemerkte, daß es einen kleinen Kopf mit schönen Augen und eine feine, weiche Schnauze hatte. »Es ist seiner Zeit ein gutes Pferd gewesen, wenn es auch in seinen alten Jahren mit ihm zurückgegangen ist,« dachte er.

»Ich wollte dich bitten, mit mir zu kommen und mir bei etwas behilflich zu sein,« sagte das Pferd.

Der Junge hatte keine große Lust, mit jemand, der so erbärmlich aussah, irgendwohin zu gehen, und entschuldigte sich mit dem schlechten Wetter. »Es ist nicht schlimmer für dich, auf meinem Rücken zu sitzen, als hier zu liegen,« sagte das Pferd. »Aber du magst vielleicht nicht mit so einer elenden Kracke, wie ich bin, gehen« – »Ach ja, das ist es nicht,« sagte der Junge. – »Dann wecke die Gänse, damit wir mit ihnen verabreden können, wo sie dich morgen abholen sollen,« sagte das Pferd.

Gleich darauf saß der Junge auf dem Rücken des Pferdes. Das alte Pferd holte besser aus, als der Junge es ihm zugetraut hatte, aber doch war es ein langer Ritt in Nacht und Regen, bis sie vor einem großen Wirtshaus haltmachten. Dort sah es sehr ungemütlich aus, die Wagenspuren auf dem Wege waren so tief, daß der Junge überzeugt war, er würde ertrinken, wenn er da hinein fiel. An dem Gitter, das den Hof umgab, waren dreißig, vierzig Pferde und Kühe angebunden ohne irgendwelchen Schutz gegen den Regen, und drinnen im Hofe standen Karren mit hohen Kisten, in denen Schafe und Kälber und Schweine und Hühner eingeschlossen waren.

Das Pferd stellte sich an das Gitter. Der Junge blieb auf seinem Rücken sitzen, und mit seinen guten Nachtaugen konnte er deutlich sehen, wie schlecht für die Tiere gesorgt war.

»Wie geht es zu, daß ihr hier draußen im Regen steht?« fragte er. – »Wir sind auf dem Wege zum Markt in Örebro, aber der Regen zwang uns, hier einzukehren. Es ist ein Wirtshaus, aber da sind so viele Reisende, daß für uns kein Platz mehr im Stall war.«

Der Junge erwiderte nichts, er saß nur da und sah sich um. Nicht viele von den Tieren schliefen, und von allen Seiten hörte er Klagen und Unzufriedenheit. Sie hatten alle guten Grund zu jammern, denn das Wetter war noch schlechter geworden als früher am Tage. Es wehte ein eisig kalter Wind, und der Regen, der jetzt herabpeitschte, so daß es brannte, war mit Schnee vermischt. Es war leicht zu verstehen, womit er dem Pferd behilflich sein sollte.

»Kannst du sehen, daß dem Wirtshaus gerade gegenüber ein großer Bauerhof liegt?« fragte das Pferd. – »Ja,« sagte der Junge, »das sehe ich, und ich kann nicht begreifen, daß man nicht um Unterkunft für euch dort gebeten hat. Aber vielleicht ist es da auch schon voll?« – »Nein, da sind keine Gäste,« sagte das Pferd. »Die, denen der Hof gehört, sind so geizig und ungefällig, daß es nicht nützen kann, sie um Unterkunft zu bitten.« – »Hängt das so zusammen? Ja, dann werdet Ihr wohl bleiben müssen, wo Ihr seid.« – »Aber ich bin auf dem Hof geboren und aufgewachsen,« sagte das Pferd. »Ich weiß, daß da ein großer Pferdestall und ein großer Kuhstall mit vielen leeren Spilltauen und Ständen ist, und ich möchte wohl wissen, ob du es nicht einrichten kannst, daß wir da hineinkommen.« – »Ich glaube kaum, daß ich den Mut habe,« sagte der Junge. Aber dann taten ihm die Tiere so leid, daß er doch sehen wollte, was sich machen ließ.

Er lief in den fremden Hof hinein und sah sogleich, daß alle Wirtschaftsgebäude verschlossen und alle Schlüssel herausgezogen waren. Hilflos und unschlüssig stand er da, als er plötzlich unerwartet Hilfe bekam. Es war ein Windstoß, der mit mächtiger Fahrt dahergesaust kam und die Tür zu der großen Scheune gerade vor ihm aufwehte.

Der Junge war natürlich nicht faul, sondern kehrte schnell zu dem Pferd zurück. »Es ist unmöglich, in den Pferdestall oder in den Kuhstall hineinzugelangen,« sagte er, »aber da ist eine große, leere Scheune, die haben sie vergessen abzuschließen, und dahinein will ich mit Euch gehen.« – »Hab' Dank,« sagte das Pferd, »es soll gut tun, noch einmal auf dem alten Hof zu schlafen. Das ist die einzige Freude, die es noch für mich auf dieser Welt gibt.«

Auf dem wohlhabenden Bauernhof, der dem Wirtshaus gegenüberlag, waren sie an diesem Abend viel länger aufgeblieben, als es sonst ihre Gewohnheit war.

Der Bauer war ein Mann von fünfunddreißig Jahren. Er war groß und stattlich mit einem schönen aber ziemlich finsteren Gesicht. Er war den ganzen Tag im Regen draußen gewesen und war naß geworden wie alle anderen, Und beim Abendbrot bat er seine alte Mutter, die noch Hausfrau auf dem Hof war, Feuer anzumachen, damit er seine Kleider trocknen könne. Und dann hatte die Mutter ein elendes kleines Feuer auf dem Herd angezündet, denn dort im Hause pflegten sie ja nicht verschwenderisch mit dem Brennmaterial umzugehen, und der Mann hängte seinen Rock über einen Stuhl, den er vor das Feuer stellte. Dann setzte er den einen Fuß auf den Herd und stützte den Arm auf das Knie, und so blieb er stehen und sah in das Feuer hinein. Da hatte er nun mehrere Stunden gestanden, ohne sich zu rühren, außer wenn er einmal ein Scheit Holz auf das Feuer warf.

Seine Mutter hatte den Tisch abgedeckt und sein Bett in Ordnung gebracht, und dann ging sie in die Kammer hinein und setzte sich hin. Von Zeit zu Zeit trat sie an die Tür und sah ihn verwundert an, der dort am Feuer stehen blieb und nicht zu Bett ging. »Es ist nichts, Mutter. Ich muß nur an alte Zeiten denken,« sagte er.

Die Sache war die, daß als er vorhin am Wirtshaus vorübergegangen war, ein Pferdehändler kam und fragte, ob er ein Pferd kaufen wolle. Er zeigte ihm eine alte Kracke, die so übel zugerichtet war, daß er nicht umhin konnte, den Mann zu fragen, ob er recht gescheit sei, daß er glaube, ihm so eine alte Mähre anschnacken zu können. »Ach, nein, aber ich dachte nur, daß Ihr, die Ihr das Pferd einmal besessen habt, vielleicht Lust hättet, ihm auf seine alten Tage das Gnadenbrot zu geben, denn das hat es wirklich verdient,« erwiderte der Pferdehändler. Er sah das Pferd an und erkannte es. Ja, das Pferd hatte er selbst aufgezogen und eingefahren. Aber deswegen konnte es ihm doch nicht einfallen, so ein altes, unbrauchbares Tier zu kaufen. Davon konnte keine Rede sein! Er gehörte nicht zu den Leuten, die ihr Geld zum Fenster hinauswerfen.

Aber trotzdem hatte der Anblick des Pferdes viele Erinnerungen in ihm wachgerufen, und zwar Erinnerungen, die ihn so wach hielten, daß er nicht zu Bett gehen konnte.

Ja, das Pferd war ein gutes und flottes Tier gewesen. Sein Vater hatte ihm seine Pflege von Anfang an übergeben. Er hatte es eingefahren und es mehr geliebt als irgend etwas auf der Welt. Sein Vater hatte darüber geklagt, daß er es zu gut füttere, und er hatte ihm oft heimlich Hafer geben müssen.

Solange er das Pferd hatte, wollte er nie zur Kirche gehen, sondern fuhr immer. Das geschah nur, um das Fohlen zu zeigen. Er selber war in eigengemachtem Anzug aus Beiderwand, und die Karre war einfach und ungemalt, aber das Pferd war das schönste Tier, das den Kirchenhügel hinanfuhr.

Einmal hatte er Mut gefaßt und mit seinem Vater davon gesprochen, daß er sich einen Tuchanzug kaufen und die Karre malen wolle. Der Vater war wie versteinert. Der Sohn glaubte, der Alte würde einen Schlaganfall bekommen. Später versuchte er, seinem Vater begreiflich zu machen, daß, wenn er ein so flottes Pferd fuhr, er selber auch ein wenig ordentlich aussehen müsse.

Der Vater erwiderte nichts, aber ein paar Tage darauf fuhr er nach Örebro und verkaufte das Pferd.

Das war grausam von dem Vater, aber er hatte offenbar gefürchtet, daß ihn das Pferd zu Eitelkeit und Verschwendung verlocken würde, und jetzt, so lange nachher, mußte er erkennen, daß der Vater recht gehabt hatte. So ein Pferd konnte wohl eine Versuchung werden. Damals aber hatte er es sich anfänglich sehr zu Herzen genommen. Er ging zuweilen nach Örebro, nur um an der Straßenecke zu stehen und das Pferd vorbeifahren zu sehen, oder auch um sich mit einem Stück Zucker zu ihm in den Stall zu schleichen.

»Wenn Vater stirbt und ich den Hof bekomme,« dachte er, »so soll das erste, was ich tue, sein, daß ich mein Pferd zurückkaufe.«

Nun war der Vater tot und der Hof hatte ihm schon ein paar Jahre gehört, aber er hatte nicht den geringsten Versuch gemacht, das Pferd zurückzukaufen. Er hatte seit langer Zeit nicht an das Tier gedacht – bis heute abend.

Es war sonderbar, daß er es so völlig hatte vergessen können. Aber sein Vater war ein sehr herrschsüchtiger und willensstarker Mann, und als er erwachsen war und sie beide immer zusammen arbeiteten, gewann der Vater große Macht über ihn. Schließlich fand er, daß alles, was der Vater tat, richtig war. Und als er den Hof bekam, bemühte er sich nur, vor allen Dingen so zu handeln, wie sein Vater gehandelt haben würde. Er wußte sehr wohl, daß die Leute sagten, sein Vater sei geizig, aber es war doch richtig, den Daumen auf den Beutel zu halten und das Geld nicht unnötig wegzuwerfen. Man durfte doch das anvertraute Gut nicht vergeuden. Es war besser, geizig genannt zu werden und einen schuldenfreien Hof zu haben, als sich mit Wechseln herumzuschlagen wie die anderen Hofbesitzer.

Es klang, als wenn sich jemand über seine Klugheit lustig machte, und er wollte schon zornig werden, als er entdeckte, daß das Ganze ein Irrtum war. Es hatte angefangen zu wehen, und hier hatte er gestanden und war so schläfrig geworden, daß er das Heulen des Windes im Schornstein für eine Menschenstimme hielt!

Er wandte sich um und sah nach der Stubenuhr, und die schlug im selben Augenblick elf tiefe Schläge. Schrecklich, wie spät es geworden war!

»Es wird wohl Zeit, daß du zu Bett kommst,« dachte er. Da fiel ihm ein, daß er noch nicht seine Runde über den Hof gemacht hatte, wie er das jeden Abend zu tun pflegte, um zu sehen, ob alle Türen und Luken geschlossen, und ob alle Lichter ausgelöscht waren. Das hatte er noch nie versäumt, seit er Herr auf dem Hof gewesen war. Schnell zog er den Rock an und ging in das Unwetter hinaus.

Er fand alles, wie es sein sollte, bis auf die Tür der leeren Scheune, die der Wind aufgerissen hatte. Er ging ins Haus, um den Schlüssel zu holen, verschloß die Scheune und steckte den Schlüssel in die Rocktasche. Dann ging er wieder in die Stube, zog den Rock aus und hängte ihn ans Feuer. Es war ein fürchterliches Wetter draußen mit dem schneidend kalten Wind und dem schneegemischten Regen. Und in dem Wetter stand sein altes Pferd draußen, ohne auch nur eine Decke über sich zu haben. Er hätte ihm doch wohl Obdach geben sollen, wo es doch hier in die Gegend gekommen war.

Drüben im Wirtshaus, dem Bauerhof gegenüber hörte der Junge eine alte Wanduhr mit gesprungenem Klang elf Schläge schlagen. Da war er gerade im Begriff das Vieh loszubinden, um es nach der Scheune auf dem Bauerhof zu bringen. Es währte eine Weile, bis er sie alle geweckt und aufgerichtet hatte, aber schließlich war das in Ordnung, und in einer langen Reihe, der Junge als Wegweiser voran, kamen sie auf den Hof des geizigen Bauern gezogen.

Während der Junge mit alledem beschäftigt war, hatte der Bauer die Runde über den Hof gemacht und die Scheune abgeschlossen, und als Niels nun mit den Tieren kam, war die Tür geschlossen. Er blieb ganz bestürzt stehen. Nein, er konnte sie nicht dastehen lassen. Er mußte ins Haus und sich den Schlüssel verschaffen.

»Sorge du dafür, daß sie ruhig sind, während ich den Schlüssel hole,« sagte er zu dem alten Pferd, und damit lief er davon.

Mitten auf dem Hof blieb er stehen und überlegte, wie er ins Haus kommen sollte. Während er dastand, sah er zwei kleine Fußgänger des Weges kommen und vor dem Wirtshaus stehen bleiben.

Er sah sofort, daß es zwei kleine Mädchen waren, und er lief näher an sie heran, in der Hoffnung, daß sie ihm vielleicht helfen könnten.

»So, Birte Marie,« sagte die eine, »nun mußt du nicht mehr weinen. Nun sind wir bei dem Wirtshaus. Hier werden wir schon Unterkunft finden.«

Kaum hatte das kleine Mädchen das gesagt, als der Junge ihr zurief: »Nein, es nützt nichts, daß ihr versucht, Unterkunft im Wirtshaus zu finden. Das ist ganz unmöglich. Aber hier im Bauerhaus haben sie keine Gäste. Da solltet ihr hingehen.«

Die kleinen Mädchen hörten die Worte ganz deutlich, aber sie konnten den, der sprach, nicht sehen. Sie wunderten sich aber nicht so sehr darüber, denn es war so stockdunkel. Die größte von ihnen antwortete sogleich: »Nein, da gehen wir nicht hin, denn die Leute, die da wohnen,

sind schlecht und geizig. Sie sind schuld daran, daß wir auf der Landstraße betteln gehen.«
»Das kann ja sein,« erwiderte der Junge, »aber ihr solltet doch hineingehen. Ihr werdet sehen, daß es geht.«
»Dann wollen wir es versuchen, aber du sollst sehen, wir kommen nicht einmal hinein,« sagten die beiden kleinen Mädchen und gingen nach dem Wohnhaus und klopften an.
Der Bauer stand noch vor dem Feuer und dachte an das Pferd, als es klopfte. Er ging hinaus, um zu sehen, was es sei und dachte dabei, er wolle sich nicht überreden lassen, irgendeinen, der des Weges kam, bei sich aufzunehmen. Aber gerade als er die Tür ein klein wenig öffnete, benutzte ein Windstoß die Gelegenheit. Er riß ihm die Tür aus der Hand und schlug sie gegen die Wand. Er mußte auf die Treppe hinaus, um die Tür zuzuziehen, und als er wieder in die Stube hineinkam, standen die beiden kleinen Mädchen schon da drinnen.
Es waren ein Paar arme Bettelkinder, zerlumpt und schmutzig und hungrig, ein Paar arme kleine Mädel, die jede einen Sack schleppten, der ebenso lang war wie sie selber.
»Wer läuft denn noch so spät in der Nacht auf der Landstraße herum?« fragte der Bauer mit strenger Stimme.
Die beiden Kinder antworteten nicht gleich, sondern stellten erst ihre Säcke hin. Dann gingen sie auf ihn zu und reichten ihm ihre kleinen Hände zum Gruß. »Wir sind Anna und Birte Marie aus Engärdet,« sagte die ältere, »und wir möchten gern um Unterkunft bitten.«
Er nahm die ausgestreckten Hände nicht und wollte eben die Bettelkinder zur Tür hinauswerfen, als wiederum eine Erinnerung in ihm aufstieg. Engärdet, war das nicht das kleine Haus, wo eine arme Witwe mit ihren fünf Kindern gewohnt hatte? Aber die Witwe schuldete seinem Vater einige hundert Kronen, und der Vater hatte ihr Haus verkauft, um zu seinem Gelde zu kommen. Die Witwe zog dann mit den ältesten Kindern nach Norrland, um Arbeit zu suchen, während die beiden jüngsten von der Armenordnung versorgt wurden.
Ihm war bitter zumute, als er sich dessen erinnerte. Er wußte, daß sein Vater viel Böses hatte hören müssen, weil er das Geld eingetrieben hatte, das ihm doch von Rechtswegen zukam.
»Was macht ihr denn jetzt?« fragte er die Kinder mit strenger Stimme. »Sorgt denn die Armenverwaltung nicht für euch? Warum lauft ihr herum und bettelt?«

»Dagegen können wir nichts machen,« antwortete das ältere von den Kindern. »Die Leute, bei denen wir wohnen, haben uns auf Betteln ausgeschickt.«
»Dann habt ihr ja auch eure Säcke voll und könnt euch über nichts beklagen,« sagte der Bauer. »Es wird wohl am besten sein, wenn ihr nun etwas von dem, was ihr da habt, herausholt und euch satt esset, denn hier ist nichts mehr zu bekommen. Alle die Frauenzimmer sind schon zu Bett gegangen. Und dann könnt ihr euch in die Ofenecke legen, so daß ihr nicht friert.«
Er machte eine Handbewegung, als wolle er sie von sich weisen, und seine Augen hatten fast einen harten Ausdruck. Er mußte ja froh sein, daß er einen Vater gehabt hatte, der sein Hab und Gut zusammenhielt. Sonst hätte er am Ende als kleiner Junge auch mit dem Bettelsack herumlaufen müssen so wie diese beiden.
Kaum hatte er den Gedanken ausgedacht, als die scharfe, spottende Stimme, die er heute abend schon einmal gehört hatte, ihn Wort für Wort wiederholte. Er lauschte und wußte sofort, daß es nichts war, nichts weiter als der Wind, der im Schornstein heulte. Aber das merkwürdige war, daß als der Wind die Worte wiederholte, sie ihm so sonderbar dumm und hart und falsch vorkamen.
Die Kinder hatten sich indessen nebeneinander auf den harten Fußboden hingelegt. Sie hatten noch keine Ruhe gefunden, sondern lagen da und murmelten.
»Schweigt still, hört ihr!« sagte er. Er war so gereizt, daß er sie gern hätte schlagen können.
Aber sie fuhren fort zu murmeln, obwohl er ihnen noch einmal zurief, daß sie still sein sollten.
»Als Mutter fortging,« sagte eine klare, kleine Stimme, »hat sie mir das Versprechen abgenommen, daß ich jeden Abend mein Abendgebet sprechen soll. Und das muß ich tun, und Birte Marie auch. Wenn wir ›Nun schließ ich meine Augen‹ gebetet haben, werden wir ganz still sein.«
Der Bauer saß da, ohne sich zu rühren, und hörte die Kleinen ihr Gebet sagen. Dann ging er auf und nieder, auf und nieder mit langen Schritten, und dabei rang er seine Hände, als sei er in großer Not.
Das Pferd abgearbeitet und zuschanden gemacht und diese beiden Kinder an den Bettelstab gebracht! Und beides das Werk seines Vaters! Was sein Vater tat, war am Ende doch nicht ganz richtig gewesen.

Er setzte sich auf einen Stuhl und stützte den Kopf in die Hände. Plötzlich begann es in seinem Gesicht zu zittern und zu beben, und Tränen traten ihm in die Augen. Er beeilte sich, sie abzutrocknen, aber es kamen neue Tränen, und er bekam genug damit zu tun, sie zu beseitigen. Aber es half alles nichts, es kamen immer mehr.
Nun öffnete die Mutter die Tür der Kammer, und er beeilte sich, den Stuhl so zu drehen, daß er ihr den Rücken zuwandte. Sie mußte aber doch etwas Ungewohntes bemerkt haben, denn sie blieb lange still hinter ihm stehen, als erwarte sie, daß er ihr etwas sagen werde. Aber dann fiel ihr ein, wie schwer es immer für einen Mann ist, über die Dinge zu reden, die ihm am meisten am Herzen liegen. Sie mußte wohl versuchen, ihm zu helfen.
Sie hatte von der Kammer aus gesehen, was in der Stube vor sich gegangen war, so daß sie nach nichts zu fragen brauchte. Ganz leise ging sie zu den schlafenden Kindern hin, nahm sie in ihre Arme und trug sie in ihr eigenes Bett in der Kammer. Darauf ging sie wieder zu dem Sohn hinaus.
»Hör einmal, Lars,« sagte sie und tat so, als sähe sie nicht, daß er weinte. »Die Kinder mußt du mir lassen.« – »Was sagst du da, Mutter?« fragte er und bemühte sich, seiner Tränen Herr zu werden. »Sie haben mir schon alle diese Jahre leid getan, seit dein Vater ihrer Mutter das Haus wegnahm. Und dir auch.« – »Hm.« – »Ich will sie hier behalten und ein Paar ordentliche Menschen aus ihnen machen. Sie sind zu gut, um herumzulaufen und zu betteln.«
Er konnte nicht antworten, denn jetzt stürzten ihm die Tränen aus den Augen, aber er nahm die alte Hand seiner Mutter und streichelte sie.
Dann aber fuhr er plötzlich auf, als fürchte er sich vor etwas. »Was würde Vater dazu sagen?« – »Vater hat seine Zeit gehabt, wo er befahl,« sagte die Mutter, »jetzt ist das an dir. Solange Vater lebte, mußten wir ihm gehorchen. Jetzt sollst du dich so zeigen, wie du bist.« – Der Sohn war so überrascht durch diese Worte, daß er zu weinen aufhörte. »Ich zeige mich doch so, wie ich bin,« sagte er. – »Nein,« erwiderte die Mutter, »das tust du nicht. Du gibst dir nur Mühe, deinem Vater ähnlich zu sein. Er hatte in kargen Zeiten gelebt, und das hatte ihm bange gemacht, daß er verarmen könne. Er hielt es für seine Pflicht, in erster Linie an sich selbst zu denken. Du aber hast nie etwas erlebt, was dich hart machen könnte. Du hast mehr, als du gebrauchst,

und es würde unnatürlich sein, wenn du nicht auch an andere denken wolltest.«

Der Junge war hinter den kleinen Mädchen in die Stube gegangen und hatte sich in einer dunklen Ecke versteckt. Es dauerte nicht lange, bis er den Schlüssel in der Rocktasche entdeckt hatte. »Wenn der Bauer nun die Kinder zur Tür hinausjagt, nehme ich den Schlüssel und laufe damit weg, dachte er.

Die Kinder wurden also nicht zur Tür hinausgejagt, und der Junge saß in seiner Ecke und es wollte ihm nichts einfallen, was er tun könne. Die Mutter sprach lange mit ihrem Sohn, und während sie sprach, versiegten die Tränen, und schließlich saß er mit einem so schönen Ausdruck im Gesicht da und sah so aus wie ein anderer Mensch. Und während der ganzen Zeit streichelte er die alte Hand.

»Nun müssen wir aber wohl zu Bett,« sagte die Alte, als sie sah, daß er sich wieder beruhigt hatte. – »Nein,« sagte er und erhob sich schnell, »ich kann noch nicht zu Bett gehen. Da ist noch ein Gast, dem ich über nacht Obdach gewähren muß.«

Mehr sagte er nicht, zog aber schnell den Rock über; zündete eine Laterne an und ging hinaus. Draußen herrschte noch derselbe Sturm und dieselbe Kälte, aber als er auf die Treppe hinauskam, summte er eine Melodie vor sich hin. Er dachte daran, ob das Pferd ihn wohl wieder erkennen würde, ob es sich wohl freuen würde, wieder in den alten Stall zu kommen.

Als er über den Hofplatz ging, hörte er, daß eine Tür offen stand und im Winde klapperte. »Das ist die Scheunentür, die wieder aufgeweht ist,« dachte er und ging hin, um sie zu schließen.

Einen Augenblick später stand er vor der Scheune und wollte gerade die Tür verschließen, als er meinte, etwas da drinnen pußeln zu hören. Der Junge hatte nämlich die Gelegenheit benutzt und war mit ihm zusammen hinausgegangen und gleich nach der Scheune gelaufen, wo die Tiere gestanden hatten. Aber sie standen nicht mehr draußen im Regen. Ein starker Windstoß hatte längst die Scheunentür wieder aufgerissen und ihnen ein Dach über dem Kopf verschafft. Das, was der Bauer pußeln hörte, war der Junge, der in der Scheune herumlief.

Nun leuchtete er mit der Laterne in die Scheune hinein und sah, daß da überall auf dem Boden schlafendes Vieh lag. Ein Mensch war nicht zu sehen. Die Tiere waren nicht angebunden, sondern hatten sich in das Stroh gelegt, wo sie dazu kommen konnten.

Er wurde zornig, als er alle diese ungebetenen Gäste sah, und fing an zu rufen und zu schelten, um die Schlafenden zu wecken und sie hinauszujagen. Aber die Tiere blieben liegen, ohne sich zu rühren, als wollten sie sich nicht stören lassen. Nur ein altes Pferd erhob sich und kam ganz still auf ihn zu.

Der Bauer verstummte plötzlich. Er erkannte das Pferd schon am Gange. Er ließ den Schein der Laterne auf das Pferd fallen, und es kam zu ihm heran und legte ihm den Kopf auf die Schulter.

Da streichelte der Bauer es zärtlich. »Mein altes Pferd! Mein altes Pferd!« sagte er. »Was haben sie dir getan? Ja, alter Junge, ich will dich zurückkaufen. Du sollst nie wieder fort von diesem Hof. Du sollst es so haben, wie du willst, alter Junge. Die andern, die du mitgenommen hast, können hier bleiben, aber du sollst mit mir in den Stall kommen. Nun kann ich dir so viel Hafer geben, wie du fressen kannst, ohne daß ich ihn mir heimlich zu nehmen brauche. Ganz zuschanden bist du am Ende noch nicht. Das schönste Pferd auf dem Kirchhügel, das sollst du noch einmal werden. So, so! So, so!«

XXIV. Der Eisbruch

Donnerstag, 28. April.

Am nächsten Tag war schönes Wetter und heller Sonnenschein. Es wehte freilich ein starker Westwind, aber darüber konnte man sich nur freuen, denn er trocknete die Wege, die von dem heftigen Regen des vorhergehenden Tages ganz aufgeweicht waren.

Früh am Morgen kamen die beiden Kinder aus Smaaland, das Gänsemädchen Aase und der kleine Mads die Landstraße gegangen, die von Sörmland nach Närke hineinführt. Der Weg ging an dem südlichen Ufer des Hjelmar entlang, und die Kinder betrachteten das Eis, das noch den größten Teil des Sees bedeckte. Die Morgensonne warf ihren hellen Schein auf das Eis, und es sah gar nicht so dunkel und unheimlich aus, wie sonst das Frühlingseis, sondern es schien weiß und verlockend. So weit sie darüber hin sehen konnten, lag es fest und trocken da. Das Regenwasser war schon in die Löcher und Spalten hineingelaufen oder auch von dem Eis selbst aufgesogen. Sie sahen nichts als die herrliche Eisfläche.

Das Gänsemädchen Aase und der kleine Mads waren auf der Wanderung gen Norden begriffen, und sie mußten unwillkürlich denken, wie viele Schritte ihnen erspart werden würden, wenn sie quer über den großen See gehen könnten, statt rund um ihn herumzuwandern. Sie wußten wohl, daß Frühlingseis heimtückisch ist, aber dies sah ja so vollkommen sicher aus. Sie konnten sehen, daß es drinnen am Lande mehrere Zoll dick war. Und sie sahen auch einen Weg, den sie verfolgen konnten, und das gegenüberliegende Ufer erschien so nah, daß sie in einer Stunde hinüber gelangen mußten.
»Komm, laß es uns versuchen!« sagte der kleine Mads. »Wenn wir nur achtgeben, daß wir nicht in eine Wake hineinplumpsen, so wird es schon gehen.«
Und damit begaben sie sich auf den See hinaus. Das Eis war nicht allzu glatt, es ging sich sehr angenehm darauf. Es stand freilich mehr Wasser darauf, als sie vom Wege aus hatten sehen können, und hier und da waren Blasen im Eis, wo das Wasser auf und nieder quoll. Vor den Stellen mußte man sich in acht nehmen, aber das war ja eine Kleinigkeit mitten am Tage in dem hellen Sonnenschein.
Es ging schnell und leicht vorwärts, und die Kinder sprachen von nichts weiter, als wie klug sie gewesen waren, übers Eis zu gehen, statt die aufgeweichte Landstraße zu verfolgen.
Als sie eine Strecke gegangen waren, kamen sie in die Nähe von Vinö. Da sah eine alte Frau sie von ihrem Fenster aus. Sie trat in die Tür hinaus, winkte ihnen und rief etwas, das sie nicht hören konnten. Sie verstanden sehr wohl, daß sie sie warnte, ihre Wanderung fortzusetzen. Aber sie, die selbst draußen auf dem Eis waren, konnten ja sehen, daß keine Gefahr vorlag. Es würde ja dumm sein, an Land zu gehen, wenn alles so vorzüglich ging.
Sie wanderten also an der Vinö vorüber und hatten nun eine meilenweite Eisfläche vor sich. Hier draußen war stellenweise so viel Wasser auf dem Eis, daß die Kinder große Umwege machen mußten. Aber das fanden sie nur ergötzlich. Sie wetteiferten, ausfindig zu machen, wo das Eis am besten war. Sie waren weder müde noch hungrig. Sie hatten den ganzen Tag vor sich, und sie lachten nur, wenn sie auf neue Hindernisse stießen.
Von Zeit zu Zeit sahen sie nach dem gegenüberliegenden Ufer hinüber. Es schien noch so weit weg, obwohl sie schon eine gute Stunde gegangen waren. Sie waren ein wenig erstaunt, daß der See so breit

war. »Es ist, als wenn das Ufer vor uns wegliefe,« sagte der kleine Mads.

Hier draußen war kein Schutz gegen den Westwind. Er wurde mit jedem Augenblick heftiger und hüllte sie so fest in ihre Kleider, daß es ihnen schwer wurde, sich zu bewegen. Der starke Wind war die erste wirkliche Unannehmlichkeit, die ihnen auf der Wanderung begegnet war.

Es wunderte sie, daß der Wind so merkwürdig stark dröhnte, als habe er den Lärm aus einer großen Mühle oder einer Fabrik mitgenommen. Aber so etwas gab es ja doch nicht da draußen auf der Eisfläche.

Sie waren westlich um die große Insel Valen herumgegangen, und nun meinten sie, merken zu können, daß sie sich dem nördlichen Ufer näherten. Gleichzeitig aber wurde der Wind heftiger, und das gewaltige Bullern, das ihn begleitete, nahm so stark zu, daß sie anfingen, unruhig zu werden.

Auf einmal kam ihnen der Gedanke, daß der Lärm, den sie hörten, von Wellen kommen könne, die schäumend und brausend gegen eine Küste schlugen, aber das war ja unmöglich, da der See noch mit Eis bedeckt war.

Trotzdem blieben sie stehen und sahen sich um. Ganz draußen, nach Westen zu, bei Björnö und Göcksholmsland gewahrten sie eine weiße Mauer, die quer über den See ging. Erst glaubten sie, es sei ein Schneerand, der an einem Wege entlang laufe, aber sie begriffen bald, daß es Schaum von Wellen war, die gegen das Eis schlugen.

Als sie das sahen, gaben sie sich die Hände und fingen an zu rennen, ohne ein Wort zu sagen. Der See war nach Westen zu offen, und sie glaubten sehen zu können, daß der Schaumrand schnell nach Osten zu vorrückte. Sie wußten nicht, ob das Eis im Begriff war, überall aufzubrechen, oder was geschehen könne. Aber sie fühlten, daß sie nun in Gefahr waren.

Plötzlich schien es ihnen, als höbe sich das Eis gerade an der Stelle, wo sie liefen, als höbe es sich und sinke wieder, als habe jemand von unten dagegen gestoßen. Dann hörten sie einen dumpfen Knall im Eis, und gleich bildeten sich nach allen Seiten Risse darin. Die Kinder konnten sehen, wie sie durch die Eiskruste liefen.

Nun wurde es einen Augenblick still auf dem Eis, dann aber spürten sie wieder dasselbe Heben und Senken. Nun begannen die Risse, sich zu Spalten zu erweitern, durch die man das Wasser hervorquellen sah.

Gleich darauf wurden die Spalte zu Rinnen, und die Eiskruste teilte sich in große Schollen.
»Aase,« sagte der kleine Mads. »Ich glaube, dies ist Eisbruch!«
»Ja, das ist es, kleiner Mads,« sagte Aase. »Aber wir können das Ufer noch erreichen. Laufe, so schnell du kannst.«
In der Tat hatten der Wind und die Wellen noch genug damit zu tun, das Eis von dem See zu entfernen. Die schwerste Arbeit war freilich getan, wenn erst die Eiskruste zerbrochen war, aber alle die Stücke sollten wieder geteilt und gegeneinander geworfen und zertrümmert und zerrieben und aufgelöst werden. Es war noch eine Menge hartes, festes Eis vorhanden, das große, ganze Schollen bildete.
Die größte Gefahr für die Kinder aber war, daß sie keinen Überblick über das Eis hatten. Sie vermochten nicht zu sehen, wo die Spalte so breit waren, daß sie nicht darüber hingelangen konnten. Sie wußten nicht, wo sie die großer Eisschollen finden sollten, die sie tragen konnten. Daher wankten sie aufs Geratewohl hin und her. Sie kamen weiter auf den See hinaus, statt sich dem Ufer zu nähern. Sie wußten nicht aus noch ein da draußen auf dem berstenden Eis, und sie waren so bange, daß sie schließlich stehen blieben und weinten.
Da kam eine Schar wilder Gänse in gestrecktem Flug über ihren Köpfen daher. Sie schrien laut und stark, und das Sonderbare war, daß die Kinder deutlich die Worte hörten: »Ihr müßt nach rechts gehen, nach rechts, nach rechts!«
Sie setzten sofort ihre Wanderung fort, den Rat befolgend. Aber es währte nicht lange, da standen sie wieder zögernd vor einem breiten Spalt.
Wieder hörten sie die Gänse über ihren Köpfen schreien, und aus ihrem Gegacker konnten sie einige Worte unterscheiden: »Bleibt, wo ihr seid! Bleibt, wo ihr seid! Bleibt, wo ihr seid!«
Die Kinder sprachen kein Wort miteinander über das, was sie hörten, aber sie gehorchten und standen still. Nach einer Weile glitten die Eisschollen zusammen, und sie konnten über den Spalt gelangen. Dann gaben sie sich wieder die Hände und liefen weiter.
Sie ängstigten sich nicht nur vor der Gefahr, sondern auch vor der Hilfe, die ihnen zuteil wurde.
Bald standen sie wieder still und besannen sich, aber sofort hörten sie eine Stimme von oben aus der Luft: »Geradeaus! Geradeaus! Geradeaus!« sagte die Stimme.

So ging es ungefähr eine halbe Stunde weiter, da aber hatten sie die lange Lungarsodde erreicht und konnten das Eis verlassen und an Land waten. Es war deutlich zu sehen, wie bange sie gewesen waren, denn als sie an Land gekommen waren, blieben sie nicht einmal stehen, um sich den See anzusehen, auf dem die Wellen jetzt immer gewaltsamer mit den Eisblöcken herumtummelten, sondern sie eilten nur weiter. Aber als sie eine Strecke auf die Landzunge hinaufgekommen waren, stand Aase plötzlich still. »Warte mal, kleiner Mads,« sagte sie, »ich habe etwas vergessen.

Und sie ging wieder hinab an den See. Dort begann sie in ihrem Beutel zu wühlen und zog schließlich einen kleinen Holzschuh heraus. Den stellte sie auf einen Stein, wo man ihn ganz deutlich sehen konnte, und dann kehrte sie zu Mads zurück, ohne sich noch einmal umzuwenden. Kaum aber hatte sie dem See den Rücken gekehrt, als eine große, weiße Gans wie ein Blitz aus der Luft herunterschoß, den Holzschuh ergatterte und mit derselben Eile wieder in die Luft hinaufschoß.

XXV. Die Erbteilung

Donnerstag, 28. April.

Als die Wildgänse dem Gänsemädchen Aase und dem kleinen Mads über den Hjelmarn geholfen hatten, flogen sie geradewegs gen Norden bis sie nach Vestmanland hineingelangten. Dort ließen sie sich auf einem der großen Felder im Fellingsbroer Kirchspiel nieder, um auszuruhen und zu fressen.

Niels Holgersen war auch hungrig, schaute aber vergeblich nach etwas Eßbarem aus. Während er dastand und sich nach allen Seiten umsah, entdeckte er auf dem benachbarten Felde ein Paar Männer, die pflügten. Plötzlich ließen sie die Pflüge stehen und setzten sich hin, um Frühstück zu essen. Der Junge lief hinter ihnen drein und schlich sich hinter die beiden Männer. Es war ja nicht unmöglich, daß er einige Brotkrumen oder eine Kruste finden würde, wenn sie fertig waren.

An dem Felde entlang ging ein Weg, und auf dem kam ein alter Mann gegangen. Als er die beiden Pflüger sah, blieb er stehen, kroch über den Zaun und ging zu ihnen heran. »Ich wollte auch gerade frühstücken,« sagte er, nahm seinen Ranzen ab und holte Brot und

Butter heraus. »Es ist schön, daß ich nicht allein am Grabenrande zu sitzen brauche,« fuhr er fort. Und dann geriet er in Unterhaltung mit den beiden Pflügern, und sie erfuhren bald, daß er ein Grubenarbeiter aus Norberg war. Jetzt arbeitete er nicht mehr. Er war zu alt, um auf den Grubenleitern auf und nieder zu klettern, aber er wohnte noch in einem Häuschen in der Nähe der Grube. Er hatte eine Tochter in Fellingsbro verheiratet; die hatte er eben besucht, und sie wollte, daß er zu ihr ziehen sollte, aber dazu konnte er sich nicht entschließen.
»Ihr findet also, daß es hier nicht schön ist wie in Norberg?« fragten die Bauern mit einem Lächeln, denn sie wußten ja, daß Fellingsbro eines der größten und reichsten Kirchspiele in der Gegend ist.
»Wie könnte ich es wohl ertragen, in so einer Ebene zu wohnen,« sagte der Alte und machte eine abwehrende Handbewegung, als sei das etwas ganz Undenkbares. Und dann fingen sie in aller Freundschaft an, sich darüber zu streiten, wo in Vestmanland es am schönsten zu wohnen sei. Der eine von den Landleuten war in Fellingsbro geboren und er redete der Ebene das Wort, der andere aber war aus der Vesteraaser Gegend, und er fand, daß die Ufer des Mälars mit ihren bewaldeten Inseln und schönen Landzungen der beste Teil der Gegend sei. Der Alte wollte sich aber nicht überzeugen lassen, und um es ihnen einleuchtend zu machen, daß er recht habe, bat er, ob er ihnen nicht eine Geschichte erzählen dürfe, die er in seiner Jugend von alten Leuten gehört hatte: »Hier in Vestmanland wohnte vor langen Jahren eine alte Frau aus dem Riesengeschlecht; sie war so reich, daß die ganze Gegend ihr gehörte. Sie hatte alles, war ihr Herz nur begehren konnte, und doch lebte sie in großer Sorge, denn sie wußte nicht, wie sie ihren Besitz unter ihre drei Söhne teilen sollte.
Die Sache war die, daß sie sich nicht soviel aus den beiden ältesten Söhnen machte, der jüngste aber war ihr Augapfel. Sie gönnte ihm das beste Erbteil, aber gleichzeitig fürchtete sie, daß Unfriede zwischen ihm und seinen Brüdern entstehen könne, wenn sie entdeckten, daß sie nicht gleichmäßig zwischen ihnen geteilt hatte.
Und dann eines Tages fühlte sie, daß sie dem Tode so nahe war, daß sie keine Zeit mehr hatte, sich länger zu bedenken. Da rief sie alle ihre drei Söhne zu sich und sprach mit ihnen über die Erbschaft.
»Nun habe ich meinen ganzen Besitz in drei Teile geteilt, zwischen denen ihr wählen könnt,« sagte sie. »Zu dem einen Teil habe ich alle meine Eichenhügel und bewaldeten Inseln und blühenden Wiesen

gelegt, und das alles habe ich um den Mälar herum vereint. Wer das Teil wählt, bekommt gute Weide für Schafe und Kühe auf den Strandwiesen und auf den Inseln kann er sich Laub zu Winterfutter holen, wenn er dort nicht Gärtnerei betreiben will. Eine Menge Buchten schneiden dort in das Land ein, so daß da gute Gelegenheit zu Frachtfahrt und allerlei Verkehr ist. Wo die Bäche in den See münden, bekommt er gute Hafenplätze, so daß ich glaube, es werden sich dort auf seinem Gebiet Städte und Dörfer erheben. Und auch an Ackerland wird es ihm nicht fehlen, obwohl das Land so zerstreut liegt. Es ist nur gut, daß seine Söhne sich von Anfang daran gewöhnen, von einer Insel zur anderen zu ziehen, denn das wird sie zu guten Seeleuten machen, die nach fremden Ländern fahren und Reichtümer heimbringen werden. Ja, das war das erste Teil. Was sagt ihr dazu?«

Alle Söhne waren sich einig darin, daß dies Teil ausgezeichnet sei und daß, wer es erhielte, sich glücklich preisen könne.

»Ja, an dem Teil ist nichts auszusetzen,« sagte die alte Riesenfrau, »und auch das zweite ist nicht übel. Darin habe ich alles das vereint, was ich an ebenem Erdboden und freiem Felde besitze und habe es von der Mälargend bis nach Dalarna hinaufgelegt. Wer das Teil wählt, wird es, glaube ich, nicht bereuen. Er kann so viel Korn bauen, wie er will und sich große Häuser bauen, und weder er noch seine Nachkommen brauchen sich auch nur eine Stunde Sorge um ihr Auskommen zu machen. Damit die Ebene nicht sumpfig wird, habe ich große Gräben quer durch sie hindurchgezogen, und darin ist hier und da ein Wasserfall, an dem Mühlen und Hammerwerke gebaut werden können. Und an den Gräben entlang habe ich Kieshügel aufgetragen, auf denen Wald zu Brennholz wachsen kann. Ja, das ist das zweite Teil, und ich meine, wer das bekommt, hat allen Grund, zufrieden zu sein.«

Darin stimmten alle drei Söhne mit ihr überein, und sie dankten ihr, daß sie es so gut für sie geordnet hatte.

»Ich habe es gern so gut wie möglich machen wollen,« sagte die Alte, »aber nun komme ich zu dem, was mir am meisten Sorge bereitet hat. Denn, seht ihr, als ich alle meine Haine und Weiden für das eine Teil genommen hatte und die frisch bestellten Gegenden für das andere, entdeckte ich, daß ich in meinem Besitz nur noch Fichtenhügel und Tannenwälder und Bergrücken und Felsenufer und Granitklippen und magere Wacholdergestrüppe und elende Birkengehölze und kleine Seen hatte. Und daß sich dazu niemand von euch freuen würde, konnte ich ja begreifen. Trotzdem habe ich all den Plunder zusammengesammelt und ihn hier nördlich und westlich von der Ebene hingelegt. Aber ich fürchte, daß der, der dies Teil wählt, nichts weiter als Armut zu erwarten hat. Schafe und Ziegen werden den ganzen Viehbestand bilden, den er halten kann, und er wird wohl auf die See hinausgehen müssen, um zu fischen oder in den Wald auf Jagd, um sich Nahrung zu schaffen. Da sind freilich eine Menge Gießbäche und Wasserfälle, so daß sich da vielleicht so viele Mühlen bauen ließen, wie er Lust hat, aber ich fürchte, er wird nicht viel anderes als Baumrinde darauf zu mahlen haben. Und sehr beschwerlich bekommt er es mit Wölfen und Bären, denn die werden sicher in der Wildnis hausen. Ja, das ist das dritte Teil. Ich weiß wohl, daß es nicht mit den anderen verglichen werden kann, und wäre ich nicht so alt, so würde ich die Teilung noch einmal vornehmen, aber das ist unmöglich. Und nun habe ich keine Ruhe in meiner letzten Stunde, weil ich nicht weiß, wem von euch ich das geringste Teil geben soll. Ihr seid alle drei gute Söhne gewesen, und es ist schwer, ungerecht gegen einen von euch zu sein.«

Nachdem die alte Riesenfrau sie mit dem Stand der Dinge vertraut gemacht hatte, sah sie die Söhne bekümmert an. Diesmal sagten sie nicht, so wie früher, daß sie gerecht geteilt und gut für sie gesorgt habe. Sie standen stumm da, und es war leicht zu sehen, daß derjenige von ihnen, der das letzte Teil bekam, unzufrieden sein würde.

Ja, da lag die alte Mutter und war voller Sorgen, und die Söhne konnten sehen, daß sie alle Qualen des Todes schon im voraus kostete, weil sie das Erbe unter sie verteilen mußte und nicht wußte, wen von den Söhnen sie unglücklich machen sollte, indem sie ihm das geringste Teil zusprach.

Der jüngste aber liebte seine Mutter am innigsten, und er konnte es nicht ertragen, zu sehen, wie sie sich quälte. Er sagte: »Ihr sollt Euch um dieser Sache willen keine Sorge mehr machen, Mutter! Legt Euch nur hin und sterbt in Frieden! Das schlechte Teil könnt Ihr mir schenken. Ich werde mir Mühe geben, mich redlich darauf durchzuschlagen, und wie es auch gehen mag, ich werde Euch nicht zürnen, weil die anderen es besser haben als ich.«

Sobald er das gesagt hatte, wurde die Mutter ruhig und sie dankte ihm und lobte ihn. Die anderen Teile zu bestimmen, machte ihr keine Schwierigkeiten, denn sie waren fast gleich gut.

Als alles geordnet war, dankte die Alte dem jüngsten Sohn noch einmal und sagte, sie habe erwartet, daß gerade er ihr helfen werde. Und sie bat ihn, wenn er in seine Wildnis hinaufkomme, der großen Liebe zu gedenken, die sie für ihn gehegt hatte.

Damit schloß sie ihre Augen und starb, und als die Brüder sie in die Erde gebettet hatten, gingen sie alle drei hin, um ihr Besitztum anzusehen. Und die beiden ältesten konnten ja nur froh und zufrieden sein.

Der dritte ging in seine Wildnis hinauf, und er sah, daß die Mutter wahr geredet hatte, und daß sein Besitz in der Hauptsache aus Bergabhängen und kleinen Seen bestand. Aber er konnte deutlich erkennen, daß die Mutter mit Liebe seiner gedacht, als sie dies Teil für ihn zurechtlegte, denn obwohl sie nichts weiter als Plunder übrig gehabt hatte, war es doch so geordnet, daß man sich kein schöneres Land denken konnte. Stellenweise war es rauh und wild, schön war es aber trotzdem. Es tat ihm wohl, das zu sehen, aber froh war er doch nicht.

Nach und nach aber bemerkte er, daß der Felsgrund hier und da ein wunderliches Aussehen hatte. Und als er genauer zusah, entdeckte er, daß er fast überall mit Erzadern durchwachsen war. Es war hauptsächlich Eisen, aber es fand sich auch reichlich Kupfer und Silber dort oben auf seinem Besitz. Er ahnte, daß er größere Reichtümer bekommen hatte, als einer der Brüder, und allmählich wurde es ihm klar, daß seine alte Mutter doch eine Absicht mit der Erbteilung gehabt hatte.

XXVI. Im Bergwerkdistrikt

Donnerstag, 28. April.

Die wilden Gänse hatten eine beschwerliche Reise. Es war ihre Absicht gewesen, gleich nordwärts über Westmanland zu fliegen, sobald sie ihr Frühstück auf den Feldern von Fellingbro verzehrt hatten, aber der Westwind nahm an Stärke zu und verschlug sie statt dessen nach Osten, ganz hinauf an die Grenze von Uppland.

Sie flogen hoch oben, und der Wind jagte sie in gewaltiger Fahrt vor sich her. Der Junge saß da und guckte hinab, um sich einen Begriff davon zu machen, wie es in Westmanland aussah, aber er konnte nichts recht unterscheiden. Er sah wohl, daß es hier in dem östlichen Teil der Landschaft flach und niedrig war, aber er konnte nicht begreifen, was für Furchen und Striche es waren, die von Norden nach Süden quer über die Ebene liefen. Es sah höchst sonderbar aus, denn alle Streifen liefen fast ganz gerade und mit gleich großem Zwischenraum.

»Dies Land ist ganz so gestreift wie die Schürze meiner Mutter,« sagte der Junge. »Ich möchte wohl wissen, was für Streifen das sind, die quer über das Ganze hinlaufen.«

»Bäche und Bergrücken, Wege und Eisenbahnen,« antworteten die Wildgänse. »Bäche und Bergrücken, Wege und Eisenbahnen.«

Und es verhielt sich wirklich so, denn als die Gänse gen Osten getrieben wurden, flogen sie zuerst über den Hedeström, der zwischen zwei Bergrücken dahinläuft und eine Eisenbahn an der Seite hat. Und dann kamen sie an den Kolbäckaa, der eine Eisenbahn an der einen Seite hat und an der anderen einen Bergrücken mit einer Landstraße. Darauf stießen sie auf den Svartaa; an dem laufen auch Bergrücken und Landwege entlang, dann auf den Lilleaa mit dem Badelundaas und schließlich auf den Sagaa, der an seinem rechten Ufer sowohl Landstraße als auch Eisenbahn hat.

»Nie habe ich so viele Wege gesehen, die alle von der einen Seite kommen,« dachte der Junge. »Da müssen viele Waren sein, die von Norden her hier durch das Land geführt werden sollen.«

Doch fand er, daß das sonderbar war, denn er glaubte, daß es nördlich von Westmanland gleichsam mit Schweden aus sei. Was noch vom Lande übrig war, könne wohl kaum etwas anderes sein als Wald und Wildnis, dachte er.

Als der Wind die Wildgänse ganz bis an den Sagaa hinübergetrieben hatte, wurde es Akka offenbar klar, daß sie ganz anders wohin gekommen waren, als sie beabsichtigt hatte, denn hier machte sie mit ihrer Schar kehrt und begann, sich in starkem, widrigem Wind nach Westen zurückzukämpfen, Sie flogen also noch einmal über die gestreifte Ebene und setzten dann den Weg nach dem westlichen Teil der Landschaft fort, der aus waldreichem Hügelland bestand.

Solange der Junge über der Ebene flog, saß er über den Hals der Gans gebeugt da und sah hinab, als aber die Ebene aufhörte und er sah, daß große Waldgegenden vor ihm lagen, richtete er sich auf und dachte, jetzt wolle er seine Augen ausruhen, denn dort, wo die Erde von Wald bedeckt war, lohnte es sich selten, Ausguck zu halten.

Als sie eine Weile über waldbedeckte Bergrücken und kleine Seen dahingeflogen waren, hörte der Junge unten auf der Erde etwas, das gleichsam winselte und klagte.
Da war er ja gezwungen, sich vornüber zu beugen und hinabzusehen. Die Wildgänse flogen jetzt nicht gerade schnell, da sie gegen den Wind ankämpften, so konnte er denn das Land unter sich ganz deutlich sehen. Das erste, was er entdeckte, war ein großes Loch, das gerade in die Erde hineinging. Über dem Loch war ein Hebewerk aus dicken Balken errichtet, und das Hebewerk holte gerade in diesem Augenblick unter Kreischen und Winseln eine Tonne herauf, die mit Steinen angefüllt war. Ringsumher lagen große Steinhaufen, eine Dampfmaschine stand in einem Schuppen und schnob, Frauen und Kinder saßen in einem Rundkreis an der Erde und suchten Steine aus, auf einer schmalen Pferdebahn rollten einige mit grauen Steinblöcken beladene Wagen dahin, und am Waldessaum lagen kleine Arbeiterwohnungen.
Der Junge konnte nicht begreifen, was das alles war, und er rief aus vollem Halse hinab: »Was für ein Ort ist das, wo sie so viele Feldsteine aus der Erde herausholen?«
»Hör' doch nur einer den Dummkopf! Hör' doch nur einer den Dummkopf!« zwitscherten die Spatzen, die an dem Ort beheimatet waren und gut Bescheid wußten. »Er kennt keinen Unterschied zwischen Feldsteinen und Eisenerz!«
Da begriff der Junge, daß das, was er sah, eine Grube war. Er war ein wenig enttäuscht, denn er hatte gedacht, eine Grube müsse auf einem hohen Berg liegen, diese aber lag auf der flachen Erde zwischen zwei Bergrücken.
Bald ließen sie sie hinter sich, und der Junge saß wieder da und starrte geradeaus, denn die tannenbewaldeten Bergrücken und die Birkenhaine, die unter ihm lagen, meinte er schon so häufig gesehen zu haben. Da merkte er, daß eine starke Wärme von der Erde zu ihm hinaufschlug, und sogleich mußte er hinabgucken, um zu sehen, woher sie kam.
Unter ihm lagen große Haufen aus Kohle und Erz, und mitten dazwischen stand ein hohes, achteckiges, rotgestrichenes Gebäude, das ein helles Flammenbündel zum Himmel emporsandte.
Anfänglich glaubte der Junge, daß es eine Feuersbrunst sei, da aber sah er, daß die Leute da unten ganz ruhig umhergingen, ohne sich auch nur

das geringste um das Feuer zu kümmern, und nun konnte er nicht begreifen, wie das zusammenhing.
»Was für ein Ort ist dies, wo sich niemand darum kümmert, daß ein Haus in hellen Flammen steht?« rief der Junge hinab.
»So ein Feigling! hat Angst vor dem Feuer!« zwitscherten die Buchfinken, die am Waldessaum wohnten und von allem, was sich in der Nachbarschaft zutrug, genau Bescheid wußten. »Er weiß nicht, wie das Eisen aus dem Erz herausgeschmolzen wird. Er kennt nicht den Unterschied zwischen dem Feuer aus einem Schmelzofen und einer Feuersbrunst!«
Bald ließen sie den Schmelzofen hinter sich, und wieder saß der Junge da und sah gerade vor sich hin, denn er glaubte, daß in dieser Waldgegend nicht viel zu sehen sei. Aber sie waren noch nicht weit geflogen, als er unten von der Erde einen fürchterlichen Lärm und Spektakel aufsteigen hörte.
Als er hinabsah, erblickte er erst einen kleinen Bach, der mit starkem Gefälle eine Bergwand hinabstürzte. Neben dem Wasserfall lag ein großes Gebäude mit schwarzem Dach und hohem Schornstein, der einen dicken, mit Funken vermischten Rauch entsandte. Vor dem Gebäude lagen Eisenklumpen und Eisenstangen und ganze Berge von Kohlen. Die Erde war in weitem Umkreis schwarz, und nach allen Seiten gingen schwarze Wege. Aus dem Gebäude ertönte ein unbeschreiblicher Lärm. Es bullerte und prustete. Es klang, als wenn jemand mit starken Schlägen versuchte, sich gegen ein fauchendes, wildes Tier zu verteidigen. Aber das Sonderbare war, daß niemand sich darum kümmerte, was da vor sich ging. Eine Strecke weiter lagen Arbeiterwohnungen unter grünen Bäumen, und noch ein wenig weiter ragte ein großes, weißes Herrenhaus auf. Aber vor den Arbeiterwohnungen spielten die Kinder ganz ruhig, und in der Allee, die zu dem Herrenhaus hinaufführte, gingen Leute in höchster Gemütsruhe.
»Was für ein Ort ist dies, wo sich niemand darum kümmert, daß die da im Hause einander totschlagen?« rief der Junge auf die Erde hinab.
»Hak, ak, ak! Weiß der aber gut Bescheid! Hak, ak, ak!« schnatterte eine Elster. »Da wird niemand in Stücke zerrissen. Es ist das Eisen, das siedet und sprüht, wenn es unter den Hammer gelegt wird.«

Bald ließen sie das Eisenwerk hinter sich, und der Junge saß wieder da und sah geradeaus, denn er dachte, hier in der Waldgegend könne nicht viel zu sehen sein.

Als sie eine Weile geflogen waren, hörte er eine Glocke läuten, und er mußte noch einmal hinabgucken, um zu sehen, woher der Ton kam.

Da sah er unter sich einen Bauerhof, wie er nie etwas Ähnliches gesehen hatte. Das Wohnhaus war ein langes, rotgestrichenes, einstöckiges Gebäude, und es war nicht so übermäßig groß, aber was ihn in Erstaunen versetzte, das waren alle die großen, gutgebauten Wirtschaftsgebäude, die es umgaben. Der Junge wußte ungefähr, wie viele Wirtschaftsgebäude zu einem Hofe gehören, aber hier hatten sie offenbar das Doppelte oder Dreidoppelte von allem. So einen Überfluß von Gebäuden hatte er sich nicht träumen lassen. Und er konnte auch nicht begreifen, was darin aufgehoben werden sollte, denn da waren fast gar keine Felder in der Nähe des Hofes. Er sah einige kleine Felder drinnen im Walde, aber teils waren sie so klein, daß er sie kaum Felder nennen würde, teils war schon auf einem jeden eine Scheune, um aufzunehmen, was da geerntet werden konnte.

Auf dem Stalldach hing die Essenglocke unter einer Kapuze, und die hatte geläutet. Der Hausherr ging mit seinen Knechten in die Küche, und der Junge sah, daß er viele und gutgewachsene Leute hatte.

»Was für Leute sind das, die solche große Gehöfte mitten in den Wald bauen, wo gar keine Felder sind?« rief der Junge auf die Erde hinab.

Der Hahn stolzierte auf dem Misthaufen und blieb ihm die Antwort nicht schuldig.

»Alter Bergmannshof. Alter Bergmannshof,« krähte er. »Die Felder liegen unter der Erde! die Felder liegen unter der Erde!«

Jetzt wurde es dem Jungen klar, daß es keine gewöhnliche Waldgegend war, über die man hinwegfliegen konnte, ohne sie zu beachten. Wälder und Berge waren da freilich überall, aber es lagen eine unglaubliche Menge von sonderbaren Orten darin versteckt.

Da waren Grubenfelder, wo die Hebebäume kurz davor waren umzufallen, und wo die Erde von Grubenlöchern durchbohrt war, und da waren Grubenfelder, wo noch immer gearbeitet wurde, wo man die dumpfen Sprengschüsse bis zu den Wildgänsen hinauf hören konnte, und wo ganze Städte und Arbeiterwohnungen aus dem Waldessaum auftauchten. Da waren alte, verlassene Schmieden, wo der Junge durch das zusammengestürzte Dach auf mächtige, eisenbeschlagene

Hammerschäfte und plump gemauerte Öfen hinabsehen konnte, und da waren große, neuangelegte Eisenwerke, wo gearbeitet und gehämmert wurde, daß die Erde erbebte. Da waren kleine Städte mitten in der Wildnis; sie lagen ganz still und sahen so aus, als wüßten sie nichts von dem Lärm ringsumher. Da gingen Drahtbahnen durch die Luft, an denen erzbeladene Körbe lautlos entlang glitten. In allen Gießbächen schnurrten Räder, elektrische Leitungen liefen durch den stummen Wald, und endlos lange Eisenbahnzüge kamen mit sechzig, siebzig Wagen dahergerollt, die bald mit Erz und Kohlen, bald mit Eisenstangen, Eisenplatten und Stahldraht beladen waren.

Als der Junge eine Weile still dagesessen und das alles betrachtet hatte, konnte er sich nicht länger ruhig verhalten. »Wie heißt doch nur dies Land, wo nichts weiter wächst als Eisen?« fragte er, obwohl er wußte, daß die Vögel unten auf der Erde sich über ihn lustig machen würden. Da fuhr eine alte Eule, die in einer verlassenen Schmelzhütte saß und schlief, aus ihrem Schlaf auf. Sie streckte ihren runden Kopf aus und rief mit ihrer unheimlichen Stimme: »Uhu, uhu, uhu! Dies Land heißt Bergwerkdistrikt! Wüchse hier kein Eisen, so wohnte hier heutigentags niemand als Eulen und Bären.«

Ende des ersten Bandes.

Titelliste Taschenbuch-Literatur-Klassiker

Bd. 1 *Abenteuer und Fahrten des Huckleberry Finn*, Mark Twain, Bd. 2 *Andersens Märchen*, Hans Christian Andersen, Bd. 3 *Anton Reiser*, Karl Philipp Moritz, Bd. 4 *Aus dem Leben eines Taugenichts*, Joseph Freiherr v. Eichendorff, Bd. 5 *Bahnwärter Thiel*, Gerhard Hauptmann, Bd. 6 *Bambi Eine Lebensgeschichte aus dem Walde*, Felix Salten, Bd. 7 *Bauern, Bonzen und Bomben*, Hans Fallada, Bd. 8 *Bel Ami*, Guy de Maupassant, Bd. 9 *Bergkristall*, Adalbert Stifter, Bd. 10 *Candide oder der Optimismus*, Voltaire, Bd. 11 *Caspar Hauser oder Die Trägheit des Herzens*, Jakob Wassermann, Bd. 12 *Dantons Tod*, Georg Büchner, Bd. 13 *Das Bildnis des Dorian Grey*, Oscar Wilde, Bd. 14 *Das Dschungelbuch*, Rudyard Kipling, Bd. 15 *Das Fräulein von Scuderi*, ETA Hoffmann, Bd. 16 *Das Gemeindekind*, Marie v. Ebner-Eschenbach, Bd. 17 *Das Heptameron, Margarete v. Navarra*, Bd. 18 *Märchenbriefbuch der heiligen Nächte*, Max Dauphtendey, Bd. 19 *Das Marmorbild*, Joseph v. Eichendorff, Bd. 20 *Das Schloss*, Franz Kafka, Bd. 21 *Das Urteil*, Franz Kafka, Bd. 22 *David Copperfield*, Charles Dickens, Bd. 23 *Der abenteuerliche Simplizissimus*, Grimmelshausen, Bd. 24 *Der arme Spielmann*, Franz Grillparzer, Bd. 25 *Der eingebildete Kranke*, Moliere, Bd. 26 *Der ewige Spießer*, Ödön v. Horváth, Bd. 27 *Der Fürst*, Nocolò Machiavelli, Bd. 28 *Der Glöckner von Notre Dame*, Victor Hugo, Bd. 29 *Der goldene Esel, Apuleius, Bd. 30 Der goldene Topf*, ETA Hoffmann, Bd. 31 *Der Graf von Monte Christo*, Alexandre Dumas, Bd. 32 *Der grüne Heinrich*, Gottfried Keller, Bd. 33 *Der kleine Häwelmann und andere Märchen*, Theodor Storm, Bd. 34 *Der kleine Lord*, Frances Hodgson Burnett, Bd. 35 *Der letzte Mohikaner*, James Fenimore Cooper, Bd. 36 *Der Prozess*, Franz Kafka, Bd. 37 *Der Sandmann*, ETA Hoffmann, Bd. 38 *Der Schimmelreiter*, Theodor Storm, Bd. 39 *Der Schuss von der Kanzel*, Conrad Ferdinand Meyer, Bd. 40 *Der Seewolf*, Jack London, Bd. 41 *Der seltsame Fall des Dr. Jekyll und Mr. Hyde*, Robert Louis Stevenson, Bd. 42 *Der Stechlin*, Theodor Fontane, Bd. 43 *Der Sturmheidhof (Sturmhöhe)*, Emily Brontë, Bd. 44 *Der Tor und der Tod*, Hugo v. Hofmannsthal, Bd. 45 *Der Weg ins Freie*, Arthur Schnitzler, Bd. 46 *Der zerbrochene Krug*, Heinrich v. Kleist, Bd. 47 *Deutsches Märchenbuch*, Ludwig Bechstein, Bd. 48 *Deutschland. Ein Wintermärchen*, Heinrich Heine, Bd. 49 *Die Abenteuer der sieben Schwaben*, Ludwig Aurbacher, Bd. 50 *Die Burg von Otranto*, Horace Walpole, Bd. 51 *Die drei Musketiere*, Alexandre Dumas, Bd. 52 *Die Elixiere des Teufels*, ETA Hoffmann, Bd. 53 *Die Geschichte meines Lebens*, Georg Ebers, Bd. 54 *Die Insel Felsenburg*, Johann Gottfried Schnabel, Bd. 55 *Die Judenbuche*, Annette v. Droste-Hülshoff, Bd 56. *Die Kameliendame*, Alexandre Dumas, Bd. 57 *Die Kartause von Parma*, Stendhal, Bd. 58 *Die Kreutzersonate*, Lew Tolstoi, Bd. 59 *Die Leiden des jungen Werther*, Johann Wolfgang v. Goethe, Bd. 60 *Die Leute von Seldvyla I*, Gottfried Keller, Bd. 61 *Die Leute von Seldvyla II*, Gottfried Keller, Bd. 62 *Die Marquise*, George Sand, Bd. 63 *Die Marquise von O.*, Heinrich v. Kleist, Bd. 64 *Die Memoiren der Fanny Hill*, John Cleland, Bd. 65 *Die Ratten*, Gerhard Hauptmann, Bd. 66 *Die Räuber*, Friedrich v. Schiller, Bd. 67 *Die Regentrude*, Theodor Storm, Bd. 68 *Die Reisen des Baron zu Münchhausen*, Bd. 69 *Die Schatzinsel*, Robert Louis Stevenson, Bd. 70 *Die Verlobten*, Allessandro Manzoni, Bd. 71 *Die Verwandlung*, Franz Kafka, Bd. 72 *Die Verwirrungen des Zöglings Törleß*, Robert Musil, Bd. 73 *Die Waffen nieder*, Berta von Suttner, Bd. 74 *Die Wahlverwandtschaften*, Johann Wolfgang v. Goethe, Bd. 75 *Don Carlos*, Friedrich v. Schiller, Bd. 76 *Eduards Traum*, Wilhelm Busch, Bd. 77 *Effi Briest*, Theodor Fontane, Bd. 78 *Egmont*, Johann Wolfgang v. Goethe, Bd. 79 *Ein Held unserer Zeit*, Michail Lermontoff, Bd. 80 *Einsichten und Ausblicke*, Gerhard Hauptmann, Bd. 81 *Emilia Galotti*, Gottold Ephraim Lessing, Bd. 82 *Erinnerungen aus galanter Zeit*, Giacomo Casanova, Bd. 83 *Erzählungen*, Wilhelm Busch, Bd. 84 *Es waren zwei Königskinder*, Theodor Storm, Bd. 85 *Essays*, Michel de Montaigne, Bd. 86 *Franz Sternbalds Wanderungen*, Ludwig Tieck, Bd. 87 *Fräulein Else*, Arthur Schnitzler, Bd. 88 *Frühlings Erwachen*, Frank Wedekind, Bd. 89 Gedanken, Blaise Pascal,

Bd. 90 *Gefährliche Liebschaften*, Pierre-Ambroise-François Choderlos de Laclos, Bd. 91 *Gegen den Strich*, Joris-Karl Huysmany, Bd. 92 *Geschichte des Fräuleins von Sternheim*, Sophie v. La Roche, Bd. 93 *Geschichte vom braven Kasperl und dem Annerl*, Clemens Brentano, Bd. 94 *Geschichten aus dem Wienerwald*, Ödön v. Horváth, Bd. 95 *Glanz und Elend der Kurtisanen*, Honore de Balzac, Bd. 96 *Glück und Unglück der berühmten Moll Flanders*, Daniel Defoe, Bd. 97 *Götz von Berlichingen*, Johann Wolfgang v. Goethe, Bd. *98 Gullivers Reisen*, Jonathan Swift, Bd. *99 Heidis Lehr und Wanderjahre*, Johann Spyri, Bd. 100 *Heinrich von Ofterdingen*, Novalis, Bd. 101 *Hiob Roman eines einfachen Mannes*, Joseph Roth, Bd. *102 Immensee*, Theodor Storm, Bd. 103 *Iphigenie auf Tauris*, Johann Wolfgang v. Goethe, Bd. 104 *Italienische Märchen*, Clemens Brentano, Bd. 105 *Ivannhoe*, Walter Scott, Bd. 106 Jahrmarkt der Eitelkeiten, William Makepaece Thackeray, Bd. 107 *Jane Eyre*, Charlotte Brontë, Bd. 108 *Jugend ohne Gott*, Ödön v. Horvath, Bd. 109 *Jürg Jenatsch*, Conrad Ferdinand Meyer, Bd. 110 *Kabale und Liebe*, Friedrich v. Schiller, Bd. 111 *Kasimir und Karoline*, Ödön v. Horvath, Bd. 112 *Kinder- und Hausmärchen*, Gebrüder Grimm, Bd. 113 *Kleiner Mann, was nun*, Hans Fallada, Bd. 114 *König Alkohol*, Jack London, Bd. 115 *Krambambuli*, Marie Ebner-Eschenbach, Bd. 116 *Lausbubengeschichten*, Ludwig Thoma, Bd. 117 *Lavinia - Pauline - Kora*, George Sand, Bd. 118 *Leben und Lüge*, Detlev von Liliencron, Bd. 119 *Lebensansichten des Katers Murr*, ETA Hoffmann, Bd. 120 *Lenz. Der hessische Landbote*, Georg Büchner, Bd. 121 *Lieutenant Gustl*, Arthur Schnitzler, Bd. 122 *Lord Jim*, Joseph Conrad, Bd. 123 *Luise*, Johann Heinrich Voß, Bd. 124 *Madame Bovary*, Gustave Flaubert, Bd. 125 *Märchen*, Wilhelm Hauff, Bd. 126 *Maria Stuart*, Friedrich v. Schiller, Bd. 127 *Max Havelaar*, Multatuli, Bd. 128 *Meister Floh*, ETA Hoffmann, Bd. 129 *Michael Kohlhaas*, Heinrich v. Kleist, Bd. 130 *Minna von Barnhelm*, Gotthold Ephraim Lessing, Bd. 131 *Moby Dick*, Hermann Melville, Bd. 132 *Nathan, der Weise*, Gotthold Ephraim Lessing, Bd. 133-1 und 133-2 *Nils Holgersson wunderbare Reise*, Selma Lagerlöf, Bd. 134 *Niels Lyne*, Jens Peter Jacobsen, Bd. 135 *Nußknacker und Mausekönig*, ETA Hoffmann, Bd. 136 *Oliver Twist*, Charles Dickens, Bd. 137 *Onkel Toms Hütte*, Herriett Beecher Stowe, Bd. 138 *Peter Schlemihls wundersame Geschichte*, Adalbert v. Chamisso, Bd. 139 *Peterchens Mondfahrt*, Gerdt v. Bassewitz, Bd. 140 *Pinocchio*, Carlo Collodi, Bd. 141 *Reinecke Fuchs*, Johann Wolfgang v. Goethe, Bd. 142 *Rheinmärchen*, Clemens Brentano, Bd. 143 *Rinaldo Rinaldini*, Christian August Vulpius, Bd. 144 *Robinson Crusoe*; Daniel Defoe, Bd. 145 *Romeo und Julia*, William Shakespeare Bd. 146 *Schach von Wuthenow*, Theodor Fontane, Bd. 147 *Schachnovelle*, Stefan Zweig, Bd. 148 *Schatzkästlein des rheinischen Hausfreundes*, Johann Peter Hebel, Bd. 149 *Schelmuffskys Reisebeschreibung*, Christian Reuter, Bd. 150 *Schloss Gripsholm*, Kurt Tucholsky, Bd. 151 *Siebenkäs*, Jean Paul, Bd. 152 *Sternstunden der Menschheit*, Stefan Zweig, Bd. 153 Tao te king, Laotse, Bd. 154 *Till Eulenspiegel*, Hermann Bote, Bd. 155 *Tolldreiste Geschichten*, Honorè de Balzac, Bd. 156 *Tom Jones, Geschichte eines Findelkindes*, Henry Fielding, Bd. 157 *Tom Sawyers Abenteuer und Streiche*, Mark Twain, Bd. 158 *Troquato Tasso*, Johann Wolfgang v. Goethe, Bd. 159 *Traumnovelle*, Arthur Schnitzler, Bd. 160 *Trost der Philosophie*, Boethius, Bd. 161 *Über den Umgang mit Menschen*, Adolph Freiherr v. Knigge, Bd. 162 *Uli der Knecht*, Jeremias Gotthelf, Bd. 163 *Uli der Pächter*, Jeremias Gotthelf, Bd. 164 *Ungeduld des Herzens*, Stefan Zweig, Bd. 165 *Ut oler Welt*, Wilhelm Busch, Bd. 166 *Vater Goriot*, Honorè de Balzac, Bd. *167 Väter und Söhne*, Ivan Sergejeviç Turgenev, Bd. 168 *Verlorene Illusionen*, Honorè de Balzac, Bd. 169 *Von der Freiheit eines Christenmenschen*, Martin Luther – Bd. 170 *Von der Ursache, dem Prinzip und dem Einen*, Bruno Giordano, Bd. 171 *Vor Sonnenuntergang*, Gerhard Hauptmann, Bd. 172 *Walden oder Leben in den Wäldern*, Henry D. Thoreau, Bd. 173 *Wilhelm Meisters Lehrjahre*, Johann Wolfgang v. Goethe, Bd. 174 *Wilhelm Meisters Wanderjahre*, Johann Wolfgang v. Goethe, Bd. 175 *Wilhelm Tell*, Friedrich v. Schiller

Von demselben Autor/Herausgeber sind bei BOD bereits erschienen:

Alle Tage Feiertage
ISBN 978-3-7386-0409-2, 280 S.
Allerlei Anlässe zum Aktionieren, Feiern und Gedenken

100 Kinderlieder
ISBN 978-3-7322-3024-2, 112 S.
100 Kinderlieder, altbekannt und immer wieder gern gesungen

Liederbuch (Deutsche Volkslieder)
ISBN 978-3-8423-6702-9, 312 S.
300 Volkslieder aus 8 Jahrhunderten und aller Herren Länder

Sagen und Erzählungen aus Marburg und Oberhessen
ISBN 978-3-7347-8909-0 , 164 S.
Allerlei Schwänke und Geschichten aus dem Marburger Land

Tausenderlei über die Freiheit
ISBN 978-3-7322-9721-4, 140 S.
Mehr als 1000 Zitate, Bonmots und Aphorismen über die Freiheit

Tausenderlei über das Glück
ISBN 978-3-7322-5525-2, 160 S.
Mehr als 1000 Zitate, Bonmots und Aphorismen über das Glück

Tausenderlei über die Liebe
ISBN 978-3-8423-7474-4, 140 S.
Mehr als 1000 Zitate, Bonmots und Aphorismen zum Thema Nr. Eins

Weihnachtsgedichte– Verse, Reime und Gedichte zum Fest
ISBN 978-3-7347-6393-9, 352 S.
290 Werke bekannter und unbekannter Dichter zum Weihnachtsfest

Weihnachtsgeschichten - Erzählungen und Märchen
ISBN 978-3-7347-6404-2, 392 S.
85 kurze und lange Texte zur Weihnachtszeit

Weihnachtsgeschichten 2
ISBN 978-3-7481-7533-9, 360 S.
35 kürzere und längere Geschichten zur Weihnacht

100 Weihnachtslieder
ISBN 978-3-7322-3375-5, 112 S.
100 Weihnachtslieder aus der Heimat und der ganzen Welt

Lob und Tadel an tessitore@web.de